LE BIEN-AIME

André Mathieu

LE BIEN-AIMÉ

roman

Dépôt légal
Bibliothèque nationale du Canada
Bibliothèque nationale du Québec
3e trimestre, 1983
ISBN-2-89196-009-2

« Nous ne voulons pas réparer un crime par d'autres crimes. »

Honoré Mercier, le 22 novembre, 1885.

Discours du Champ de Mars

CHAPITRE 1

La jeune fille tira sur sa longue robe gris-bleu découvrant ainsi d'étroites bottines noires usées sur les bouts et aux talons. Son compagnon lui prit galamment le bras. Il l'aida à enjamber le tronc d'un gros hêtre ébranché, jeté là quelques jours auparavant par les hommes qui avaient fait de l'abatis dans ce coin au cours de la semaine.

Un dimanche scintillant, plus calme encore que les grands arbres, tombait sur un petit lac voisin, s'insinuait à travers les branches, venait pétiller dans les prunelles bleues, féminines comme l'eau, et que balayaient gaiement des paupières rosées aux cils pâles. Son visage était blanc. Ses yeux aussi. Et grands. Tout grands.

Le couple s'arrêta. Chacun avait compris que l'endroit pouvait nourrir une rêverie exquise. Le jeune homme fit quelques pas gauches vers elle. Et il osa lui passer un bras autour des épaules pour les envelopper de sécurité. Émue de cette douce puissance qui l'entourait, elle dit à voix basse :

—Ça ressemble à mon rêve par ici.

Elle avait parlé en langue gaélique comme ils le faisaient le plus souvent quand ils se retrouvaient à l'écart pour partager leur idylle.

— Tu racontes ? questionna-t-il, anxieux de savoir s'il avait eu sa place dans la nuit de la jeune fille.

— C'était comme ici. Il y avait du bois d'orignal comme là...

Elle releva la tête, fit un signe ravi des yeux, montrant de l'index en direction d'un chicot.

— Et un nid de guêpes comme celui-là... Et un écureuil...

— Je ne vois pas d'écureuil.

— Il doit y en avoir un.

— Je n'en vois pas, fit-il après avoir scruté les environs d'un long regard panoramique.

— Tiens, là-bas, dit-elle en pointant du doigt une petite bête rousse à queue roulée et qui se déplaçait nerveusement d'une branche à l'autre d'un érable jeune.

— Surprenant! s'exclama-t-il.

— Dans mes rêves, je vois de plus en plus souvent des choses qui se produisent réellement.

— Qu'est-ce qu'il y avait d'autre ? demanda-t-il pour l'éprouver.

— Un chevreuil.

— Là par exemple, tu te trompes.

— Il va venir... Je suis sûre qu'il va en venir un.

L'esprit traversé par une idée qu'il n'arrivait pas à exprimer, le jeune homme balbutia :

— Marion, est-ce que...

Son hésitation incita la jeune fille à le questionner :

— Quoi? demanda-t-elle en s'abandonnant un peu plus contre lui, juste assez pour qu'il le sente mais pas trop car leur religion et leur moralité ne leur aurait pas permis des rapprochements physiques prématurés.

— On devrait... s'asseoir un peu.

— Oui, acquiesça-t-elle en haussant les épaules.

Pour empêcher qu'elle soit embarrassée, il suggéra :

— Tiens : toi sur l'arbre et moi en bas!

Elle recula de deux pas et s'assit sur le tronc du grand hêtre. Lui, au dernier moment, changea d'idée et resta debout devant elle, bras croisés, les yeux profonds remplis d'une lumière bleutée, limpide et douce.

Ils se regardèrent ainsi une éternité sans rien dire, sans

prononcer le moindre mot, retenant leur respiration, le cœur chaviré, l'âme bouleversée par l'image de l'autre. Le jeune homme laissait couler ses yeux dans les longues vagues blondes et ensoleillées qui se pressaient en ondes sur les épaules de Marion. Elle les avait attachées de chaque côté, pour qu'elles passent par-dessus les oreilles, avec des petites barrettes rouges en forme de papillon.

Au loin, par-delà les traits accusés du visage masculin, Marion voyait le jour de leurs fiançailles. Un jour qui ne saurait tarder puisqu'elle avait maintenant ses dix-huit ans, âge où est venu le temps pour les jeunes Écossaises de prendre mari.

— Et ton rêve : j'étais dedans ? fit-il en détachant d'elle son regard pour le planter dans une souche qui témoignait que l'arbre avait été coupé à la hache.

Elle baissa les yeux. Son front se rembrunit. Elle murmura comme pour elle-même :

— Non, tu étais parti.

— Parti ? se surprit le jeune homme.

— Au loin...

Il haussa les épaules pour montrer que son étonnement venait de décupler.

— Où ça donc ?

— Je ne sais pas. Mais très loin, très loin.

Il sourit et dit en hochant la tête :

— Dans ce cas, c'était un mauvais rêve. Il faut l'oublier au plus vite.

— Je ne sais pas. J'ai peur... Je transis pour l'avenir.

Elle se tourna la tête vers le lac. L'eau brilla dans ses yeux. Son cœur était la proie d'émitions fortes, confuses, allant de la tristesse qu'engendrait en elle le rappel de son rêve et la douce joie de le sentir, lui, aussi près.

Il profita du moment pour détailler son visage, cette peau si blanche et veloutée, ce nez si fin et timide, ces yeux en forme de nostalgie et tournés vers les inquiétudes du lendemain. Une impudeur qu'il ne put s'expliquer, et qu'il regretterait ensuite, fit tomber son regard sur la poitrine menue et qui se distinguait à peine sous les frisons du corsage, puis sur les mains tordues de tristesse l'une dans l'autre et enfin sur les pieds étroitement emprisonnés.

Marion se tourna la tête vers lui, surprit son regard tombé, sentit s'évanouir la douce émotion qui, jusque là, s'était mélangée à son angoisse. Elle soupira :

— Va falloir que je retourne à la maison maintenant !

Cette préoccupation du quotidien fit s'arrêter la fièvre montante dans la chair de l'homme. Il s'exclama :

— Pas déjà ? On arrive tout juste.

— Donald, tu sais que je ne peux laisser maman toute seule bien longtemps. Papa me le reprocherait.

— Oui mais...

— Ça fait plus d'une heure que nous sommes partis !

Il appuya son pied très haut sur une bosse du tronc, s'en servant comme pivot pour agiter son soulier d'avant en arrière. Le cuir portait les traces de la poussière du chemin. L'idée lui vint de poser la question : « Comment est-elle ? » Mais il resta silencieux. C'eût été malséant. À quoi bon mettre du sel sur une plaie vive ? Si Marion avait besoin de parler de sa mère, c'était à elle d'en prendre l'initiative sans qu'il n'ait à poser de questions. Il sut qu'il avait bien fait lorsqu'elle dit :

— Moi, je commence à penser que jamais elle ne va guérir.

— Mais non, voyons !

— Elle a encore craché du sang hier.

Il hocha la tête à plusieurs reprises avant d'affirmer sur le ton d'un doux reproche :

— Ça ne veut rien dire. C'est arrivé à ma grand-mère plus d'une fois et ce n'est pas ce qui l'a fait mourir.

— Je sais. Tu me l'as déjà dit.

— Mais tu l'oublies.

— Ce n'est pas que je l'oublie, mais c'est que...

Elle s'arrêta de parler pour ravaler cette boule douloureuse qui lui bloquait la gorge. Ses yeux firent un grand cercle au-dessus du lac, par-delà la montagne dont la crête harmonieuse ciselait nettement l'horizon tant le jour était sec et clair. Puis elle regarda le ciel comme pour le sonder et l'invoquer. Mais elle dit sur le ton de l'impatience et de l'impuissance :

— Elle parle et fait les choses comme quelqu'un qui va s'en aller à tout jamais. Chaque jour que le bon Dieu amène, elle fait approcher tous les enfants de son lit juste pour les regarder comme si elle ne devait jamais plus les revoir.

— Et le docteur, il dit toujours la même chose ?

— Toujours : bronchite. Et il conseille la même tisane chaude au trèfle rouge et à l'herbe aux ânes. Je me demande bien ce qu'il va prescrire quand la saison des fleurs sera finie ? Peut-être qu'il faudrait la faire examiner par le docteur de Scotstown : c'est un Écossais, lui.

— Le docteur Millette a beau être un Canadien français, il est reconnu comme un bon médecin.

— Ça serait plus certain si...

— C'est à ton père de décider. Qu'est-ce qu'il en pense ?

— Il pense qu'il faut faire confiance au docteur Millette. Et qu'il faut prier le Seigneur de toutes nos forces.

— Tu vois...

Au déclin de l'hiver, la mère de Marion avait été atteinte d'une simple rhinite. Son mal s'était transformé en bronchite, envenimé. Le docteur Millette n'ignorait pas qu'il s'agissait maintenant de tuberculose. En ce pays difficile, cette femme n'était pas la seule ni la première à être la proie de la terrible maladie. En cette époque, le seul remède connu était le temps et le repos total. Devait s'y greffer une certaine volonté de vivre qui ne pouvait s'accommoder de la désespérance de ceux qui en venaient à connaître la véritable nature de leur mal. C'est la raison pour laquelle le médecin avait décidé de ne révéler la vérité à la famille de Marion que le plus tard possible, lorsque tout espoir de guérison se serait évanoui à tout jamais.

Âpre était la vie de ces pionniers des Cantons de l'Est. Terrible le plus souvent dans les débuts. Venus d'Écosse à la recherche du mieux-être, ces hommes et ces femmes ne le trouvaient qu'au prix d'efforts inouis.

Pauvres dans leur pays d'origine, aux prises avec des propriétaires terriens odieux, on leur avait parlé des lointaines forêts du Canada où de la terre pouvait s'acheter à quelques shillings l'âcre. Une terre fertile semée d'arbres qu'il suffisait de percer de trous pour en extraire de pleines chaudières d'eau sucrée transformable en un épais sirop puis en sucre nourrissant. Un immense territoire parsemé de lacs poissonneux. Des bois giboyeux...

On ne mentait par sur les richesses disponibles mais l'on ne faisait pas beaucoup état des énormes difficultés qui attendaient les immigrants : lourd travail à accomplir pour nettoyer le sol et le rendre cultivable, hivers impitoyables, terre souvent rocailleuse.

La première tâche qui attendait l'arrivant était celle de se construire un abri de bois rond dont le toit était constitué de bardeaux de cèdre taillés à la hache. L'unique pièce de la cabane comportait un foyer de pierres servant au chauffage et à la cuisson des aliments. Un mobilier fruste : des lits, une table, des bancs, tout en morceaux d'épinette grossièrement équarris. Quelques objets apportés d'Europe : une poêle à frire, quelques assiettes, deux ou trois chaudrons.

Dès lors que la cabane était terminée, on commençait à s'attaquer à la forêt qu'il fallait faire reculer et remplacer par des prairies fertiles. Cette tâche, interminable, ne pouvait être accomplie par un homme seul. Les voisins se regroupaient pour ramasser les troncs d'arbres, les branches, les entasser afin de les brûler. Femmes et enfants se devaient d'assister les pionniers dans leur travail.

C'est ainsi que la mère de Marion avait souvent participé au dur labeur de son homme. Depuis leur arrivée en 1854, certains hivers avaient été cruels : manque de viande, froid vif, vent s'inflitrant dans la cabane et pénétrant les chairs jusqu'aux os. Puis l'on avait construit une nouvelle demeure sur ce même lot près de Marsden. Une vraie maison cette fois avec double lambris intérieur et extérieur. Mais cela n'avait pas effacé les marques de la misère imprimées en rides précoces dans le visage et les mains de la femme. Et ses grossesses suivies et nombreuses avaient contribué à miner sa santé encore davantage.

Cette tristesse profonde qui affligeait Marion faisait naître au cœur du jeune homme un flot de tendresse qu'il avait du mal à contenir. Qu'il eût aimé la prendre dans ses bras, couvrir son visage de baisers pour en essuyer toutes les larmes ! Comme elle était pénible cette obligation de la vie et de leur religion de garder entre les jeunes gens des barrières hautes tant qu'ils n'étaient pas mariés, le seul rapprochement permis étant celui de marcher côte à côte et de ne se toucher que les mains ou les bras. Mais c'est ainsi que le voulait la sainte Écriture selon les pasteurs. Et Donald Morrison et Marion McKinnon avaient le plus profond respect pour l'Écriture et ceux qui la transmettaient en l'interprétant.

En ce moment, seuls les mots pouvaient chasser de ce front pourtant si radieux les plis des douloureuses inquiétudes qui s'y imprimaient. Et c'est d'avenir qu'il devait parler pour les ramener tous les deux à ce moment de douceur brutalement interrompu alors qu'il venait tout juste de commencer.

Donald leva le bras, pointa son index vers l'est en disant d'une voix à créer le rêve :

— Imagine ma terre à Mégantic, Marion, aussi loin que tu peux voir dans cette direction. Dans dix ans, la prairie va se rendre jusqu'au bout. Et je posséderai un troupeau aussi beau que celui des MacRitchie.

C'était sa façon de lui déclarer son amour et de lui promettre le mariage.

Elle sourit vaguement.

Il s'encouragea et poursuivit en fronçant les sourcils comme pour mieux dessiner le futur :

— Un jour, je serai le fermier le plus riche de Mégantic... Et peut-être bien de tous les cantons...

Mais la jeune fille ne parvenait pas à voir si loin. Elle se remit sur ses pieds, fit s'envoler un insecte stridulant, dit :

— On s'en va. Faut que je ramasse de l'herbe aux ânes en retournant à la maison.

Il proposa :

— Ça ne serait pas plus long de faire un détour par le rocher de la gelée. Là-bas, c'est rempli de toutes sortes de plantes introuvables ailleurs.

Elle acquiesça par des mots contrariants :

— D'accord, mais on va se presser.

Il regretta de ne pouvoir la prendre par les épaules comme il s'émouvait tant à le faire.

Comme ayant deviné se pensée, elle lui sourit, pencha la tête et rajouta à voix basse :

— Mais tu pourras me prendre par la main si tu veux.

Ils marchèrent ainsi jusqu'à l'endroit convenu situé dans l'encaissement d'un petit ruisseau à quelques centaines de pieds du chemin.

C'est là, près d'une grosse roche, que l'on avait trouvé le corps de Régina Graham bien des années auparavant. Par un froid matin d'hiver, l'adolescente avait quitté la maison pour aller au hameau voisin porter un panier de patates à une famille dans le besoin. Ses parents ne s'attendaient pas à son retour avant le jour suivant. Le lendemain matin, un homme en route pour Mégantic avait aperçu la jeune fille assise, adossée à la grosse roche. Il lui avait crié. N'obtenant pas de réponse, il s'était rendu auprès d'elle et l'avait trouvée gelée, dure comme la pierre qui se trouvait derrière elle et que son corps ne touchait même pas.

Il n'y avait pas eu de tempête. Pourquoi donc avait-elle quitté la route ? Une terrible rumeur avait circulé par tout le canton voulant que Régina se soit laissée mourir par amour, celui qu'elle aimait lui ayant écrit une lettre dans laquelle il annonçait qu'il ne reviendrait pas des États où il avait émigré soi-disant pour un temps seulement.

Avec les années, le rocher de la gelée était devenu lieu sacré des amoureux qui venaient, les beaux soirs d'été, s'y échanger des serments en se racontant, le cœur attendri, la légende de Régina Graham. La pierre était encavée de dizaines de paires d'initiales dont la plupart entourées d'un cœur. Donald et Marion les examinèrent une fois encore dans l'espoir d'en découvrir de nouvelles.

Les leurs s'y trouvaient aussi, gravées là pour l'éternité par la main de Donald. Il s'était servi d'un ciseau de nielleur et son travail avait été impeccable. Il avait placé le M de Marion à l'intérieur du D de Donald et leur inscription, contrairement à celle des autres, ne comportait que l'initiale de leur prénom. De plus, elle était entourée non pas d'un cœur mais d'un fer à cheval. « Pour la chance, » avait-il soutenu. « Parce que j'aime les chevaux » avait-elle renchéri.

Ils trouvèrent de l'herbe aux ânes, en cueillirent jusqu'à

en avoir les mains pleines. Puis ils reprirent le chemin de la maison des McKinnon.

Il leur fallait repasser par le même endroit où ils s'étaient assis une heure auparavant. Quand ils y furent, Marion s'arrêta soudainement, là même où elle avait raconté son rêve à Donald. Derrière un arbre tombé, à moitié caché par le feuillage vert, se trouvait un jeune chevreuil mâle qui ne tarda pas à les sentir pour ensuite détaler.

Marion ferma les yeux pour ne plus voir ni la bête qui s'enfuyait, ni le lac, ni le soleil, ni le ciel. Mais alors une image autrement plus pénible envahit son esprit : celle de sa mère en train de mourir.

Au moment de repartir, Marion regarda au loin le ciel. Par-delà la montagne s'amoncelaient de gros nuages sombres venus tout droit de l'ouest.

Alors elle se mit à prier.

CHAPITRE 2

Le rêve de Marion avait pris racine dans une réalité qui l'inquiétait au plus haut point. Depuis plusieurs semaines, Donald lui parlait de la vie dans l'Ouest, de jeunes gens dont on disait qu'ils étaient là-bas en train de s'enrichir, d'immenses prairies fertiles, de troupeaux convoyés sur de grandes distances. Selon ses dires, il n'y avait pas assez d'hommes dans les grandes plaines canadiennes et américaines- que l'on ne différenciait d'ailleurs pas- pour ramasser toutes les richesses qu'elles dispensaient avec prodigalité. Marion avait deviné que le mirage séduisait son ami par les yeux qu'il faisait quand il en parlait. Et lui, pour cacher son attrait, parlait de l'envers de la médaille. On rapportait que l'Ouest grouillait de vermine : voleurs de bétail, hors-la-loi de toutes sauces, maniaques de la gachette... Des noms évoquant le crime et suscitant la terreur circulaient sur les lèvres de ceux qui voulaient en empêcher d'autres de partir pour là-bas. Les frères James, responsables d'innombrales attaques de banques, de diligences, de trains. Billy le Kid, un jeune homme de l'âge de Donald et qui avait entrepris son sinistre métier de tueur à quinze ans. Les Younger, amis des James et tout aussi dangereux. Bill Longley jugé en 1877 et qui avait encoché trente-deux fois la crosse de son arme. John Wesley Hardin qui tuait les gens simplement parce qu'ils dérangeaient son sommeil en ronflant. Ces tristes individus et bien d'autres étaient devenus de vivantes légendes. On rapportait leurs faits et méfaits dans tous les journaux de l'est des deux pays. Ils étaient les principaux artisans de la réputation peu reluisante de l'Ouest.

Un marchand général de Mégantic était abonné au Montréal Daily Star qu'il recevait avec trois jours de retard. Mais qu'importe ! Les jeunes gens des environs s'en arrachaient les pages qui rapportaient des nouvelles de l'Ouest. Le danger de vivre là-bas constituait pour eux un attrait supplémentaire.

L'un de ceux que le goût de partir tenaillait le plus était le meilleur ami de Donald Morrison. Chaque dimanche, Norman MacAuley restait à flâner au village où l'un de ses plus grands plaisirs consistait à feuilleter les journaux de la semaine. Après le souper, on se retrouvait pour jaser de ce que Norman avait lu.

Ce soir-là, Donald se rendit chez les MacAuley. Leur maison se trouvait à un demi-mille de celle des Morrison dont ne les séparait qu'un voisin commun, les Edwards.

Les jeunes gens bavardaient sur la galerie, assis sur des bancs de bois individuels.

Le père de Norman, un homme tout en nez, vint les retrouver. Les bouts tombants de sa moustache épaisse lui donnaient un air triste qu'accentuait un grand regard blanc. Il prit des nouvelles de la mère de Marion McKinnon. Puis il annonça à Donald que Norman pourrait aller avec lui à la ferme des Morrison durant la semaine à venir pour aider à faire de l'abatis.

La conversation eut tôt fait de revenir sur le sujet qui l'animait avant l'arrivée du père.

— Comme ça, le grand nettoyage serait commencé là-bas ? fit Donald qui voulait encore entendre ce que son ami lui avait résumé du contenu des nouvelles en provenance de l'Ouest.

Moustachu, les yeux foncés, brillants, Norman mit de l'intonation dans sa réponse :

— Le juge Parker a fait lever des groupes de volontaires pour accompagner les marshals. Il soutient que dans un an, pas plus tard, l'Arkansas sera propre comme un sou neuf.

Le père de Norman éclata d'un rire qui n'éclairait pourtant pas son visage. Il n'était que l'expression de sa plus totale incrédulité.

— Jamais, au grand jamais ils ne réussiront ! L'Ouest est trop grand. Les hors-la-loi trouveront toujours quelque endroit où se cacher.

L'homme hocha la tête à plusieurs reprises et ajouta :

— Non, non, non...

— Si les hommes de loi sont trois fois plus nombreux, ils ont trois fois plus de chances de traquer les criminels.

Donald écoutait l'échange, sentant bien que le père s'opposait au grand rêve de son fils. Norman se servit d'un autre argument :

— Et plus il y aura de pendaisons publiques comme celle de la semaine passée, plus les bandits auront peur.

Le père protesta à nouveau par des hochements répétés avec le regard planté dans le bois coti de la galerie. Cette réprobation stimulait Norman qui insista :

— Dix mille personnes ont vu les meurtriers se balancer au bout d'une corde.

— Mon garçon, les malfaiteurs aiment se donner en spectacle. Mourir pendu, c'est leur gloire. Des exécutions publiques, plus il y en aura, plus il se trouvera d'hommes pour chercher sans le savoir à donner le spectacle.

— Un homme pourrait-il vouloir mourir sur la potence devant des milliers d'autres, histoire de faire du théâtre ? Vous y allez fort, le père.

— Et pourtant c'est bien ce que les grands bandits recherchent au fond d'eux-mêmes. C'est pareil pour toi, Norman. T'as peur d'aller dans l'Ouest mais en même temps, ça t'attire. Je ne t'empêcherai pas de partir pour là-bas si tu en as envie ; mais moi, je vais continuer de penser que l'Ouest, c'est dangereux pour un jeune de ton âge. Pour ton corps, et surtout pour ton âme. Les saloons, les maisons de débauche, les mauvaises fréquentations...

Norman baissa les yeux. Le rouge lui empourpra les joues. Les mots de son père faisaient tournoyer au creux de son cœur une émotion bizarre. Perverse. Il la refusa.

Donald se dit à lui-même qu'un homme pouvait émigrer dans l'Ouest sans mettre son corps ou son âme en péril. Après tout, ils affluaient par milliers les pionniers dans les grandes plaines et ils n'en mouraient pas tous. Comme s'il eût deviné les pensées du visiteur, le père MacAuley poursuivit :

— Ah, pour une famille, c'est pas la même chose ! Les bandits ne s'en prennent pas aux familles. Et puis les hommes mariés sont à l'abri des mauvaises filles...

Il réfléchit un moment, se racla la gorge et continua :

— Malgré que d'un autre côté, ils ne sont pas rares les fermiers qui ont perdu leurs cheveux...ou bien leurs chevaux aux mains des Apaches ou des Sioux. Ça ne fait pas même cinq ans, le général Custer y a goûté, à la médecine indienne...

— Mais il s'était jeté dans la gueule du loup comme un imbécile, protesta Norman qui connaissait bien l'histoire.

— Combien y en a-t-il qui se font scalper là-bas, hein ? Ça ne paraît pas toujours dans nos journaux.

— Les temps ont changé. Les Indiens commencent à comprendre qu'à chaque tête de Blanc qu'ils scalpent, ils se font tuer au moins vingt des leurs. Il n'en reste pas gros parmi eux qui cherchent encore à se battre.

Pendant un bon moment, Donald perdit le fil de leur discours. Son cœur et son esprit se portèrent vers ses parents. C'est par leur existence et par celle de Marion que passait son avenir. Dernier de sa famille, il allait de soi que le bien paternel lui serait dévolu moyennant quoi il prendrait soin de ses parents jusqu'à leur mort. Tous ses frères et sœurs avaient quitté la maison pour fonder leur propre foyer. Son père et sa mère dépassaient tous deux la soixantaine. Le temps était venu pour eux de confier la barque à des mains plus jeunes et plus énergiques.

Dans l'esprit de Donald, il ne faisait aucun doute que Marion deviendrait sa compagne de route et qu'elle partagerait sa vie. Peut-être bientôt. Il eût aimé que la maison fût améliorée, un peu plus confortable, mais l'argent manquait à son père qui avait dû établir ses autres fils et qui pour le faire s'était endetté, empruntant de l'argent à trois voisins de rang. En raison de son âge, Murdo sentait de plus en plus lourd sur ses épaules le poids de ses dettes. D'autant plus qu'il était homme d'honneur et voulait à tout prix remettre à temps les sommes dues...

— Qu'est-ce que t'en dis, toi, Donald ? demanda Norman.

— De quoi ?

— Ah, la distraction ! Encore parti, envolé auprès de la belle Marion McKinnon, hein ?

Un large sourire du jeune homme fut à la fois sa réponse et son excuse.

— De ce qu'un gars qui commencerait avec sa terre claire à lui et mille piastres dans ses poches pourrait devenir le fermier le plus prospère des cantons avant dix ans.

— S'il y met du bras, oui, fit Donald en montrant un biceps gonflé. C'est ce que je dis souvent.

— Suffirait de deux ans dans l'Ouest, assura Norman. Peut-être même rien qu'un.

Son père achevait de bourrer sa pipe. Il l'alluma en souriant. Puis il souleva ses jambes bottées de chaussures en cuir racorni et sec pour les appuyer à la rampe de la galerie. Il haussa les épaules et dit comme pour en finir avec le sujet :

— Si c'est ton idée, garde-la.

Ensuite il cracha par-delà ses bottes et s'adressa à Donald :

— C'est-il qu'on va aller à tes noces au mois de juillet, mon petit Morrison ?

— Pas cette année...

— Moi, je pense ! contredit Norman pour en savoir plus.

— Faut que ma blonde s'occupe de sa famille, de sa mère malade. Ça n'ira pas moins qu'à l'année prochaine, dit Donald en regardant au loin, au-dessus du lac, vers la montagne qui, à mesure que le soleil baissait à l'horizon, se découpait avec plus de précision par une ligne pure et bleue.

— Ces McKinnon-là, c'est du bon monde solide. La petite Marion, elle va te faire une femme dépareillée ! s'exclama le père.

— Les plus vieux de famille sont les meilleurs, fit Norman en souriant narquoisement.

Donald exagéra la moue et le ton :

— Je te remercie.

Une heure plus tard, il quittait ses hôtes pour retourner à la maison. Songeur. La brunante suivait ses pas. En route, il fut dépassé par deux voitures. Il refusa poliment les offres qu'on lui fit de monter, prétextant le besoin de délier un peu les muscles de ses jambes engourdis par l'inactivité du dimanche. En fait, il désirait réfléchir dans la solitude. Les paroles de l'heure passée chez les MacAuley tournaient et tournaient dans son esprit. Un quart d'heure passa. Puis un autre. Devant lui, les courbes se redressaient au ralenti. Les pentes se suivaient en douceur. Perdu dans ses pensées, il ne releva la tête que rendu à proximité de la maison. Les rayons du soleil couchant rougissaient les vitres des fenêtres, l'une petite dans le comble et l'autre plus grande divisée en quatre carreaux, donnant sur la cuisine par laquelle pouvait s'apercevoir sur une tablette à rebords sculptés par les mains de son père une horloge à bois châtain admirablement ciselé dans des fioritures ajourées qui découpaient le soleil en éclats vifs. C'est Donald qui l'avait offerte à sa mère un été où il avait travaillé à l'érection de la gare lorsqu'enfin le chemin de fer avait fait ses derniers milles jusqu'au village de Mégantic.

Le jeune homme fit quelques pas encore. Puis il s'arrêta. La scène dont il fut alors témoin balaya toutes ses réflexions de route. Sa mère s'approchait de la tablette de l'horloge.

Alors Donald pensa qu'il serait bien difficile de partir, lui, le benjamin sur qui ses parents comptaient pour assurer la relève et répondre aux besoins de leurs vieux jours.

La femme aux cheveux gris ramassés sur sa nuque en un gros chignon lâche dut se soulever sur le bout des pieds pour atteindre la tablette. Et du bout des doigts, par plusieurs petits gestes répétés, elle tira l'horloge qui finit par s'incliner et lui tomber dans les mains. Après l'avoir déposée sur la table, elle retourna à la tablette, trouva en tâtonnant une clef noire, revint sur ses pas, ouvrit la petite porte ronde en verre et remonta le ressort.

Donald épiait chaque geste, chaque mouvement. Une vague de tendresse, autre que celle ressentie pour Marion dans l'après-midi mais au moins égale, s'imprima dans les traits de son visage, les adoucit. Quelqu'un passant par là n'aurait pas pu lire ces sentiments dans son regard car il les aurait bien camouflés, muselés quelque part au fond de son esprit. Mais dans la solitude de ce jour tombant, c'était bon de pouvoir se laisser bercer par l'émotion.

Il devait regarder ainsi par la fenêtre tant que sa mère n'aurait pas fini d'accomplir sa tâche qu'elle entourait d'une lenteur méticuleuse. Soudain la femme s'arrêta. Elle sentait une présence autre que celle de son mari encabané dans une grosse berçante et fumant sa pipe. Elle ne ressentait ni malaise ni inquiétude. Des ondes favorables la remuaient. Elle tourna la tête.

Elle ne vit rien de plus par la fenêtre qu'un gros morceau de soleil fort qui, tel un pan de feu, allait éclabousser les planches disjointes du plancher. Elle ne put en supporter l'éclat, se dit que c'était la chaleur des rayons qui avait dû ainsi la pénétrer et que l'ami qui lui voulait du bien, c'était le Seigneur à travers un joyau de sa création.

Donald crut que sa mère l'avait aperçu. Il enfouit son cœur sous un front soucieux et entra. Juste à temps pour aider la femme à remettre l'horloge en place.

Il ne se dit pas un mot tant que le jeune homme ne fut pas assis. Alors Sophia chargea de tabac sa pipe qu'il avait laissée dans une armoire. Elle s'approcha, la lui tendit en demandant des nouvelles de la mère de Marion.

Il accompagna une grimace d'un hochement de tête exprimant la désolation et l'impuissance. Pendant qu'il allumait, la femme marcha lourdement jusqu'à une chaise placée entre la table et le poêle et qui se trouvait à former un triangle avec les lieux où se berçaient Donald et Murdo. Elle se laissa tomber en soupirant :

— La pauvre femme ! Moi, je pense qu'elle est prise avec la tuberculose.

Jamais on n'avait évoqué cette possibilité devant lui. Donald sursauta.

— Mais non, c'est une bronchite ! protesta-t-il. Le docteur Millette l'a dit encore la semaine passée.

— Moi, je pense comme ta mère, dit Murdo en retirant de sa bouche le bouquin de sa pipe pour laisser échapper un nuage bleu qui monta vers le plafond en s'étiolant.

Arcades proéminentes comme celles de Donald, moustache fournie plus blanche que noire, crâne nu et luisant, l'homme donnait un air de grand sérieux. Profondément soucieux de l'avenir de ses enfants, il se disait que la mort de la mère de Marion empêcherait la jeune fille d'épouser Donald à cause de son rôle d'aînée. Elle devrait s'occuper de la famille au moins jusqu'au jour où le veuf se remarierait, ce qui voudrait dire un minimum de deux ans. Ne vaudrait-il pas mieux que Donald tournât ses yeux ailleurs, vers d'autres jeunes filles plus disponibles ? Mais l'homme chassa cette pensée aussi vite qu'il l'avait conçue. Marion souffrirait bien assez de son deuil sans, par surcroît, qu'on finisse de lui briser le cœur en lui arrachant Donald. Car elle l'aimait de toute son âme ; ça, il eût fallu un aveugle pour ne pas le lire dans ses yeux.

Un moment, il se rappela de cette partie de sucre qui avait réuni plein de gens à la cabane par ce brillant dimanche d'avril. Les cris de joie. Les poursuites dans la neige. Les yeux ensoleillés de Marion quand elle le regardait pardessus la panne à sirop. Son inquiétude maternelle quand Donald avait grimpé dans un érable pour saluer la montagne.

Elle a besoin de lui, la fragile petite Marion, pensa Murdo. Et plus encore que nous autres, ses parents. Qu'importe la tuberculose ! Ce n'est tout de même pas un costaud comme Donald qui l'attraperait. Il avait de la force à revendre et il en communiquerait à la Marion pour lui aider à traverser la tempête qui chargeait déjà l'horizon.

— Ta mère connaît ça, la tuberculose, dit Murdo. Avant que tu viennes au monde, elle a vu mourir une de ses sœurs de la maladie. Il y a des signes qui trompent pas. C'est pas pour te faire de la peine qu'on te le dit mais c'est pour que tu sois encore plus prévenant envers Marion.

— C'est mieux d'envisager le pire, plaida à son tour la femme. Mais faut pas le dire à Marion. Pas maintenant.

Passé le premier mouvement d'incrédulité puis celui de la révolte intérieure, Donald, devant la totale conviction de ses parents, se résigna tristement. Car si telle était la volonté du Seigneur, mieux valait s'y soumettre humblement.

— Mais pourquoi le docteur Millette...

Il ne put finir sa phrase.

— Le docteur le sait, mais ce sont des choses qui ne se disent pas, coupa Murdo.

— Manque de courage et d'honnêteté, coupa à son tour Donald. Les Canadiens français...

Murdo l'interrompit :

— Tu te trompes de deux manières. D'abord les Canadiens français sont aussi honnêtes que les Écossais ; ensuite un docteur intelligent ne dit pas toujours la vérité à ses malades. Par-dessus tout quand la mort est au bout. Parce que ça évite de grandes souffrances. Là-dedans...

Et Murdo se pointa le cœur du bout de sa pipe.

— On avait pensé t'avertir avant aujourd'hui étant donné que la tuberculose, c'est un mal contagieux. Mais on a décidé d'attendre. Le mieux pour toi maintenant, c'est d'être prudent.

— Pourvu que tu l'embrasses pas, ta blonde, renchérit Sophia avec un regard sévère.

Bouleversé, Donald ne put continuer sur le sujet. Il changea le propos et rapporta à ses parents les nouvelles du journal apprises de la bouche de Norman.

Des larmes avaient perlé aux encornures de ses yeux. Heureusement que la pénombre les cachait. De toute façon, la fumée de tabac lui piquait sous les paupières.

Sophia alluma une lampe. On veilla une bonne demi-heure. Puis Donald monta à sa chambre. Il enflamma une bougie plantée dans un petit vase de fer blanc mis sur une table de chevet en bois grossier équarri à la hache. Alors il se coucha à demi pour éviter de s'endormir de suite. Trop d'idées se bousculaient dans sa tête. Il fallait qu'il y mette bon ordre. Mais le sommeil le surprit en traître.

Au matin, quand il se réveilla, la bougie avait disparu. Un rêve de la nuit lui revint en mémoire. Il y avait un lit, un moribond, un cierge. Dans un lourd silence, dix mille personnes regardaient le mourant. D'immenses portes métalliques se refermaient en claquant et leur bruit allait frapper la montagne pour revenir en écho. Vêtue d'une longue cape noire, la mort avait mis sa main squelettique sur le cou du malade et s'était mise à couper l'arrivée d'air. « Il a été condamné à mort. Il n'a plus le droit de respirer. »

Resté habillé, Donald s'approcha de la fenêtre ouverte et prit une longue respiration. Il regarda le lac, la montagne, le ciel vers l'ouest.

Ce jour-là, dans le champ d'abatis, il raconta son rêve à Norman qui s'en amusa.

— C'est mon histoire de pendaison publique qui t'aura fait peur. Par chance que toi, tu t'en iras jamais vivre dans l'Ouest !

Au cours de l'après-midi, un voisin venu aider fit comprendre à Murdo qu'à son tour il se trouvait dans le besoin puisque le moment était venu pour lui d'établir un de ses fils et que par conséquent, il aimerait toucher la somme que l'autre lui devait.

Au souper, Murdo resta silencieux. Et ensuite, il ne fuma pas comme il le faisait toujours à cette heure-là. Il repartit aussitôt dans sa chambre sous le regard inquiet de Sophia et Donald. Et il ne reparut pas.

Donald passa quelque temps dehors, arpentant la terre et traçant des plans imaginaires pour l'attribution des prairies à telle ou telle culture. À son retour, la cuisine était déserte. Sophia avait rejoint Murdo dans leur chambre. En parvenaient des éclats de voix. Ça n'avait rien à voir avec une querelle : chose absente de cette maison depuis toujours. Quand Murdo élevait la voix, c'était pour s'en prendre à la fatalité. Et c'est la raison pour laquelle Donald s'inquiéta.

Le matin suivant, Murdo s'endimancha. Il demanda à Donald de lui atteler la jument sur une voiture fine en disant laconiquement qu'il se rendait au village. En clair, cela signifiait qu'il confiait à son fils la direction des travaux dans l'abatis, ce qu'il assumaient généralement ensemble.

Le jeune homme n'osa questionner sa mère. On finirait bien par lui avouer ce qui se passait. Malgré l'arrivée de Norman et bien qu'ils s'entretinrent longuement une fois de plus de leur sujet de conversation favori, l'Ouest, Donald ne parvint pas à chasser ses inquiétudes.

Ce soir-là, à table, Murdo se décida à renseigner son fils et il le fit, accablé de honte.

— Tu as le droit de savoir puisque ça te concerne autant que nous autres, fit-il sans oser lever les yeux.

Puis il centra sa cravate brune dans un col blanc qui l'étouffait et poursuivit à voix basse :

— Aujourd'hui, j'ai emprunté ce qu'il faut pour régler mes dettes au grand complet. C'est pas endurable de devoir de l'argent à ses proches voisins. Tu peux lire dans leurs yeux qu'ils voudraient être remboursés mais tu sais qu'ils n'osent pas le demander. Après tout, ils sont dans le besoin autant que nous autres. De même, on va avoir la paix. Et on va pouvoir marcher la tête haute.

— Qui c'est le prêteur ? s'enquit Donald inquiet.

— Le major Malcolm McAulay. Lui, ça fait son affaire de prêter de l'argent... Il a pris une hypothèque sur la terre. Pas une grosse : deux mille dollars. Dans dix ans, ça sera fini de payer.

Sophia protesta :

— On ne pourra pas rembourser deux cents dollars par année.

— Mais oui, assura Murdo en se passant la main sur le crâne dans un vieux réflexe pour replacer des cheveux qui ne s'y trouvaient plus depuis bien des années.

— Comment payer deux cents quand on n'arrivait même pas à verser cent dollars sur nos dettes avant ?

L'homme se leva, marcha jusqu'à la fenêtre sans dire un seul mot pendant que Donald et sa mère s'échangeaient des regards interrogateurs. Murdo finit par bredouiller :

— C'est certain que le bon Dieu qui nous éclaire va nous venir en aide. On arrivera toujours à se débrouiller.

— Comment ? fit-elle d'une voix pointue qu'il prit comme un blâme.

Il s'impatienta :

— Je ne le sais pas. S'il faut que je parte pour l'Ouest pour un ou deux ans, je le ferai, dit-il sans réfléchir.

Pour un étranger observant la scène, il y aurait eu de quoi rire. Un homme de cet âge prétendre partir pour les grandes plaines. La mère et le fils avaient cependant le cœur à pleurer. Un long silence s'écrasa sur toute la pièce depuis les grosses poutres apparentes du plafond jusque dans chaque recoin. Sophia avait les larmes au bord des yeux. Donald était sidéré, effondré. Et Murdo, lui, courbait l'échine sous le poids de la culpabilité et de l'impuissance.

Il fallut le chien pour rendre la vie à cette scène figée. Il émit tout d'abord un petit cri plaintif puis il sortit de son refuge sous le poêle et marcha dans son vieux bruit de griffes sur le plancher jusqu'à son maître qu'il regarda avec des yeux agrandis et inquisifs. Il renifla autour des pieds de l'homme sans trouver de réponse aux questions de son instinct. Les yeux enfouis dans sa longue laine grise, il se rendit alors auprès de Donald, se leva sur ses pattes arrière, sila une autre fois : pas de réponse. La logique animale et brumeuse inscrite dans sa substance même lui ordonna de se rendre jusqu'à Sophia qui saurait, elle, le rassurer. Et il marcha jusqu'à la femme, passant entre les pattes de la table halenant çà et là. Ce fut en vain une fois encore. Il dut retourner bredouille sous la protection du poêle. De là, il tendit l'oreille jusqu'au moment où il entendit quelque chose remuer dans la cuisine.

C'était Donald qui se levait de table. Il se rendit à sa chambre, s'allongea sur son lit. Mains croisées derrière la nuque, regard plongé dans l'absence, il chercha une solution au dilemme qui venait de se poser si abruptement devant lui.

Aux mots de Murdo concernant l'Ouest, il s'était dit aussitôt qu'il lui appartenait de s'y rendre, à lui qui avait la jeunesse et l'énergie.

« Go West, young man ! » C'était écrit partout : dans les livres, dans les journaux et parfois même on pouvait le lire sur des affiches placardées dans les gares. Non seulement pourrait-il faire le paiement de l'hypothèque, mais encore, pourrait-il ramasser du capital pour mieux s'établir, pour agrandir la ferme, pour faire des améliorations aux bâtisses, bref pour faire de Marion la femme du plus prospère fermier du canton.

Saurait-elle l'attendre, la Marion ? Probablement, se dit-il. Mais avait-il le droit, lui, de s'en aller alors qu'un terrible malheur s'apprêtait à fondre sur elle ? C'est la question qui lui avait fait quitter la table. Il avait voulu y réfléchir dans la solitude et la quiétude de sa chambre.

Rester, c'était condamner ses parents à la honte de perdre leur terre, cette terre qui devait devenir la sienne dans si peu de temps. Partir, c'était marcher sur le cœur de Marion, c'était abandonner la jeune fille au pire moment.

Au sortir de sa réflexion, il ne savait pas quelle heure il était. La chambre était plongée dans l'obscurité. En bas, pas le moindre bruit. Murdo et Sophia devaient dormir.

Il se laissa glisser doucement sur les genoux à côté de son lit. Et ainsi, il s'approcha de la fenêtre pour questionner le ciel. Mais, si beau en après-midi, le temps avait dû se couvrir car le firmament n'était plus rien d'autre que du noir d'encre : ni quartier de lune, aucune lueur, pas la plus petite étoile.

Il trouva une allumette sur lui, la frotta sur le plancher et voulut allumer la chandelle sur la table de chevet. Quand le clair-obscur se mit à danser devant ses yeux fatigués, il se rendit compte qu'il avait omis de remplacer la bougie entièrement consumée la nuit précédente. Il laissa brûler la tige de bois jusqu'à ses doigts puis jeta le bout restant dans le plat de fer blanc.

Longtemps il resta assis sur le bord de son lit à chercher la lumière dans ses pensées houleuses.

Dans les jours suivants, Donald fut fort peu loquace. Incertain, le ciel avait quand même permis aux hommes de nettoyer deux âcres d'un terrain particulièrement difficile, embroussaillé, rocheux. Le jeune homme travaillait comme un déchaîné et quand venait le temps de s'arrêter, il se réfugiait dans un silence inhabituel qui ne manquait pas d'inquiéter son meilleur ami.

Le samedi, Norman voulut savoir exactement ce qui n'allait pas. Donald répondit par une simple question :

— Si je te disais qu'on part ensemble pour l'Ouest après les foins, tu répondrais quoi ?

— Yahououou, cria joyeusement Norman en jetant son chapeau cabossé le plus loin qu'il pût.

Au souper, il y eut le bavardage habituel concernant les travaux du jour. Donald se montra particulièrement rayonnant. Vers la fin du repas, après avoir avalé une longue gorgée de thé, il annonça sa décision de partir pour l'Alberta. Avant de la dire, il prit soin de la justifier, insistant sur la nécessité de trouver l'argent pour faire le paiement de l'hypothèque et si possible même pour effacer la dette au grand complet.

Il finit donc par mettre cartes sur table :

— Le seul moyen, c'est ce que disait papa lui-même l'autre jour : aller dans l'Ouest. Et c'est moi qui vais y aller comme de raison.

Murdo ne put soutenir le regard bourré de reproche que Sophia lui adressa. Il pencha la tête pour murmurer :

— On a besoin de toi à la maison.

— Je vais vous aider pour les foins; ensuite je partirai.

— Y'a tout le reste à faire. J'ai soixante-huit ans, Donald, et je n'ai plus beaucoup de forces.

— Mes frères Norman et Murdoch sont là, eux autres. Ils pourront venir vous donner un coup d'épaule à l'occasion pour les plus durs travaux.

— Tes frères ont leur barda, opposa Sophia.

— Les voisins vous aideront aussi. Ils vont comprendre pourquoi je suis parti et que c'est pour un temps seulement.

— Les voisins ont leur ouvrage, dit la femme qui voulait répondre à chaque argument.

Donald s'exalta :

— Dans un an, un an, je serai là avec tout l'argent qu'il faut pour bien m'établir.

Sophia à qui les paupières tombantes donnaient un air accablé se contenta de hocher la tête à plusieurs reprises en soupirant.

— Maman, l'ouvrage va se faire quand même ici.

— Par qui ? Regarde ton vieux père...

— Je l'ai dit : tout chacun va y mettre la main. Norman, Murdoch, les voisins.

— Ils ont tous des bouches à nourrir.

— S'il fallait que mes frères soient trop sans-cœur pour s'occuper du père, alors qu'ils soient damnés.

Les remords de Murdo se transformèrent en colère. Il s'insurgea, frappant la table de son poing crispé :

— Ne dis jamais des mots pareils, Donald, jamais ! Je ne le tolérerai pas dans cette maison..

— Écoutez, vous vous êtes endetté pour eux autres ; c'est le moins qu'ils puissent faire que d'aider à leur tour. À part de ça, Norman et Murdoch sont pas des égoïstes. Ils laisseront pas leurs vieux parents dans la misère.

Le ton conciliant de Donald calma Murdo qui plongea à

nouveau ses yeux dans sa tasse.

— Je comprends bien que vous ayez peur de me voir partir pour l'Ouest, mais je m'en vais pas à demeure...

— On dit ça ! soupira le père qui gardait ses mains enroulées autour de sa tasse et cherchait à voir son reflet dans le liquide mouvant.

— Et Marion ? questionna Sophia qui croyait frapper au bon endroit.

Le jeune homme ne répondit pas sur-le-champ. Il se leva, marcha jusqu'à la fenêtre pour regarder au loin un jour iridescent coiffer la montagne.

— Laissez-moi arranger les choses avec elle.

— Elle est trop timide pour faire valoir son point de vue. Tu vas lui briser le cœur en partant, fit Murdo.

— Chacun va en souffrir pour un an. Vous autres, Marion et moi aussi. Après, par exemple, tout le monde sera content et en profitera.

La discussion se poursuivit encore longtemps, passant par les habituelles considérations sur les dangers de l'Ouest : Indiens, bandits, corruption.

Donald devait rester inébranlable. Il avait soigneusement pesé le pour et le contre pendant plusieurs jours et maintenant il connaissait la voie à suivre : son chemin.

Ses parents savaient qu'il n'en démordrait jamais. Car depuis toujours Donald avait fait preuve d'une détermination voisine de l'entêtement. Cette caractéristique apparaissait nettement dans la découpure des traits de son visage avec ce nez qui pointait droit devant, ces yeux qui approfondissaient toutes choses, ce front carré donnant le ton à un crâne également taillé à la hache, recouvert de cheveux abondants mais très courts. Une sorte de fermeté loyale émanait de l'ensemble auquel une épaisse moustache blonde ajoutait bien deux ou trois années.

— Tu es majeur, finit par dire Murdo sur un ton de résignation. Pars si tu le veux. Mais essaie de ne pas trop en vouloir à ton père si tu trouves pas là-bas ce que tu recherches.

Donald continua de regarder le lac et la montagne comme si c'étaient des grandes prairies. Il resta silencieux comme le panorama puis il s'exclama :

— Cinq ans après mon retour, toute la terre sera faite d'un travers à l'autre. Je vais avoir les moyens de m'engager un homme. Vous n'aurez plus rien à faire. Vous vous reposerez.

— C'est pas de rien faire qui repose un homme.

— De toute façon, si je ne pars pas, on court au désastre. Donc la question est réglée là, trancha le fils.

Murdo avait enfoui sa tête dans ses mains. Il serrait fort pour repousser des larmes qu'il sentait monter. Par un haussement d'épaules, il fit comprendre à Donald qu'il acceptait sa décision.

Le jeune homme réalisa soudain que sa mère n'était plus là. Enveloppée de son habituelle discrétion, la femme s'était effacée. Dans la solitude de sa chambre, elle pleurait. Et pourtant, Donald ne serait pas le premier à quitter la maison. C'était justement parce qu'il était le dernier à le faire qu'elle en était aussi affligée.

Quelques minutes plus tard, selon son habitude du samedi à cette heure-là, Donald monta un paravent de fortune et de pudeur autour du poêle et de l'évier. Dans cette chambre improvisée, il apporta ensuite une cuve énorme pendue au mur derrière la maison. Puis une barre de savon du pays. Des torchons. Son habit du dimanche.

On était samedi soir : les jeunes gens de tout le canton s'apprêtaient à rendre visite à quelque douce amie, future compagne de route et mère de ses enfants.

Exactement une heure et demie plus tard, il arrivait à Marsden chez les McKinnon. La Gueuse suait pour avoir trotté sur plusieurs milles. Il descendit de sa magnifique voiture fine astiquée de bout en bout et il détela. Puis il conduisit sa jument jusqu'à une stalle de la petite grange.

Dans l'autre parc, se trouvait une jeune jument blonde aux naseaux frémissants comme secoués d'un tic nerveux. Donald partait pour la maison quand une voix se fit entendre :

— Je vais envoyer ma jument à l'herbe, dit le père de Marion.

— Laissez-les ensemble ; elles finiront bien par s'entendre.

— Justement pas ! fit l'autre en rajustant son chapeau

qu'il portait toujours sur la nuque et déplaçait souvent pour le remettre invariablement au même endroit.

Il se rendit détacher la bête, la fit reculer d'un bras secoué par ses coups de tête puis il la conduisit jusqu'au champ de pacage dont la barrière touchait presque la grange.

Donald l'attendit en l'observant. Coffre solide, pas alerte qui imprimait à sa colonne un mouvement de ressort, cou de taureau : l'homme rappelait l'image d'un bison. Ce qui à nouveau poussa Donald à réfléchir sur la phrase la meilleure pouvant servir à annoncer son prochain départ à Marion.

— Comme ça, elle va sauter à son goût sans se chicaner avec personne, commenta le personnage.

— J'aurais bien pu attacher mon cheval dehors.

— Mais non ! protesta McKinnon qui fronça les sourcils en poursuivant :

— Aurait fallu que je la mette dehors aujourd'hui. C'était prévu qu'on irait à Winslow pour le souper. Mais ma femme... ça va pas plus qu'il faut aujourd'hui. Winslow, c'est à une bonne heure, hein ? Ah, on se reprendra dimanche prochain...si elle prend du mieux.

Accablé, l'homme rajouta en soupirant :

— Si sa maudite bronchite peut donc la lâcher !

Trop transparent pour être capable d'ajouter quelque chose qui ne fasse allusion, ne serait-ce que par le ton, à la tuberculose, Donald riva son regard sur la montagne en disant :

— Avez-vous vu les belles couleurs derrière le Morne, monsieur McKinnon ?

L'autre regarda d'un oeil désabusé. Il ne répondit pas et revint au sujet qui le préoccupait :

— Le pire, c'est d'essayer d'encourager quelqu'un qui dépérit à vue d'oeil.

Donald comprit alors que le père de Marion avait conscience de la gravité du mal dont souffrait sa femme, mais qu'il refusait d'envisager la réalité. Il se promit de faire de même. Et il regretta d'avoir été injuste envers le docteur Millette.

— Entrons ! ordonna McKinnon. La Marion, elle t'attend même si elle va faire comme si elle ne t'avait pas vu arriver.

Cette observation fit sourire Donald intérieurement. Il cacha sa satisfaction. Et il emboîta le pas au père de famille qui, avant d'ouvrir la porte, jeta un rapide coup d'oeil aux enfants qui jouaient sur le chemin gris avec des petits voisins. À la brunante, les plus vieux ramèneraient les plus jeunes à la maison. Au moins, pas d'inquiétude de ce côté-là, songea l'homme préoccupé.

L'intérieur ressemblait en tous points à celui de la maison des Morrison : deux pièces à chaque étage dont deux chambres pour les enfants en haut et celle des parents contiguë à la cuisine. Tout y sentait l'ordre et la tranquillité. Partout de la propreté. Des odeurs d'été, de fleurs.

— Marion doit être là-haut, supposa McKinnon en jetant un regard oblique sur l'étroit escalier qui, après un angle droit en son milieu, se perdait dans un plafond de bois rude chaulé.

Mais il se trompait. La porte de la chambre s'ouvrit et livra passage à la jeune fille dont le visage tourmenté s'éclaira tout de même à la vue de son ami.

— Elle a recommencé à cracher du sang, dit-elle à voix étouffée quand elle eut refermé la porte. Des caillots gros comme ça.

Et elle désigna le bout de son petit doigt. Le père se mit à hocher la tête. Il serra les poings, les souleva pour chercher à frapper son impuissance ; mais la fatalité les lui plaqua aux flancs. Il fit des pas hésitants vers la porte, se retourna pour dire sur un ton empreint d'une rudesse qui sonnait faux :

— Va-t-en avec ton ami. Je m'occupe de ta mère. Et il entra sur la pointe des pieds, laissant involontairement à Donald tout le temps d'apercevoir la malade. Vision d'horreur. Des yeux vitreux aux contours charbonneux croisèrent les siens. Le visage blafard, anguleux, écrasé dans un oreiller se retourna pour ne pas être vu. Car la femme avait honte de sa faiblesse et de son mal. On ne s'alite pas quand on n'a pas encore quarante ans, disait-elle souvent comme pour nourrir son remords.

Donald questionna Marion des yeux.

— Je voudrais...la saluer...

— Pas ce soir. Elle est trop malade. Cette semaine, elle va prendre du mieux. Tu la verras dimanche prochain.

Le jeune homme courba l'échine. Il replia le bras sur sa poitrine, se mit à jouer avec la chaînette de sa montre. Il avait mis son habit des plus beaux jours avec col dur, blanc à capter toute l'attention. Son veston était attaché par le seul bouton du haut pour que son foulard de soie reste bien en place, ce qui ne rendait pas justice à la carrure de ses épaules.

Marion aussi était à son mieux. Elle avait mis sa plus belle robe : celle à fond brun et à fleurs amande et qui, à cause de sa longueur lui donnait de la grandeur. Sa taille se perdait dans les plis fins de la jupe qui allait en s'élargissant pour recouvrir ses pieds et former un grand cercle inégal sur le plancher. De longues mèches de ses cheveux tournés lui retombaient sur une épaule. D'un coup de tête gracieux, elle les rejeta dans son dos.

— On ferait peut-être mieux d'aller s'asseoir dehors, suggéra-t-elle en prenant la direction de la porte avant.

Il la suivit en approuvant :

— Fait beau. Fait doux. Ça sent bon. Le mois de mai par chez-nous, c'est incomparable. En tout cas, c'est ce qu'on dit parce que moi, j'ai pas vu grand pays...

Il ne termina pas sa phrase. Car après tout, ce n'était pas par goût d'aventure qu'il avait pris la décision de partir. Et Marion ne devait pas être portée à le croire en raison de paroles irréfléchies. Pour justifier la coupure de son idée, il s'empressa de lui ouvrir la porte. Précaution inutile car Marion n'avait même pas remarqué. Elle était tout entière à sa préoccupation : l'état de santé de sa mère.

Ils s'assirent sur la haute marche d'un court escalier se jetant dans un lit de végétaux épars : herbe écrasée devant et mélange de sainfoin, fougère et herbe à cochons de chaque côté de la galerie.

— Tu vas salir ton habit, commenta Marion sur un ton qui relevait davantage de la question.

— Pas grave. Du linge, ça doit servir.

Ils restèrent là, chacun au bout de la marche, le dos appuyé au montant gris de la rampe, sans parler, émus, intimidés comme ils l'étaient toujours lorsqu'ils se retrouvaient seuls.

Le silence prolongé permit à Donald de retourner une fois encore dans son esprit les mots pour dire sa décision. Comme il eût voulu ne pas l'avoir prise ! Des images jetaient le doute en son cœur : le visage angoissé de sa mère ; celui de son père, humilié et inquiet ; le regard désespérant de la mère de Marion ; et Marion, la fragile Marion lui racontant son rêve triste dans le champ d'abatis.

Elle regardait dans le lointain. Un étang y apparaissait comme coupé en deux parties sombres par un grand coup de pinceau à sillage vermeil. L'eau donnait l'air de se refléter dans les yeux de Marion, mais c'est une douleur inquiète qui les mouillait. Elle dit soudain :

— Maman va mourir, je le sais.

Il voulut mentir :

— Voyons, c'est pas une chose à dire.

— Elle ne veut plus que les enfants s'approchent de son lit. Ils doivent rester à la porte de la chambre. Excepté papa, je suis la seule à pouvoir me rendre jusqu'auprès d'elle. Elle dit que c'est plus prudent à cause des microbes. Moi, je pense qu'elle fait de la tuberculose. Et qu'elle va mourir. Et qu'elle le sait très bien.

Donald ne put contenir sa franchise :

— C'est ce que disent mes parents.

Des larmes roulèrent sur les joues pâles de Marion.

— Il ne faut pas, il ne faut pas, murmura-t-elle.

Il s'en voulut d'avoir trop parlé. Comme s'il avait enfoncé, lui, le poignard qu'une autre main, celle du Seigneur, tenait sur le cœur de la jeune fille. Le pire, c'est qu'il aurait à la blesser plus affreusement encore par l'annonce de son départ.

Il mit sa main sur sa bouche, dit entre ses doigts :

— Peut-être...peut-être que le Seigneur va faire quelque chose.

Comme une petite fille punie, elle dit sur un ton d'impuissance et de résignation :

— J'ai prié...j'ai prié de toutes mes forces...depuis des semaines...des mois... Elle va de plus en plus mal.

— Faut persévérer. Faut s'entêter. Le Seigneur finira

bien par nous entendre tous.

— On devrait marcher jusqu'au petit lac comme dimanche passé. La paix est si grande là-bas.

— Et les enfants ?

— Papa est là.

Ils marchèrent longtemps, lentement jusqu'à une côte où ils assistèrent au coucher du soleil sur l'eau. Au moment de rebrousser chemin, Donald trouva ce qu'il fallait dire à Marion pour que sa souffrance fût plus tolérable. Et c'était un serment qui l'engagerait, lui qui n'avait jamais manqué à sa parole, pour l'éternité.

Il la fit s'arrêter, prit sa main dans les siennes, l'enveloppa dans un geste de protection, d'immersion d'elle en lui et il dit avec émotion :

— Marion...je voudrais que tu deviennes ma femme...

Elle l'interrompit :

— Pas tout de suite : tu sais bien que je ne le peux pas maintenant. Il y a maman à s'occuper, la famille à prendre soin. Et si elle mourait...

— Moi non plus, je ne le peux pas maintenant. Il faut que je gagne de l'argent, beaucoup d'argent. Faut que je règle les dettes sur notre ferme. C'est pour ça que je vais partir un petit bout de temps. Pour l'Ouest. Dès que je vais revenir, on va se marier. Six mois, un an : pas plus. Qu'est-ce que tu en penses, Marion ?

Elle ne répondit pas. La brunante avancée estompait leurs silhouettes. Le miroir de l'eau ne laissait plus deviner que des profondeurs noirâtres et inquiétantes. Son âme se transformait en gouffre sans fond dans lequel tout son être plongeait, tourbillonnait, était aspiré par un sentiment de solitude et d'abandon.

Elle ricana pour trouver la force de dire :

— Je savais bien que mon rêve se réaliserait.

Sur-le-champ, il crut qu'elle parlait de leur futur mariage. Et il déclara, bouleversé :

— Si tu acceptes ma demande en mariage, alors il faut s'embrasser. C'est ça, le serment des fiancés.

Et il l'entraîna vers lui, mit ses mains rudes de chaque côté de son visage, chercha à scruter ses yeux. Mais il avait du mal à les voir à cause de l'obscurité. Ses doigts s'agitèrent quand il sut que leurs visages allaient se rejoindre.

C'était une nuit sans lune. Des étoiles constellaient le ciel d'encre comme autant de petits grains d'espérance qui allumèrent dans l'âme du jeune homme les feux de tous les désirs : celui d'aimer Marion à jamais, de lui bâtir un avenir, de faire d'elle la mère de ses enfants. Il se sentait devenir un homme. Un vrai.

La griserie fut chassée par le souci quand sa bouche toucha le visage aimé. Elle avait les joues brûlantes de larmes et il devinait qu'elle ne pleurait pas de bonheur.

— Qu'est-ce qui arrive ?

Elle demeura silencieuse.

— Pourquoi pleurer ? Parce que je vais partir ?

Ses mains comprirent le signe de tête de Marion. Encouragé au plus haut point par cette marque d'amour, il dit en appuyant plus fermement sur son visage pour mieux lui communiquer son message :

— C'est la solution à tous nos problèmes, Marion. L'argent que je vais gagner va sauver mes parents de la honte. En attendant, tu prendras soin de ta mère, de ta famille. On va s'attendre. On va s'écrire. De nos jours, c'est facile de s'envoyer des lettres. Ça ne prend même pas trois semaines pour qu'une lettre postée dans l'Ouest arrive ici. Quand je vais revenir, on se mariera et la terre sera à nous autres entièrement...

Il la questionna des doigts. Elle répondit par un autre signe de tête affirmatif. Saisie d'un désir incontrôlable de vider son corps de toutes ses larmes et son esprit de ses peurs, la jeune femme se jeta dans les bras de son compagnon et s'y abandonna pour y trouver paix et délivrance. Toutes les pressions des derniers temps s'écoulèrent en sanglots longs. Donald ne se lassait pas de lui caresser les cheveux pour l'apaiser, la rassurer.

Quand il perçut qu'elle se calmait, il dit :

— Tu verras, tu verras...

— Une fois là-bas, tu vas peut-être m'oublier, trouver quelqu'un d'autre. J'ai peur...

— Marion, oh Marion, est-ce qu'un homme peut oublier ses parents, son pays, son amour ? Je te jure devant le Seigneur qui nous écoute qu'à mon retour, je vais t'épouser.

Le crois-tu maintenant ?

— Oui.

— Et toi, tu m'attendras ?

— Jusqu'à la mort.

Alors leurs lèvres s'unirent et scellèrent le plus vieux, le plus universel et le plus fragile de tous les serments : celui de l'amour éternel.

Le lendemain, Marion révéla ses projets à sa mère. La femme trouva la force de gratifier son aînée d'un sourire approbateur. Et elle demanda à voir Donald quand il viendrait au cours de l'après-midi.

C'est avec un respect sacré qu'il entra dans la chambre. Répondant au voeu de sa mère, Marion referma la porte sur lui. Il demeura seul avec la moribonde.

Pour libérer sa gorge et donner le maximum de force à sa faible voix, la femme toussa.

— Assieds-toi là, dit-elle en désignant d'un geste lent une chaise placée à bonne distance du lit.

Il obéit en cherchant des mots qu'il ne trouvait pas.

Elle avait meilleure mine que la veille. Cheveux brossés par les soins de Marion. Regard haut. Sur la table de chevet, avait été placé un petit bouquet de fleurs roses aux allures de marguerites avec bouton jaune au centre, et dont on ne connaissait pas le nom. C'étaient des vergerettes cueillies par les sœurs de Marion près de l'étang.

Pour ménager le peu de forces qu'elle avait en réserve, la femme alla droit au but :

— Marion m'a parlé de vos projets. Je les approuve. Tu es l'un des meilleurs garçons des cantons, je le sais.

Elle s'arrêta pour tousser à plusieurs reprises, le front barré par des rides de souffrance. À bout de souffle, elle réussit à poursuivre :

— Je voulais te dire jusqu'à quel point j'ai confiance en toi, Donald Morrison.

Elle le regarda intensément avec des lueurs de tendresse suppliante au fond des yeux, et, le souffle stertoreux, prononça lentement les mots qui suivirent :

— Je sais bien qu'un jeune Écossais n'en fera jamais accroire à une jeune fille...surtout si cet Écossais est un Morrison.

Le sourire loyal de Donald essuya toute velléité de doute dans l'esprit de cette mère prévoyante. Pour un instant, elle oublia les coups de couteau qui s'enfonçaient dans sa poitrine et jusqu'à l'angoisse de sa mort imminente. D'une voix toujours souffleteuse mais qui paraissait plus dégagée, elle dit :

— Alors ta décision de partir est bonne. Marion sera bien occupée en t'attendant. Si tu étais resté, vous n'auriez pas pu vous marier plus vite.

— Si vous saviez comme je voudrais être déjà revenu, madame McKinnon.

— Prends le temps qu'il faut, Donald. C'est l'espérance de ton retour qui sera le meilleur soutien de Marion dans les heures pas trop agréables qui s'annoncent pour elle. Il lui faudra des mois, peut-être des années pour qu'elle remplisse tous les devoirs que la vie va lui imposer. Moi, mon train va partir pas longtemps après le tien et le voyage sera aller seulement. Le Seigneur veut que ça se passe de même. Que son saint Nom soit béni ! Ce qui compte par-dessus tout, c'est que les enfants soient entre bonnes mains. Avec Marion, je pourrai mourir en paix. Surtout en sachant que grâce à toi, elle va vivre...vivre... Parce que vivre, Donald Morrison, c'est pouvoir penser au lendemain, à l'avenir : souviens-t'en.

Son élan terminé, toutes les paroles qu'elle avait mijotées depuis des heures étant dites, la femme relâcha les muscles de sa poitrine, de son cou et elle se laissa retomber au creux de son oreiller et de ses draps. Son mal lui refusa un simple moment de repos et elle se remit à tousser d'une voix qui parfois avait la consonance grotesque d'un cri de coq.

Au bout de la quinte, elle souffla :

— Va retrouver Marion. Fais-leur croire à tous que je pense que ma bronchite va guérir comme ce bon docteur Millette le dit. Qu'ils ne sachent pas que je sais ! Va...

Donald se retira. Effondré. Perdu. Et pourtant plus déterminé que jamais à courir vers les rivières de cristal de l'Ouest pour s'y emparer à pleines mains du sable d'or de leurs rives.

Dans les semaines qui suivirent, la mère de Marion prit du mieux. Elle put se lever, aller s'asseoir sur la galerie. Et, miracle, un dimanche, elle put accompagner son mari à Winslow où elle visita ses parents.

Mais elle continua à garder les enfants à distance. Car en son for intérieur, elle savait que le répit ne durerait pas et qu'une fois le doux été des cantons passé, chassé par les grandes fraîches, sa monstreuse maladie passerait à l'assaut final.

Juillet donnait son dernier dimanche : le plus beau. Pour Marion et Donald, c'était le seul qui restait avant leur séparation. Tôt le matin, il se rendit la chercher. Ils assistèrent à l'office, retournèrent à la maison à pied, ne se quittèrent pas de la journée. Le soir tombé, ils se firent un dernier adieu.

Puis Marion se réfugia dans sa chambre et pleura toute la nuit.

Donald se leva tôt. Deux grosses valises noires dans la voiture, le cœur dans l'eau mais camouflé derrière un visage impassible, accompagné de ses parents, il partit pour la gare de Mégantic. On y fut bien avant le départ du train. Norman MacAuley s'y trouvait déjà. Mais seul, lui, avec ses bagages. Son père l'y avait reconduit mais il avait aussitôt fait demi-tour sous prétexte d'affaires à régler au village.

Le train était en gare depuis le samedi. Venu des États, il se rendrait à Sherbrooke puis à Montréal. Là, on tranférerait pour Albany puis l'on passerait par Buffalo et Chicago avant d'atteindre l'Ouest américain d'où l'on remonterait vers le nord et l'Alberta.

Donald maîtrisait ses émotions. Il se tenait debout sur le quai sous le pare-soleil près d'un banc où ses parents étaient assis. Il jasait de trains comme un vieux voyageur, lui qui n'avait pourtant jamais mis les pieds au-delà de Sherbrooke.

Norman allait et venait, entrait dans la gare, en sortait pour donner des renseignements inutiles, courait au-devant d'arrivantes pour leur aider à transporter leurs bagages. À quelques centaines de pieds, la locomotive fumait en attendant les ordres de l'ingénieur.

Alors même que le train se mettait en marche pour venir se placer en position de départ, wagons à voyageurs à hauteur de la gare, une voiture arriva dans la cour. Son bruit fut enterré par les souffles puissants de la chaudière, les sifflements de la vapeur et les grincements des roues de ce cheval de fer ainsi qu'on désignait souvent les locomotives en cette époque.

Tandis que Murdo, Donald et Norman marchaient lentement vers le wagon en se criant des points de vue sur le futur train canadien Montréal-Vancouver dont on parlait tant dans les journaux et dont on disait que la construction commencerait l'année même, au plus tard en 1881, Donald fut touché à l'épaule par derrière par une main hésitante. Il se retourna. C'était Marion. La main tremblante, elle lui tendit une petite lettre et cria par-dessus le vacarme des environs :

— C'est de la part de maman.

Il la prit. Elle put lire son merci sur ses lèvres.

La mère de Marion avait voulu donner à sa fille une dernière occasion de voir son fiancé. La lettre ne contenait que des bons voeux en écriture chevrotante mais elle avait été un bon prétexte pour envoyer Marion à la gare de Mégantic.

Norman et les parents de Donald s'éloignèrent de quelques pas pour donner aux amoureux le temps de se faire un dernier adieu.

Le train siffla. Cela signifiait départ dans cinq minutes. Appel ultime aux retardataires. Qu'importe le bruit puisque Marion parlait avec ses yeux ! Jamais Donald n'avait eu le souffle si court.

Ils restèrent ainsi, le corps bête, bras tombés, à s'aimer en silence dans l'agitation d'un quai de gare. Soudain chacun comprit le signal lancé par le regard de l'autre. Elle se jeta dans ses bras tendus. Leur étreinte s'inscrivit dans toute leur substance.

Des visages émus la regardèrent se détacher de lui et s'en aller, en courant parfois sur de petites distances en relevant un peu le bas de sa longue robe jusqu'à ses chevilles pour ne pas tomber. Elle se rendit à la gare sans se retourner, la longea pour enfin disparaître en tournant le coin de la bâtisse.

Il fallut un cri de Norman pour ramener Donald à la réalité :

— Dépêche-toi : le train n'attendra pas.

Un souffle de vapeur molle vint embuer ses yeux. Il détacha son regard de la dernière image de Marion restée présente en lui.

Pour mieux se convaincre lui-même, il répéta à ses parents une dernière fois tout ce qu'il avait dit cent fois quant aux avantages de cet exil volontaire dans ce pays lointain qui était pourtant le sien.

Quelques minutes plus tard, le train partait. Après un dernier salut de la main à ses parents restés sur le quai, n'ayant pas réussi à retrouver Marion du regard, Donald dit à son ami :

— Qu'est-ce que c'est, un an, dans toute une vie, hein ?

CHAPITRE 3

Après quatre jours d'un voyage à peu près ininterrompu, excepté par les transferts de Montréal et Chicago, les jeunes gens descendirent à Cheyenne dans le Wyoming.

Au cours de cette journée d'escale, tout l'Ouest leur sauta en plein visage.

Pourtant, à première vue, à marcher sur le large trottoir de bois, la grand-rue ressemblait fort à l'avenue Maple, rue principale de Mégantic. Maisons de bois à façades carrées avec galeries à deux paliers et une avance au-dessus du trottoir pour abriter quelque peu les marcheurs des excès du temps. Sur chaque galerie : des chaises, des bancs entre les colonnes. Et près de la rue, de longues perches de bois ancrées solidement pour servir à attacher les longes des chevaux avec devant, des auges à eau et des montoirs.

Norman lisait tout haut les affiches comme pour mieux apprivoiser les lieux : Hotel Hoffman, Billiard Hall, Feed Stable, The Palace, Jailhouse...

Sur le mur de la prison, un espace était réservé aux avis publics. Poussé par la curiosité, Donald s'arrêta pour en lire le contenu. Sur l'une, le gouverneur Wallace du

Nouveau-Mexique offrait cinq cents dollars pour la capture d'un tueur. Une autre faisait état d'une récompense de mille dollars pour des renseignements pouvant conduire à l'arrestation d'un membre du gang des frères James dont on donnait la liste des noms. Une affiche lui donna froid dans le dos : les lettres noires, énormes du mot AVERTISSEMENT coiffaient le dessin d'un couvercle de tombe. On y mettait en garde les voleurs de bétail et bandits de tout acabit, leur conseillant d'éviter Cheyenne et de passer tout droit leur chemin s'ils ne voulaient pas se balancer au bout d'une corde.

Malgré qu'il comprenait la nécessité pour l'Ouest de se débarrasser des hors-la-loi, Donald éprouvait une sorte de sympathie envers ces hommes pourchassés, en péril d'être tués par leur propres amis ou trahis par leurs frères.

Deux cow-boys aux jambes incurvées traversèrent la rue, marchant dans leur direction. L'un dit à l'autre en désignant les arrivants d'un geste désolé :

— T'as vu ? Deux autres verdauds fraîchement arrivés de l'Est.

— Viennent jouer à Billy le Kid peut-être, jeta l'autre avec un air de mépris.

Soudain, à la vitesse d'un crotale à l'attaque, l'un deux tira son revolver et le pointa en direction des jeunes voyageurs. Affolé, Norman leva aussitôt les mains et recula jusqu'à appuyer son dos contre le mur. Donald resta impassible.

L'homme rengaina en s'esclaffant. Il fronça les sourcils et dit :

— Les petits gars, rappelez-vous qu'ici, à Cheyenne, faut raser les murs si on veut garder ses couilles en santé.

Et il passa son chemin. Index pointé sur son compagnon, l'autre ajouta avant qu'ils n'entrent dans la bâtisse de briques tenant lieu de prison :

— Les enfants, rappelez-vous aussi du marshal Frank M. Canton. Et vous vivrez un peu plus vieux.

Et il disparut dans le sillage de l'autre.

— Pourquoi n'as-tu pas levé les bras en l'air ? s'enquit Norman ensuite.

— Parce que c'étaient des shérifs. Ils portaient l'insigne.

Ils n'avaient aucune raison de s'en prendre à nous.

L'incident fut clos.

Ce soir-là, les deux amis logèrent à l'hôtel dans une même chambre à deux lits : confort qu'ils ne goûteraient pas avant longtemps.

Après le coucher du soleil, la rue bruyante, puissamment éclairée par de nombreux réverbères au pétrole, leur fit ses invites clinquantes. Au cours de l'après-midi, ils avaient bien jeté quelques coups d'oeil à travers les vitrines des bars, saloons, salles de billard ; mais voilà que la nuit apportait une nouvelle couleur aux choses et aux gens. Chacun d'eux avait le goût d'aller marcher sur les trottoirs et qui sait, de s'arrêter quelque part...

— C'est peut-être risqué, opina Donald, l'oeil brillant rivé sur cette agitation courant sous les pare-soleil.

Norman argua :

— Un shérif aussi...intimidant doit bien contrôler sa ville, non ?

Cela suffit à convaincre Donald et l'on recommença la tournée. Chacun avait bien fréquenté un peu les bars de Mégantic, mais de là à se pointer le nez dans un de ces saloons où les hommes, selon les histoires rapportées dans l'Est, tombaient comme des mouches pour des oui ou pour des non, se trouvait une marge qu'ils hésitaient à franchir.

Un de ces endroits paraissait particulièrement animé. Sur un rythme de diable dansant, des notes de piano, accrochées aux volutes de fumée bleue et puante, en sortaient par saccades au milieu d'une clameur formée de rires tonitruants, de cris, de bouches qui toussent, crachent. Pour leur malheur, il ne se trouvait aucun moyen de voir à l'intérieur sans y pénétrer. Ils passèrent devant à maintes reprises. Rien n'en sortait qui pût ressembler à des coups de feu. Ils finirent par se gonfler la poitrine et pousser la porte à battants.

Sur une scène exiguë, quatre danseuses à costumes vivement colorés exécutaient leur numéro devant une centaine de spectateurs joyeux et bavards, la plupart des hommes : des cow-boys, des fermiers, des petits commerçants.

On scruta la place. Aucune table libre. Rien au bar. Des quatre coins de la salle, des yeux s'appesantirent sur eux.

Les secondes s'ajoutant aux secondes, ils se sentaient de plus en plus de trop. Ils s'en allèrent en se disant que le lieu était trop rempli, qu'ils reviendraient plus tard.

Heureux d'avoir fait leur premier pas dans ce monde nouveau, il se couchèrent, joyeux comme de jeunes enfants. Cet univers : des hommes les plus vrais d'Amérique. « Et peut-être du monde entier ? » songea chacun avant de s'endormir.

Au matin, ils prirent la diligence. Direction nord. De superbes plaines verdoyantes accompagnèrent la piste toute la journée. Et le soir, on s'arrêta à Buffalo.

Le jour suivant, on entra au Montana. L'attelage passa à quelques milles seulement de l'endroit rendu fameux par le général Custer et sa troupe massacrés là par les Sioux quatre ans auparavant.

Ce n'est pas sans inquiétude que l'on traversa ce territoire où se produisaient maintes attaques de diligence et de convoyeurs de troupeaux, perpétrées par les Indiens.

L'on se rendit sans incident jusqu'au terminus de la diligence dans la région des grandes chutes du fleuve Missouri. Un bateau passeur permit aux voyageurs d'accéder au pays des Pieds-Noirs. Deux jours plus tard, dans une voiture Concord, sur une piste souvent difficile, on arriva au terme du voyage : un petit village d'Alberta d'où l'on pouvait apercevoir, se découpant sur l'horizon, les puissantes montagnes Rocheuses.

Au contraire de Cheyenne, l'agglomération avait l'air sobre. Regroupée autour de l'église, elle semblait vide de toute forme d'animation. Endormie. C'était l'heure de la journée qui la rendait aussi tranquille. Mais la fébrilité qui y régnait parfois n'avait aucune commune mesure avec la folie furieuse qui agitait bien des villes américaines.

À Danbridge, pas de coups de feu en dehors des concours de tir, pas de bagarres dans les bars, pas de danseuses dans les saloons. Règlements de comptes, tueries, vols de bétail, attaques de banque n'arrivaient à la petite ville que sous forme de nouvelles venues d'outre-frontière.

La région était faiblement peuplée d'éleveurs trop peu nombreux pour devoir s'entretuer au partage d'un territoire dont on connaissait encore mal les limites tant elles étaient éloignées.

Le petit hôtel où descendirent les voyageurs paraissait fermé. De sinistres toiles noires bouchaient fenêtres et vitre de la porte. Elles ne servaient qu'à protéger l'intérieur de la chaleur du jour, ce que purent apprécier les voyageurs quand ils furent entrés. Car une douce fraîcheur régnait dans la pièce sombre et proprette où ne se trouvait pas âme qui vive. On attendit. On sonna. Une voix lointaine, exaspérée, cria :

— J'arrive, j'arrive.

Une femme énorme à la mine revêche passa le pas de la porte derrière le comptoir de réception. Elle les fusilla du regard avant de dire :

— Norman MacAuley, Donald Morrison ? Hein ? C'est pas difficile de vous reconnaître. J'ai un message pour vous autres de la part de Charles MacAuley. Ça fait deux fois qu'il vient au village après souper pour vous attendre. Il a dit que vous deviez arriver ces jours-ci. Comme la journée est encore jeune, vous allez passer un bout de temps en ville. Si vous désirez manger à l'hôtel, c'est quinze cents pour le repas. Et en monnaie américaine.

Avec un haussement d'épaules, elle jeta :

— Si vous voulez laisser vos valises là-bas, sur la table, le long du mur...

Ils se consultèrent du regard. Elle fit une grimace et répondit à leurs hésitations :

— Craignez rien : personne n'y touchera. Vous n'êtes pas à Dodge mais à Danbridge.

Ils obéirent.

— Si vous mangez à l'hôtel, faut me le dire maintenant pour me donner le temps de préparer le repas.

Ils firent des signes de tête et des sourires timorés en guise d'acquiescement.

— En attendant, je pourrais vous servir du whisky, mais je vous trouve pas mal jeunes pour commencer à boire en plein jour. Un petit verre après le coucher du soleil, je ne dis pas... Si vous savez pas quoi faire, allez voir la ville. Elle n'est pas grosse. Comme ça vous perdrez pas longtemps votre temps.

Ils firent demi-tour pour sortir. Avant leur départ, elle leur dit, autoritaire :

— On mange à midi. Il y aura du ragoût de rognons au menu : ça vous va ?

Ils firent des signes affirmatifs et quittèrent les lieux quelque peu subjugés par la matrone. Ils ne virent pas que sous son masque endurci, du fond de son regard, jaillissaient des lueurs de tendresse. Ces jeunes hommes auraient pu être ses fils. Ils lui rappelaient le souvenir de ses enfants morts en bas âge.

Donald et Norman entreprirent de découvrir la petite ville. Coup d'oeil sur des selles exposées sur la galerie d'un magasin général. Regards expressifs sur l'immense corral qui devait à n'en pas douter contenir tous les troupeaux de la région.

Après le dîner, Norman retourna en exploration tandis que l'autre demeurait à l'hôtel. Il avait envie d'être seul pour penser à Marion et à son pays. Décuplé par un sentiment d'éloignement et de solitude, l'ennui s'était abattu sur lui et son visage le laissait paraître. L'hôtelière l'observa à la dérobée, lut son désarroi, lui servit un verre.

— Un remontant, fit-elle en déposant le whisky sur la table. Sur le compte de la maison. Les suivants coûteront dix cents. Monnaie américaine toujours.

Donald vida le verre d'un seul trait, s'étouffa, grimaça.

Il en commanda un autre qu'il téta plus lentement. Et il recommença à ronger son frein.

Plus tard, Norman revint en riant :

— Crois-le ou pas, il y a une affiche sur la devanture d'un saloon où c'est écrit : on demande cent filles jolies, intelligentes et mariables. Ça m'a l'air que les poulettes se font rares par ici.

Donald resta silencieux. Il garda ses yeux fixés sur une lampe à pétrole accrochée au mur. L'autre poursuivit :

— Toi, ça ne doit pas t'inquiéter plus qu'il faut, hein ? La Marion McKinnon prend pas mal de place...

Donald fit un sourire énigmatique. Il n'aurait pas pu s'ouvrir, même à son meilleur ami, concernant ses relations avec Marion et sa vie sentimentale.

Les rudes manières de l'hôtelière finirent par ne plus les

tromper. Au moment de partir, ils la remercièrent avec chaleur.

L'oncle de Norman avait la tignasse épaisse, noire et qui lui retombait en pointe sur le front. Il ne fit montre d'aucune émotion quand il entra dans l'établissement et reconnut son neveu. C'est lui qui, par avance, avait trouvé un emploi aux jeunes gens. Le propriétaire du ranch où il travaillait comme lieutenant avait besoin d'hommes pour le rassemblement saisonnier des bêtes. Et à la mi-septembre, les jeunes gens seraient envoyés avec le convoi jusqu'à Cheyenne, aux États-Unis.

Il fallait vingt minutes de voiture pour arriver au ranch. Elles furent plutôt silencieuses. L'oncle était peu loquace. Moins jasant que du temps où il vivait dans l'Est. À cause de l'immensité du territoire, du métier, de la rudesse du climat, de la rareté des gens, l'homme était devenu taciturne voire mélancolique et ne vivait plus que pour le jour où il retournerait dans l'Est avec son magot pour s'y établir sur une ferme tout comme Donald se proposait de le faire.

Le cheval ne courut pas une seule fois. Son conducteur n'était pas pressé. Les jeunes gens purent découvrir tout à loisir le paysage qui, sur la moitié du parcours fut celui de la plaine entourant Danbridge, se transformant ensuite en une petite vallée parcourue par une rivière profonde et tranquille.

Les bâtisses du ranch apparurent presque subitement au détour d'une colline rocheuse plantée d'arbres.

— C'est pas petit ! s'exclama Norman en se mettant debout dans la voiture.

Devant eux, de l'autre côté de la rivière, dans un ensemble à l'apparence de désordre, s'élevaient huit bâtisses dont on ne pouvait, à première vue, deviner l'usage particulier tant sept d'entre elles se ressemblaient. Écuries, bouveries, hangars ? Seule la maison du propriétaire pouvait se reconnaître au premier abord. Y menait un pont de bois sans garde mais si large qu'il eût fallu un cheval aveugle pour ne pas le franchir en toute sécurité.

Quelques minutes après leur arrivée, les nouveaux furent reçus par le propriétaire, un homme au regard d'aigle qui scruta chacun d'eux jusqu'au fond de l'âme. Il les fit asseoir, ainsi que Charles MacAuley, près d'une longue table à dessus usé. D'une armoire qui rasait le plafond, il sortit un livre qu'il jeta devant lui au bout de la table. Il y prit place, enjambant une chaise sans la reculer.

— Bienvenue au ranch Double M, dit-il d'une voix ferme en faisant tourner chaque bout de sa moustache argentée.

Les arrivants marmonnèrent des remerciements timides pendant que l'homme ouvrait son livre pour y consulter des notes mal écrites.

— C'est le livre des hommes. Vos noms sont déjà là : Norman MacAuley, Donald Morrison. La date où vous commencerez : demain. Salaire : un dollar par jour. Chaque semaine, vous signerez votre nom dans la page qui vous est assignée. Ce sera la preuve que vous avez bien reçu votre paye. Les bons comptes...

Ils s'interrompit pendant quelques secondes.

Donald le trouvait bien tatillon, cet éleveur. Lui avait-on réclamé des sommes qu'il avait déjà payées ? Quant à lui, sa parole de Morrison valait cent signatures et l'homme s'en rendrait compte quand il le connaîtrait mieux.

Le rancher poursuivit :

— Vous serez bien traités, bien nourris, bien logés. À condition bien sûr que le travail soit fait. Les heures, Charles MacAuley le sait, on ne compte pas ça ici. Les femmelettes, ça retourne dans l'Est. Je vous ai pris parce que Charles vous a recommandés. Dans un an, vous serez de vrais cowboys. Mais pour y arriver, vous trouverez la route longue et difficile. Je vous explique...

Il leur parla d'abord de l'équipement et des coûts. La selle, l'élément le plus important de tout l'attirail : trente dollars. Les habits y compris le chapeau, les bottes, les éperons, le ciré : un autre trente dollars. Les armes soit deux bons pistolets et une carabine : encore un trente dollars.

— Ceux qui arrivent n'ont pas pensé qu'il en coûte cent dollars pour être prêt à enfourcher un cheval dans l'Ouest. Demain vous irez au village, au magasin. Vous achèterez tout ce qu'il vous faut. Vous porterez tout sur mon compte et je ferai les déductions sur votre salaire à raison d'un dollars par deux jours et façon que dans six mois, votre dette soit réglée.

Imperturtable, Charles MacAuley dit :

— Un équipement de quatre-vingt-dix dollars et un cheval de dix...

Aucun des deux jeunes gens n'avait encore pensé au coût de la monture. Donald en fut contrarié. Il fit un rapide calcul de ce qui lui resterait à la fin de l'année. Cent dollars d'équipement plus deux cents à envoyer à ses parents et il ne lui resterait qu'un malheureux soixante dollars pour son tabac et autres menues dépenses. Et voilà que le coût d'un cheval l'obligerait certainement à rester là-bas une année de plus.

Morgan Matthew dont les initiales désignaient le ranch, lui coupa la pensée :

— Pour le cheval, c'est gratuit. Des chevaux, c'est pas ce qui manque par ici. Suffit que vous en preniez soin avec intelligence. Ce n'est pas parce qu'il ne coûte rien qu'il faut le traiter comme un...chien si je peux dire...

Il multiplia les conseils sur la façon pour un cow-boy de faire corps avec sa monture afin de la garder en santé longtemps car plus d'une bête, dans des circonstances difficiles, avait sauvé son cavalier de la mort.

— Avant d'en savoir autant que Charles MacAuley ici présent, dira-t-il plus tard, vous avez des croutons à manger. Il est un des meilleurs cavaliers de l'Ouest. Bon tireur. Manieur de lasso. Capable de parler avec les Indiens. Quand on perdra notre chef de convoi, c'est lui qui le remplacera.

Charles demeura impassible. Il ne remua pas le petit doigt. Morgan se rendit à la porte donnant sur une autre pièce et demanda qu'on apporte du café. Il se remit à parler des tâches à venir. Il insista sur l'honnêteté requise. Son discours changea la première image qu'il avait donnée : celle d'homme impitoyable. Donald se mit à le voir, comme il l'avait fait pour l'hôtelière, avec des yeux plus sympathiques.

La porte s'ouvrit. Hanches premières, une jeune fille à longue robe blanche à gros plis apportait un plateau sur lequel se trouvaient quatre tasses et un contenant de café fumant et odorant.

Donald l'observa pendant qu'elle servait. Il lui trouva le

nez trop haut, les lèvres capricieuses et de petits yeux cruels. Première impression vite dissipée quand elle lui sourit. Il sourit aussi mais de manière réservée, et brièvement, uniquement pour remercier du service et du café.

Morgan était habitué aux oeillades de sa fille envers les cow-boys. Néanmoins, il n'aurait pas laissé les choses aller plus loin. Et les arrivants ne tardaient pas à apprendre qu'ils devaient garder leurs distances de cette fine femme au caractère parfois violent. Loin de contrarier Donald, cet avertissement faisait son affaire. Il apprit plus tard qu'elle s'appelait Heather. On le lui dit avec un jeu de mots grivois.

Le jour suivant, les jeunes gens se rendirent à la ville. Ils se procurèrent l'attirail du parfait cow-boy tel qu'indiqué par le rancher.

Au moment de choisir les revolvers, Norman se prit des Remington. 44. Modèle préféré de Frank James, soutint le marchand, un petit homme sec au visage pourpre.

Plus raisonnablement, Donald essaya des ceinturons jusqu'à trouver celui qui s'ajustait le mieux à la carrure de ses hanches et donnait le maximum de confort. Puis il se procura les revolvers les plus légers se trouvant en magasin : des Peacemakers à canon court de calibre .45, véritables bijoux à crosse nâcrée et dont tout le métal depuis le pontet jusqu'au bout du canon était orné de volutes.

Malgré la publicité accompagnant chaque arme se réclamant du choix de tel ou tel grand bandit américain, rarement l'acheteur n'envisageait de l'utiliser pour attaquer quelqu'un. Car après la selle, le revolver était la pièce d'équipement la plus utile pour un cow-boy. Certes, il pouvait à l'extrême servir à se défendre contre les bandits ou les Indiens, mais ses usages courants étaient aussi différents que nombreux. Faire connaître sa position quand on parcourait la prairie au rassemblement des bêtes. Effrayer un animal pour qu'il change de direction. Tuer un serpent. Mettre un coyote en fuite. Empêcher un cheval à la patte cassée de souffrir. Ou simplement se divertir en pratiquant le tir le soir entre le souper et la brunante.

Norman se laissa tenter par une grosse guitare noire. Il la prit, l'examina attentivement, la mit sur le comptoir.

— Ce n'est pas payé par Morgan, dit le marchand.

— C'est pour chanter des berceuses aux vaches quand on sera en convoi.

Dans un petit rire pointu, le marchand rétorqua :

— Jamais un cow-boy intelligent ne va s'embarrasser d'une guitare en convoi.

— Monsieur Matthew nous a dit qu'un bon cow-boy doit pouvoir chanter des berceuses pour apaiser les troupeaux quand on s'arrête le soir.

— Oui, mais sans guitare, fit l'homme en reprenant l'instrument pour le raccrocher au mur.

Norman le reprit en disant :

— Je la paye de ma poche.

— Il jouera au ranch, dit Donald.

— Ah, ça, c'est une autre histoire. Ça fera trois dollars pour la guitare.

Ce soir-là, dans la maison des cow-boys, dernière bâtisse du ranch, Norman essaya de tirer quelque chose de son instrument. Il n'en sortit que des sons discordants. Alors il le remit sur son lit et quitta la chambre. Au milieu de la pièce commune, quatre cow-boys étaient attablés et jouaient au poker.

En tout, ils étaient six à vivre dans ces lieux. Norman et Donald se partageaient la chambre des bleus. Charles MacAuley était le compagnon de chambre d'un grand gaillard plus taciturne encore que lui, vivant dans l'Ouest depuis quinze ans, chef de convoi depuis dix ans et qui portait ses armes sur le devant, crosse contre crosse. Il s'appelait Bill Henry et c'est tout ce qu'on savait de lui.

Des deux autres hommes, l'un était mal rasé, avait la chemise usée et trouée, était coiffé d'un chapeau à devant retroussé qui ne le quittait jamais sauf quand il dormait.

Il gardait un oeil éternellement mi-clos et faisait office de cuisinier durant les convois. Le sixième personnage parlait et riait pour tous, s'écrasant le chapeau sur la tête et s'esclaffant sur un ton d'espièglerie provocante chaque fois qu'il remportait le pot.

Peu de temps après, Norman commençait à comprendre ce jeu qui captivait les quatre hommes au point qu'ils en jouaient en pleine chaleur. Donald était resté dans la chambre et trouvait dans les cordes de la guitare des notes lui rappelant la tendresse de Marion.

Le lendemain, chacun se choisit un cheval. Puis Donald fut envoyé avec Bill Henry vers le nord pour y rassembler des bêtes que l'on parquait le jour dans un corral improvisé fait d'une longue corde fixée à des arbres. Et en fin d'après-midi, on conduisait le petit troupeau jusqu'au corral du ranch.

Le souper était servi par Heather, sa sœur et leur mère dans la même pièce où Morgan avait accueilli les bleus à leur arrivée. Quand il se trouvait des femmes dans les environs, pas question qu'un seul homme, pas même le cuistot des convois, ne touchât à quelque chaudron que ce soit. La cuisine était une tâche essentiellement féminine et c'eût été s'abaisser pour un homme d'y mettre la main. Heather en profitait pour jeter à Donald des regards singuliers.

Après le repas du troisième soir, les nouveaux furent initiés au marquage des bêtes. Donald ne tarda pas à maîtriser les veaux tout comme un cow-boy d'expérience. Il était fort et habile.

Lors d'une réussite particulièrement spectaculaire, il fut applaudi par Heather et sa sœur venues assister à la séance depuis la clôture de perches entourant le corral.

Dans les semaines suivantes, la jeune fille fit tout ce qu'il fallait pour être remarquée par Donald. Cependant, elle savait cacher son jeu aux yeux des autres. Lui restait imperturbable, tout à son nouveau métier.

Il devint vite un bon cavalier. Il apprit le maniement du lasso. Le soir, il se familiarisait avec la guitare dont Norman lui avait fait cadeau. Il devenait chaque jour de plus en plus un cow-boy dans l'âme, et pourtant, la veille du grand rassemblement, il n'avait pas encore tiré un seul coup de feu ni ne s'était approché de la table de poker.

Un soir il prit sa guitare et se rendit au bord de la rivière près du pont. Il s'y trouva une chaise naturelle faite de terre et de pierres et s'y installa. Et il égrena des notes qui tombaient dans l'eau comme des gouttelettes que le courant emportait là-bas, vers l'est.

Il pensait à la lettre qu'il avait écrite à Marion la veille et qu'il avait sur lui, dans sa poche de chemise, adressée, prête à partir. Il la confierait à Morgan pour qu'elle soit postée à

Danbridge dans les jours prochains. C'était la deuxième depuis son arrivée, mais lui n'en avait reçu aucune de sa fiancée. Il comptait bien avoir de ses nouvelles avant le départ du convoi car alors, deux mois s'écouleraient avant qu'il ne reçoive du courrier.

Quant au signal de la mise en marche du grand troupeau, il serait certes donné avant une semaine, sitôt fini le rassemblement au corral géant de Danbridge.

L'image mouvante d'un visage se dessina dans l'eau. Le jeune homme releva la tête. Heather le regardait avec un sourire capricieux et défiant.

— Vous marchez comme un Indien, fit Donald en cessant de jouer.

Elle fronça les sourcils.

— Je veux dire en silence, sur le bout des orteils...

— La guitare et l'eau faisaient plus de bruit que mes pas.

Sa voix était nasillarde et elle la teintait d'une douceur mielleuse.

Elle s'assit sur les morceaux de bois, pieds gambillant au-dessus de l'eau. Placé en contrebas, Donald put apercevoir ses jambes jusqu'à ses mollets. La pudeur ramena aussitôt son regard vers la rivière. Heather dit :

— Est-ce que je peux ?

— Quoi ?

— M'asseoir ?

— Je pensais que c'était déjà fait.

— Oui, mais je peux m'en aller.

— Le pont ne m'appartient pas ; il est à votre père.

— Vous pouvez me dire tu. Je n'ai que dix-sept ans. Et vous...vingt et un...

— Qui vous l'a dit ?

— Mon petit doigt.

— Ah !

— Mon petit doigt m'a dit aussi que vous avez reçu une lettre aujourd'hui.

Le visage du jeune homme s'éclaira. Il espérait que la lettre fût de Marion. Il déposa sa guitare et dit hypocritement :

— Elle doit venir de mes parents. Je vais la chercher.

— Pas besoin. Je l'ai apportée.

Il s'arrêta, questionna :

— Pourquoi ne me l'a-t-on pas donnée au souper ?

— C'est moi qui l'ai rapportée de la ville. Je voulais vous la remettre moi-même.

Donald était plus que surpris. Comment une jeune fille pouvait-elle agir aussi effrontément ? Puis il se dit qu'il n'était pas dans l'Est et qu'ici, les manières n'étaient pas les mêmes ; il l'avait souventes fois constaté depuis son arrivée.

La tête penchée, le regard amusé, Heather glissa sa main dans un repli de sa robe, sortit d'une poche une petite enveloppe blanche qu'elle promena au-dessus de l'eau.

Donald monta sur le pont. Elle lui remit ce qui lui appartenait non sans l'avoir toisé du regard des pieds à la tête. Il retourna à sa guitare et lut.

Il s'attrista quand il sut que la mère de Marion était morte quelques jours seulement après son départ. Et il se fit des reproches d'être parti si vite.

— Des...mauvaises nouvelles ? s'enquit Heather.

— Mortalité...

— Dans la parenté ? dit-elle plus sérieuse.

— Non... La mère de...d'une amie...

Ces mots causèrent à Heather un certain désagrément. Car depuis le moment où, embusquée derrière les rideaux d'une fenêtre, elle avait vu Donald le jour de son arrivée, elle s'était mis dans la tête l'idée qu'il deviendrait son ami de cœur. Et malgré l'interdiction de s'approcher des cowboys, elle avait profité de toutes les occasions pour tisser sa toile. Elle avait attribué les distances qu'il gardait aux interdits de son père. Mais voilà que la barrière s'expliquait aussi par l'existence de cette amie...assez proche de lui pour lui écrire.

Depuis la maison, une voix pointue cria son nom à deux reprises. Elle répondit sur le même ton :

— Oui, quoi ?

C'était sa jeune sœur qui lui dit d'une voix agaçante :

— Papa te fait dire de revenir à la maison tout de suite.

— Ouais, j'y vais...

Elle soupira, se leva, dit à Donald :

— Bon, je vous...je te laisse à tes chansons, Donald Morrison. Et je vais aller me faire chicaner parce que j'ai apporté une lettre à un cow-boy.

Il se désola pour elle. S'il confiait à Heather la lettre qu'il avait dans sa poche pour Marion afin qu'elle la remette à son père qui l'ajouterait au courrier en partance le lendemain, Morgan saurait ainsi que son cœur était dans l'Est. Et il pardonnerait à Heather.

Il la rejoignit alors qu'elle débouchait à l'autre extrémité du pont.

— Tiens, c'est pour la poste, fit-il en tendant sa lettre fripée.

Jamais elle n'avait été aussi proche de lui sans personne pour ériger entre eux une clôture morale. Elle prit l'enveloppe sans la regarder sur le moment car ses yeux évaluaient à nouveau le cow-boy. À ce point que Donald en fut intimidé. Il se racla la gorge, tourna la tête vers la maison, recula.

— Ils sont beaux, tes revolvers. J'aimerais que tu me montres à tirer.

— Je ne sais pas tirer moi-même, répondit-il.

Et il marcha de côté vers sa guitare.

Heather se dit qu'il était le premier cow-boy qu'elle approchait à ne pas sentir mauvais. Elle plissa les yeux, plus déterminée que jamais à le mettre à ses pieds. Et elle espaça de petits pas vifs en direction de la maison après avoir glissé dans sa poche la lettre dont l'adresse « Miss Marion McKinnon, Marsden, Québec. » faisait germer en son esprit une idée perverse.

Elle dit quelques mots à son père, justifia sa conduite, soutint qu'elle était allée au pont sans savoir que Donald s'y trouvait. Le ton qu'elle composait était empreint d'une si grande indifférence que l'homme retourna à ses papiers sans poser davantage de questions. Puis elle monta à sa chambre.

La plafond en pente rapetissait la pièce déjà exiguë, percée d'une fenêtre qui lui permettait d'observer les cow-boys quand elle en avait envie. Heather s'en approcha pour trouver de la lumière afin de mieux lire.

Chaque phrase l'irrita :

« Marion chérie,

Avons fait bon voyage. Où je travaille, c'est du bon monde. Et toi, tu penses à moi un peu ? Je reviendrai quand j'aurai assez d'argent, je reviendrai. Demain, c'est le grand rassemblement. Des bêtes, je veux dire. Ensuite je pars en convoi. Pour l'automne. N'attends pas de lettre de moi avant Noël. On peut pas écrire en convoi. On n'a même pas ce qu'il faut. Et puis avec deux mille têtes de bétail à surveiller, tu comprends... Mais quand je reviendrai, je t'écrirai quinze pages. Mes salutations à tous ceux que tu aimes. Dis-toi que je travaille d'arrache-pied pour nous bâtir de l'avenir. J'ai hâte d'avoir de tes nouvelles. Mais je comprends qu'avec ta mère malade...

Heather jeta la lettre sur une commode à tiroirs pansus. Elle en finirait la lecture plus tard. Pour le moment, elle voulait réfléchir et se coucha. Sa première intention avait été de coller le rabat à sa place après avoir lu puis d'ajouter la lettre au courrier partant. Mais voilà que les phrases l'agaçaient au plus haut point et qu'elle aurait voulu voir disparaître cet écrit détestable.

Elle tira le bras, reprit le papier, finit sa lecture.

...Je garde au cœur le plus beau souvenir : celui de toi devant un coucher de soleil qui se mire dans l'eau le soir où je t'ai demandée en mariage...

Heather riva ses yeux sur un point invisible du plafond sombre. Elle imagina la même scène mais avec elle à la place de Marion. Ses paupières s'alourdirent d'excitation. Elle finit par les rouvrir brusquement. Alors ses yeux brûlèrent de lueurs vindicatives les mots qui restaient.

...J'espère avoir le courage que tu as. Je t'embrasse comme l'autre soir. J'attends de tes nouvelles.

Ton Donald»

Elle se releva, se rassit près de sa commode. Du bout des doigts, l'œil rempli de malice, elle remit la lettre dans son enveloppe. Puis elle tira un tiroir qui se coinça à deux reprises avant de lui permettre d'y cacher en son fin fond, sous des pièces de vêtement, ce déchet qu'elle se promettait de déchirer en mille morceaux et disperserait dans l'eau de la rivière après le départ de Donald. Et elle ferait de même du courrier venant de Marion McKinnon.

Le rappel de ce qu'il avait écrit poussa Donald à vouloir

retourner à la maison réclamer sa lettre pour y ajouter sa désolation quant au deuil de Marion et lui faire savoir qu'il avait bien reçu la sienne. Mais il n'osa pas. Morgan Matthew pourrait l'enguirlander. Et puis il lui répugnerait de discuter de ces choses car comme tout homme, au fond de lui-même, il avait honte d'être amoureux. Faire la cour pour gagner le cœur d'une femme, certes. Mais après...

De retour à sa chambre, il se rappela des scènes où, près de Marion, son cœur avait profondément vibré. Et il composa une berceuse mélancolique qu'il accompagna de notes gauches et tristes :

«Oh, mes jolies demoiselles de l'Ouest,
Soyez sages en cette nuit qui court.
Dormez que je fasse aussi ma sieste
En attendant le nouveau jour.
Hi-yo, hi-yo, hi-yo o o o o o»

CHAPITRE 4

Des quatre points cardinaux, elles arrivaient par centaines au grand corral de Danbridge. Un concert ininterrompu de meuglements harcelait les cow-boys, les encerclait sans merci et sans répit dans cette entité vivante, mouvante, houleuse.

Une douzaine d'éleveurs des environs regroupaient ainsi une partie de leurs bêtes au printemps et à l'automne pour les faire convoyer jusqu'à Cheyenne, la ville ferroviaire la moins éloignée alors de l'Alberta. De là, les bestiaux partaient pour les villes des Grands-Lacs, particulièrement Chicago.

Chaque rancher fournissait quatre ou cinq cow-boys qui travaillaient sous la direction du chef de convoi, celui-là payé à parts égales par tous.

L'éleveur le plus important du groupe, Morgan Matthew, expédiait pas moins de cinq cents têtes chaque fois. Aussi il déléguait ses six hommes : Bill Henry, chef du convoi ; Charles MacAuley ; le cuistot baptisé Old Shovel ; Norman et Donald, ces nouveaux bleus qui avaient remplacé les précédents ; et le sixième cow-boy dont chacun et même Morgan ne connaissait que le prénom : Pete. Car l'homme changeait de nom comme de chemise soit une fois par deux mois, histoire, chuchotait-on, de brouiller sa piste, sa tête étant mise à prix dans la région de Tombstone en Arizona.

À midi, pas une minute de plus, Bill Henry, après avoir instruit son monde de ses directives, donna le signal du départ.

Charles MacAuley et un gars du ranch Toto prirent les devants. Il fallait des hommes de cette trempe et de cette expérience pour chevaucher en tête comme cavaliers de front. Sur chaque flanc s'échelonnèrent une vingtaine de vachers montés sur des mustangs. À la queue du convoi, poussant en avant les vaches paresseuses au milieu d'un épais nuage de poussière, venaient les six bleus dont Norman et Donald.

Comme à l'habitude, les premières journées furent difficiles. Les jeunes bœufs se montrèrent particulièrement nerveux, prêts à déguerpir au moindre bruit hors de l'ordinaire. Bill Henry avait pris soin d'introduire dans le troupeau trois vieux taureaux dont la tranquille dignité aidait, prétendait-on, à calmer les bêtes et à compenser les accès de folie et cabrioles des jeunes animaux.

Le soir venu, quand les bêtes étaient au bout de leur rouleau, fatiguées à souhait de douze heures de marche par terrain difficile, de traversées de cours d'eau à la nage, parfois de débandade, l'on s'arrêtait. De préférence aux abords d'un point d'eau où les vaches pouvaient se désaltérer et ensuite se reposer pour la nuit.

Donald et Norman devaient installer les chevaux de réserve pour les veilleurs de nuit. Ils fabriquaient un corral à l'aide d'une corde pour retenir les autres chevaux. Après quoi, à leur tour, ils se rendaient au chariot de Old Shovel pour y manger le repas de haricots, bacon, biscuits durs et café amer que le cuistot leur avait fricoté sommairement.

Les hommes dormaient à la belle étoile, enroulés dans des couvertures, leur selle servant d'oreiller. Chacun se trouvait un lieu offrant une protection en cas de panique du troupeau : le plus souvent un arbre ou un rocher.

Les veilleurs de nuit faisaient les tours de garde selon un

horaire établi par Bill Henry. Ils se relayaient toutes les deux heures.

Tout au long de la sixième journée, le chef de convoi se montra inquiet à l'image du temps qui se préparait et qui pouvait se lire dans les lourds amoncellements nuageux venus de l'ouest. Non seulement, comme tout le monde, pressentait-il la pluie, mais il savait qu'elle s'accompagnerait du tonnerre et des éclairs. Grave perspective si l'orage venait à éclater la nuit.

Il donna l'ordre d'avancer tant qu'un soupçon de clarté le permettrait afin de fatiguer le troupeau au maximum et en espérant que l'orage éclatât alors que le convoi se trouverait encore en marche. Car alors il serait bien plus simple d'en garder ou d'en prendre le contrôle.

Ses vœux ne se réalisèrent pas. Il fallut s'arrêter sans qu'une seule goutte d'eau ne fût encore tombée du ciel, un ciel qui investissait toutes ses menaces dans le roulement incessant du tonnerre dans des lointains qui se rapprochaient très vite.

À l'exception des veilleurs de nuit qui circulaient autour du troupeau sur leurs chevaux de réserve et des bleus tous carrément endormis, les cow-boys ne dormaient que d'un œil, enveloppés dans leurs cirés, lorsqu'un violent coup de tonnerre, inattendu si vite, claqua dans un jour fulgurant aussitôt rejeté dans la nuit profonde.

Quand à nouveau, quelques secondes plus tard, une succession d'éclairs fit voir les environs, rien n'était plus pareil. Partout les bêtes se mettaient sur leurs pattes. Certaines, les plus nerveuses étaient déjà en proie à l'affolement. Alourdis par le fardeau de leur selle, les cow-boys couraient tant bien que mal vers le corral de leurs chevaux. Et ceux-ci hennissaient, se bousculaient, se laissaient gagner par l'énervement général.

Donald se réveilla. Norman venait de lui donner un coup de pied à la jambe. En même temps, un rideau de pluie fouetté par un vent tourbillonnant se jeta sur eux. Ni l'un ni l'autre n'avait cru bon ou pensé de coucher avec son ciré et maintenant les secondes étaient trop rares pour leur permettre de s'en revêtir. Ils imitèrent les autres et coururent à leur tour jusqu'au corral.

Le gros du troupeau se ruait déjà à la débandade. Les bêtes ne formaient plus qu'une masse de sabots piétinants et de cornes balançantes passant à moins de vingt pieds de l'enclos dans un bruit infernal. Des hommes à cheval, parmi lesquels pouvaient se reconnaître à la faveur des éclairs, Charles MacAuley et Bill Henry chevauchaient à travers les vaches presqu'en avant du troupeau. Ils tentaient la seule chose utile en pareil cas : essayer de faire tourner les bêtes dans le sens des aiguilles d'une montre, pour que l'action de chaque homme soit coordonnée et la course ininterrompue de sorte que l'épuisement finisse par avoir raison des vaches les plus excitées.

Donald eut le temps d'avoir honte pour son énorme retard à enfourcher sa monture. Mieux valait qu'il ne puisse chevaucher avec les meneurs car son inexpérience aurait pu le mener tout droit à la mort, piétiné par les bêtes après avoir vidé les arçons. Il comprit les propos de Morgan Matthew quand il avait soutenu que le chemin serait long avant que les bleus n'arrivent aux éperons de Charles MacAuley ou Bill Henry.

Quand Norman et Donald furent ensellés, les dernières vaches disparaissaient dans un pan de pluie. Et ce qu'ils purent faire de mieux jusqu'à la fin de cette course effrénée consista à suivre le troupeau grâce à l'instinct de leurs chevaux.

Les cow-boys réussirent la manœuvre prévue. Une demi-heure plus tard, la horde ralentit son allure jusqu'à finir par s'arrêter sous une pluie encore forte mais sans les puissants coups de tonnerre du début.

Trempés jusqu'aux os, nerveux au plus haut point, les bleus ne purent se rendormir de la nuit. Pourtant tout était rentré dans un ordre relatif, aucun homme n'avait perdu la vie et le gros des bêtes était sous contrôle.

Abrités sous leurs manteaux, les cow-boys d'expérience se laissèrent aller à ronfler au rythme des grondements du ciel qui, peu à peu, s'éloignaient.

Au petit jour, il fallut chercher les bêtes perdues. Comme il n'était pas possible d'en évaluer le nombre, on se contenta de battues dans un rayon d'un demi-mille. À midi le convoi se remit en branle.

À la traversée d'une rivière, le jour suivant, Donald fut à même de se rendre compte une fois encore de la valeur de l'expérience. Charles MacAuley jeta son cheval à l'eau, entraînant à sa suite une génisse prise au lasso par les cornes afin d'inciter les autres bêtes à suivre. Un morceau de bois à la dérive effraya la vache qui tenta de rebrousser chemin. Ses mouvements brusques combinés à ceux d'une tension subite imprimée à la corde du cheval désarçonnèrent le cavalier. Le cow-boy s'aggrippa aussitôt à la queue de sa monture et se laissa ainsi tirer jusqu'à l'autre berge.

À Cheyenne, les bêtes furent dénombrées, embarquées dans des wagons, payées au chef de convoi qui se rendit à la banque pour y déposer tout l'argent touché moins la paye des hommes.

Norman et Donald s'achetèrent des pantalons et une chemise de rechange. Et ils se louèrent une chambre à l'hôtel Hoffman. Après s'être débarbouillés, ils se rendirent au saloon où les cow-boys s'étaient donné rendez-vous pour fêter le succès de leur entreprise. Car le dénombrement avait permis de constater qu'il manquait seulement trente bêtes à l'arrivée. Et parmi celles-là, deux avaient été abattues pour la viande.

Même piano endiablé. Mêmes danseuses colorées. Mais une clientèle réduite. Car à l'arrivée des convois, les gens de la ville restaient plus volontiers chez eux. Il ne faisait pas toujours bon de se frotter aux cow-boys.

Quant aux vachers, la plupart y laissaient toute leur paye du dernier mois et souvent davantage. C'est la raison pour laquelle non seulement on tolérait leur présence bien qu'elle s'accompagnât fréquemment de disputes, bagarres et fusillades, mais encore qu'on la souhaitait. Car la triste histoire d'Abilène était bien connue dans tout l'Ouest.

En 1872, cette ville-marché avait décidé d'interdire chez elle l'arrivée des convois. « Passez votre chemin ; vous êtes des gens trop bruyants. » intimait une mise en demeure envoyée aux Texans par un comité de citoyens. Les cow-boys se conformèrent aux vœux des gens d'Abilène et dirigèrent ensuite leur bétail vers Ellsworth et surtout Dodge City. Et Abilène, naguère prospère, entra en agonie et finit par sombrer dans l'oubli le plus total.

Cheyenne était renommée pour son animation mais aussi pour la relative sécurité qu'on y trouvait. Un shérif autoritaire et arrogant y était pour quelque chose. De plus, les hommes des convois qui y venaient étaient des gens du Wyoming, du Montana et du Canada, par définition et à cause d'un climat plus froid, plus calmes que les hommes du sud qui convoyaient vers le nord jusqu'aux villes du Kansas.

Et pourtant, Donald fut mêlé malgré sa volonté à un incident qui faillit lui coûter la vie et amener mort d'homme.

Alors que les cow-boys du convoi de l'Alberta continuaient à festoyer au Grand Saloon, discutant joyeusement, applaudissant les danseuses, trois hommes d'une équipe du Nebraska vinrent s'attabler à quelque distance des bleus. L'un d'eux se mit à dévisager Donald Morrison. À mesure qu'augmentait son état d'ébriété, il se convainquait de reconnaître le jeune homme. Il finit par s'approcher en titubant. À cinq pas, il l'interpella :

— Je te connais, toi, fit-il menaçant. Tu étais avec les voleurs de bétail la semaine passée. Lève-toi que je te regarde...

Donald ne bougea pas d'une ligne. Les danseuses disparurent. Elles savaient quoi faire quand une bagarre s'annonçait et elles le faisaient vite. Le cow-boy ivre sentit que tous les regards se braquaient sur lui. Ses convictions augmentèrent.

— C'est toi qui as tué Jack Russel. Je t'ai vu. Lève-toi si tu peux affronter un homme face à face.

Donald demeura impassible. La hargne de l'autre augmenta. L'homme fit deux pas désordonnés puis il désigna son arme qu'il pointa vers Donald. Sauf les danseuses, la plupart ne l'avaient pas pris au sérieux tout d'abord. Mais voilà que les visages commençaient à s'allonger.

Deux coups de feu tirés à une seconde d'intervalle, retentirent dans la longue pièce enfumée. Le cow-boy s'écroula en grimaçant. La première balle lui avait fracassé la cheville droite et l'autre lui avait mis en charpie deux doigts du pied gauche. Il voulut relever le bras afin de pointer son arme en direction de Bill Henry, celui qui venait de lui massacrer les pieds. Mais le chef de convoi lui donna un coup de botte sur le poignet ; l'arme fut projetée à dix pieds contre le comptoir-bar. Écumant de rage, le blessé chercha à retirer de son étui son second pistolet, mais Henry lui mit un pied sur la main en sifflant :

— Assez !

Et il fit un signe de tête à l'endroit des compagnons du cow-boy fou pour qu'ils viennent le prendre en charge. Deux accoururent. L'un bredouilla :

— Nous, ça ne nous regarde pas. Il a trop bu... On s'est fait attaquer il y a trois jours par des voleurs de bétail. Son meilleur ami s'est fait descendre.

Désignant Donald, Henry dit :

— Cet homme a passé la semaine avec moi. Il fait partie de mon convoi... Ramassez cet ivrogne et qu'il disparaisse! La prochaine fois, il ne s'en relèvera jamais.

Donald se surprit lui-même de son sang-froid. Un soûlard à l'esprit vengeur qui vous menace de son pistolet chargé et ne pas ressentir plus d'émotion! Indifférent à cette chirurgie aux pieds qu'avait subie son agresseur : voilà de quoi l'étonner et lui faire prendre conscience qu'il commençait à entrer dans la peau d'un vrai gars impavide de l'Ouest.

— À Dodge, trois, quatre hommes auraient laissé leur peau dans pareille affaire, commenta froidement Charles MacAuley quand le plaisir fut réinstallé dans le saloon.

Le jeune Morrison resta songeur toute la soirée. Il cherchait la raison de cette violence gratuite, imprévisible, aussi inutile que destructrice. Il se demanda comment lui-même réagirait si des bandits en venaient à abattre Norman MacAuley.

Henry rencontra son collègue, le chef de l'autre convoi. Les deux hommes se connaissaient déjà et se respectaient. Le fauteur de trouble fut soigné et renvoyé au Nebraska.

Le retour en Alberta fut calme. Donald faisait de plus en plus corps avec son cheval. Malgré le danger couru, il n'avait pas envie d'apprendre à se servir de ses revolvers. Quelque chose le retenait. Parfois il jetait des regards méfiants à ses armes comme à l'endroit de faux amis. Norman, au contraire, pratiquait le tir à tout bout de champ. Il n'y montrait pas de meilleures aptitudes que pour la guitare et les cow-boys se disaient entre eux qu'il aurait du mal à atteindre une mouche lui marchant sur le bout du nez.

Au cours des trois dernières nuits, il fallut demander asile à des fermiers. Le froid était trop vif pour dormir dehors. Et faire du feu dans cette immense plaine dénuée d'arbres n'était guère possible. On coucha donc dans des granges, sur de la paille. C'était plus confortable que sur de la terre glaciale.

Depuis sa fenêtre, Heather surveilla le petit défilé de cavaliers avancer sur le pont, les corps se balançant au rythme des sabots bruyants. Une fois encore, Donald retint son attention. Quand les cow-boys eurent disparu, elle ouvrit un tiroir de sa commode, en sortit deux lettres qui avaient été décachetées. Le visage animé d'un sourire sournois, elle les plia et les replia jusqu'à former un rectangle qu'elle écrasa, lissa à plusieurs reprises à l'aide des jointures pointues de son poing fermé. Puis, montée sur une chaise, elle cacha le petit paquet dans un interstice séparant une poutre du plafond du lambris.

Donald avait eu des nouvelles de sa mère. Heather avait lu la lettre et l'avait soigneusement refermée. Cette surveillance s'imposait si elle voulait éviter que ne se rétablisse le contact entre Donald et Marion.

Au souper, elle remit à chacun son courrier. Elle put se rendre compte de la réaction de Donald quand il prit sa lettre et reconnut l'écriture de sa mère. Son front se rembrunit. Il glissa l'enveloppe dans sa poche de chemise comme l'avaient déjà fait les autres. Car le courrier était chose secondaire pour un vrai cow-boy.

À Noël, Donald n'avait toujours rien reçu de sa fiancée. Dans l'après-midi, il lui écrivit et aussi à ses parents. Heather intercepta une des lettres, vérifia le contenu de l'autre.

Comment deviner que le silence de Marion pût être imputable à la malveillance de la fille de Morgan ? Car Heather se conduisait maintenant envers lui de la même façon qu'envers les autres cow-boys. Mais elle attendait son heure. Elle entrerait en scène le jour où elle serait persuadée que le souvenir de Marion n'était plus bien vivace dans le cœur du jeune homme. Le printemps et ses dix-huit ans lui donneraient toutes les occasions de passer à l'attaque.

Lui était trop fier pour chercher à savoir par ses parents pourquoi Marion ne lui avait plus écrit après la mort de sa mère. En fait, c'est à ce deuil qu'il imputait son silence. Marion avait subi trois chocs presque simultanés : le départ de son fiancé, celui de sa mère et la prise en charge d'une famille entière.

Le remords de l'avoir quittée au moment même où elle aurait dû compter au maximum sur sa présence revenait souvent le harceler. Elle n'avait pas vraiment ouvert son cœur, se disait-il. Puis il lui adressait des reproches par-delà les immenses étendues glacées qui les séparaient. Elle aurait pu chercher à le retenir. Pourquoi donc avait-elle fait mine de croire qu'elle accepterait son départ ? Car si elle l'avait compris, nul doute qu'elle aurait continué à lui écrire...

Tout l'hiver, il s'enterra de travail. À lui seul il cloisonna le nouvel étable érigé en fin d'automne, tanna trois douzaines de peaux de vaches, abattit vingt-deux loups, participa aux boucheries en assommant les bœufs d'un seul coup de merlin.

Morgan voyait en lui un second Charles MacAuley, doué en tout, renfermé, travailleur, peu exigeant. Il ne lui manquait plus que deux ou trois ans d'expérience.

À Pâques, par un soleil resplendissant, il resta dans sa chambre toute la journée. Il écrivit à ses parents, prépara un petit colis contenant l'argent requis pour faire le paiement de l'hypothèque. Il ne lui resta pas l'ombre d'un cent. Il lui apparaissait de plus en plus évident que pour atteindre les objectifs qu'il s'était fixés, il lui faudrait rester au moins trois ans dans l'Ouest. Et surtout ne jamais risquer son argent aux cartes. Et continuer de résister, comme il l'avait fait lors du dernier convoi, aux attraits de villes comme Cheyenne.

Exceptionnellement, il posta lui-même le paquet. Pour son malheur et celui de Marion, dans la lettre qu'il contenait, il ne disait mot de la jeune fille. Elle, de son côté, pleurait chaque soir au souvenir de celui qui était parti et ne lui avait jamais écrit. Et cela lui remettait sans cesse en mémoire la légende de Régina Graham.

Elle aurait pu se rendre à Mégantic, chez les Morrison et prendre des nouvelles de Donald. Eux en avaient sûrement.

Mais elle aurait eu trop honte de leur avouer qu'il s'était désintéressé d'elle, plus honte encore que de la tuberculose de sa pauvre mère.

La nostalgie devint si forte au cœur de Donald qu'il prit la décision de retourner dans l'Est pour un mois. Le voyage aller-retour coûterait bien cinquante dollars et il n'avait plus le sou. Mais il en emprunterait. Pas à Norman qui était plus fauché encore que lui. Et il était trop fier pour en demander à aucun autre cow-boy du ranch. Seul Morgan Matthew pouvait l'aider. Il lui offrirait de mettre sa selle, sa carabine et ses pistolets en garantie.

La rencontre avec son patron eut lieu dans la petite pièce attenante à la cuisine et qui servait de bureau à l'éleveur.

— Mon pauvre ami, je te comprends, lui dit Matthew. Après un an, les jeunes ont tous le mal du pays. C'est ça qui est arrivé aux bleus que vous avez remplacés, toi et Norman MacAuley. Sûr que je peux te racheter ta selle, tes armes ; maïs je ne pourrai pas te garder ta place. Tu me laisses tomber à la veille du gros convoi de printemps. Dès la semaine prochaine, on commence à marquer les veaux.

Morgan se leva, lui mit la main sur l'épaule, se fit solennel :

— Morrison, t'es le gars le plus prometteur que j'ai jamais eu à mon emploi. Solide comme du bois sain. Habile comme un sauvage. Résistant comme une montagne. Travaillant comme trois. Et tout ça parce que t'es un homme fier. Je voudrais, j'aimerais que tu restes avec nous autres. Fais ton temps dans l'Ouest. Bâtis ton avenir. Et après, tu partiras.

Le jeune homme se sentit honteux d'avoir voulu rompre l'engagement moral qui le liait à son patron. Il n'avait toujours eu qu'une seule parole ; il la tiendrait.

— La compagnie Canadien Pacifique vient d'être constituée. Ça veut dire que le chemin de fer va nous passer devant le nez pas plus tard que l'année prochaine. À ce moment-là, tu prendras trois semaines pour aller dans l'Est si tu veux. Pour te rendre chez vous, quatre jours suffiront...

Donald sourit. Le discours de Morgan l'avait rassuré tout à fait. Il tendit la main que l'autre serra et sortit.

•

À la mi-juin arriva à Cheyenne le convoi de printemps. Danbridge avait envoyé cinq mille têtes de bétail. Un record de tous les temps. Que dix de perdues en route ! Un succès à tous les points de vue.

À la fête, au saloon, Norman fit de l'œil à l'une des danseuses. Après le spectacle, elle le rejoignit à la table où se trouvait aussi Donald. On sut qu'elle s'appelait Kandy Cane et venait de Saint-Louis. Curieusement douce dans un milieu où les femmes avaient le plus souvent allure et manières de matrones, Kandy montra plus d'intérêt pour Donald que Norman. Tant et si bien que l'autre s'effaça de longs moments à la recherche d'une remplaçante à cette petite femme dont il avait fait son deuil sans aucune forme de rancœur à l'endroit de son ami.

Kandy accepta un verre que lui offrait ce compagnon de passage. Il dit qu'il n'était pas un de ces cow-boys festoyant aussi longtemps que ses goussets n'étaient pas entièrement vidés. Il lui parla des raisons de sa venue dans l'Ouest. Mais il ne mentionna pas l'existence de Marion McKinnon qu'il sentait mourir en son esprit.

La petite voix rieuse et flûtée de la danseuse, les lueurs de sincérité naïve émanant de ses yeux mirent Donald en confiance. Il lui parla abondamment de lui-même, de ses parents, de son coin de pays. Elle posait des questions avec tant de naturel qu'il n'hésitait pas à y répondre. Ses yeux, comme ceux d'une petite fille curieuse, buvaient aux paroles du cow-boy.

Norman se trouva une compagne et disparut. Le saloon se vidait. Donald le fit remarquer. Elle l'invita à sa chambre. Il se rebiffa, hésita. Et pourtant il avait envie d'accepter. Ce serait tromper Marion. Et puis non ! Kandy n'était rien de plus qu'un amusement de passage. Pourquoi ne pas finir chez elle une conversation si bien engagée ?

L'image de Marion faisant la promesse de l'attendre le temps qu'il faudrait lui vint à l'esprit. Il haussa les épaules à la pensée qu'elle n'avait même pas trouvé cinq minutes en neuf mois pour lui donner de ses nouvelles.

Appuyé sur son comptoir, les yeux alourdis par la fatigue et la fumée, le barman dévisageait le couple avec l'air de dire : débarrassez donc le plancher ! L'homme à la tête oblongue et aussi rousse que la crinière du mustang de Donald se disait que les traînards suivraient si Kandy et son cow-boy venaient à disparaître. Ils ne tardèrent pas à trouver le chemin des portes battantes.

— Partons avant qu'il nous mette dehors, souffla Kandy. C'est un gros grognon.

Elle avait sa chambre à deux pas, au-dessus du magasin général. On y avait accès par un long escalier sombre entre deux bâtisses. Kandy fouilla dans son corsage, trouva sa clef qu'en tâtonnant elle inséra dans la serrure.

— T'as des allumettes ? Y'a une lampe près de l'entrée.

Elle parlait à mi-voix comme pour ne réveiller personne.

La pièce dansa devant ses yeux quand Donald l'éclaira. Le lieu était fruste : murs nus, lit bas à paillasse double, meuble de bois rude sur lequel se trouvaient deux cuves remplies d'eau, seaux pour contenir les excréments...

L'odeur qui y régnait ressemblait fort à celle que dégageait la danseuse : un amalgame de lavande et de castille. Elle était d'une propreté tatillonne pour l'époque et c'est la raison pour laquelle elle utilisait de si grandes quantités d'eau. Kandy se lavait tous les jours tandis que les autres girls ne le faisaient qu'une fois la semaine. De plus, elle procédait elle-même au lavage des parties génitales des hommes qui auraient à partager sa couche, ce qui lui avait valu le surnom de l'ébouillanteuse.

Alors qu'il allumait la lampe, elle dit :

— C'est ça, la vie d'une danseuse en dehors du saloon.

Cependant le ton ne contenait ni révolte ni résignation. Elle constatait rien de plus. Et il plaisait à Donald de parler à une femme transparente.

Elle fit ses ablutions. Puis elle aida le jeune homme à faire de même. Il sentit sa tension nerveuse monter au maximum. Elle se coucha, l'attendit. Craintif, il la suivit pourtant comme les vieux cow-boys disaient qu'ils se comportaient avec les filles.

— Tu éteins la lampe ? dit-elle, espiègle.

Il se releva, se donna des points de repère pour revenir dans la noirceur. En retournant au lit, il pensa qu'il n'avait pas osé lever les yeux une seule fois sur elle malgré qu'elle se fût déshabillée devant lui et eut fait son lavage sans se cacher, lui parlant sans arrêt des villes où elle avait travaillé et des célébrités qu'elle avait côtoyées : Wild Bill Hickok et John Wesley Hardin à Abilène; Bill Longley qu'elle avait vu mourir au bout d'une corde à Giddings au Texas en 1877 et qui avait déclaré en embrassant du regard les quatre mille personnes venues pour le voir tomber dans la trappe : « Je vois beaucoup d'ennemis aux alentours et bien peu d'amis. » ; Jesse James et Cole Younger qu'elle avait connus au Missouri ; le marshal Earp de Tombstone ; les frères Masterson, représentants de la loi à Dodge City et combien d'autres encore.

Elle avait parlé de tout ce beau monde d'une façon qui aurait pu donner à penser à Donald que chacun avait partagé son intimité. Quand il la rejoignit sous les couvertures, elle racontait comment une femme passait pour le chef d'un gang attaquant les convois venus du sud pour leur voler leur bétail.

— Par chance que ces gens-là n'ont pas l'idée de s'en venir au nord, commenta Donald.

— Ça se pourrait bien qu'ils s'en viennent par ici.

— Et comment ça ?

— Parce que là-bas, le juge Parker les fait serrer de près.

— On entend parler de lui dans l'Est.

— Du juge Parker ?

— Paraît qu'il veut nettoyer l'Ouest.

Kandy soupira. Puis elle colla son corps contre celui de son compagnon. Il eut un mouvement de recul. Elle rit :

— Un peu peur, hein ? C'est la première fois ?

Il banda les muscles de ses bras, écrasa contre lui ce petit corps fragile qui s'abandonna en frissonnant.

Comme des ruisseaux de montagne, ses instincts vibrants se bousculèrent jusqu'à ses désirs captifs depuis tant d'années, les gonflèrent en fougueuses rivières qui vinrent se jeter dans le fleuve de sa fébrilité. L'homme avait les énergies d'une bête sauvage. De sa petite main, Kandy les canalisa simplement dans l'univers douillet et chaud de ses profondeurs.

Alors elle cambra doucement les reins sur son immobilité. Une seule fois. Et l'homme fut délivré de toutes ses tensions. Son savoir, son énergie et sa substance entière devinrent une contraction du bas-ventre, une explosion interminablement brève, grognonne, convulsive.

Quant il fut retombé sur la paillasse, un vent de tristesse né aux abords de l'étang des McKinnon vint souffler sur son âme. Il se leva, retrouva ses vêtements dans le noir, se rhabilla.

Elle devina ce qui se passait. L'homme vidé regrettait. Et elle aussi dans ce silence noir. Peut-être avait-elle brisé quelque chose en lui ? Elle ne l'avait pourtant pas invité pour l'argent. Donald ne lui avait pas paru être comme les autres. Elle l'avait trouvé pur, propre, bon enfant.

Sans prononcer le moindre mot, sans bruit, il sortit. Au pied de l'escalier, il s'assit, mit sa tête dans ses mains pour ne plus voir les lueurs de la rue, comme pour se cacher la face du pauvre regard de Marion noyé de chagrin et de solitude.

Kandy pleurait doucement.

Un quart d'heure plus tard, elle entendit le bruit de ses pas dans l'escalier. Il entra, ôta ses vêtements et retrouva sa place auprès d'elle. Elle lui tournait le dos. Il se rapprocha. Ils restèrent ainsi longtemps sans dire un mot. Il lui caressa les cheveux en pensant à ceux de Marion. Et avant de s'endormir, ils s'échangèrent quelques mots :

— Quel est ton vrai nom ?

— Jane.

— Jane...comment ?

— Allison.

— Jane ? fit-il interrogateur.

— Oui, dit-elle, attentive.

Il garda un long silence puis dit :

— Merci, Jane Allison.

CHAPITRE 5

À son retour à Danbridge, Donald eut la surprise d'apprendre, comme les autres cow-boys, que Charles MacAuley quitterait l'Ouest dans les jours prochains.

Au soir de la veille de son départ, un bout de conversation que l'homme avait eue avec son neveu quelques jours auparavant, lui revint en mémoire.

Ils avaient fumé une pipée sur la galerie de la maison des cow-boys. Charles avait répondu aux questions de Norman.

— Un homme ne doit pas tourner en rond dans sa vie et toute sa vie, avait-il dit quand on avait voulu connaître la véritable raison de sa décision.

— Qu'est-ce que c'est, tourner en rond ?

Charles avait craché au-delà de ses bottes dans la terre battue avant de dire :

— C'est de ne pas savoir s'arrêter quand on sent que c'est le temps de le faire.

— Autrement dit, c'est l'errance ?

L'autre avait fait un signe de tête accompagné d'une moue qui voulait signifier : probablement.

Cette nuit-là, Donald rêva à Marion. Elle était grande

comme une montagne, blanche comme de la neige et se tenait à côté du Morne. Elle prononçait doucement son nom comme un fantôme qui appelle à la prière.

Il se leva avec le jour. Il griffonna quelques mots sur un bout de papier à l'intention de sa fiancée. Il lui disait qu'il souffrait de son silence et espérait quelques mots d'elle.

Au moment de partir, Charles s'arrêta à la maison des Matthew pour faire ses derniers adieux à toute la famille. Puis il remonta en voiture. Le conducteur donna au cheval le signal d'avancer. L'on n'avait pas fait quinze pieds que la voix pointue de Heather les fit s'arrêter. Elle tenait du courrier dans ses mains et voulait qu'on le mît à la poste pour elle.

— Si ça ne dérange pas trop, fit-elle en tendant les lettres.

— Sûr que non, dit Charles. Une de plus, une de moins...

Depuis qu'il avait pris la décision de partir, l'homme avait retrouvé sa langue et son sourire. Toutes les années où il s'était encroûté dans sa cuirasse de solitude et de silence paraissaient s'être volatilisées. Il avait envie de faire plaisir à tous et de laisser un bon souvenir. Il poursuivit en montrant la lettre que Donald lui avait confiée :

— J'en ai justement une pour la blonde du petit Morrison. Ah, mais celle-là, je vais la livrer moi-même.

Le visage de Heather devint livide. Cette fois, plus question d'attendre. Il fallait qu'elle trouve moyen d'approcher Donald. Depuis l'incident du pont, toutes ses tentatives n'avaient pas réussi à faire progresser sa cause. Elle avait multiplié les occasions de le croiser quelque part entre les bâtisses du ranch. Il la saluait d'un petit geste sec de la tête, allait toucher son chapeau du pouce et de l'index comme pour le soulever, mais il le gardait bien en place et passait son chemin en pressant le pas.

Quand on avait travaillé dans le nouvel étable au cours de l'hiver, elle avait surveillé de près les allées et venues des cow-boys, guettant le moment où Donald serait laissé seul à l'intérieur, les autres hommes étant requis ailleurs pour d'autres tâches.

Un samedi matin, alors que tous, y compris les Matthew, avaient quitté le ranch n'y laissant pour toute âme qui vive que Heather, elle à la maison et Donald occupé à finir le cloisonnement de la nouvelle bâtisse, elle avait tenté sa chance.

Elle avait revêtu une longue robe de laine à bandes horizontales vivement colorées. Cheveux brossés, fard aux joues, cerveau bouillonnant, elle s'était rendue jusqu'à l'étable sous un soleil éblouissant qui multipliait ses éclats, ce jour-là, sur une mince couche de neige fine et diamantée. Après avoir aspiré une longue bouffée d'air frais pour fouetter son courage, elle était entrée.

Croyant qu'il s'agissait d'un cow-boy, Donald avait continué d'enfoncer clous et chevilles.

À quelques pieds derrière lui, elle avait dit :

— Je voudrais te parler.

— De quoi ? avait-il répondu en accrochant le talon d'une de ses bottes à un pavé et en s'appuyant les coudes au bat-flanc qu'il achevait de mettre en place.

— De tout... Et de rien, avait-elle dit avec une moue capricieuse.

— Tout ? Rien ? On ne peut pas parler de tout parce que ça en fait trop. Et on ne peut pas parler de rien parce que ça n'en fait pas assez.

Alors il avait accroché à son visage un sourire de glace et de mystère et il était parti à la maison des cow-boys où il s'était enfermé dans sa chambre, laissant Heather seule avec son dépit.

Quand sa colère s'était apaisée, lui était revenue en force la détermination d'arriver à son but. La chance de se trouver seule avec lui dans un lieu isolé ne s'était plus présentée. Par bonheur, le départ de Charles MacAuley le lui permettrait peut-être. Lui et Donald avaient toujours formé équipe au rassemblement des bêtes et voilà que le jeune homme se retrouverait seul pour au moins quelques jours. Elle pensa que son père le garderait au ranch pour de menus travaux en attendant un autre homme. Mais tel ne fut pas le cas. Donald fut envoyé au nord. Et seul. Il était devenu si habile cavalier qu'il pourrait sans aide reconduire au corral du ranch toutes les bêtes qu'il aurait rassemblées au cours de l'avant-midi.

Un doux soleil et une brise légère caressaient la peau. Heather dit à son père qu'elle voulait se rendre au village à cheval. Il lui fit seller un alezan tranquille et la regarda partir vers l'est. Dès la tournant franchi, elle fit virer sa monture vers le nord et chevaucha sans se presser, surveillant tous les replis de l'horizon.

À midi, elle aperçut au pied d'une colline herbue un petit troupeau de bêtes trop serrées pour ne pas être encerclées d'une corde. Elle découvrit bel et bien un corral improvisé. Suffisait d'y attendre le retour de Donald. Il se pointa un quart d'heure plus tard, tirant une tauraille à l'aide d'une corde.

Heather s'était assise au pied d'un arbre. Son cheval broutait dans les environs. Donald s'appuya sur le pommeau de sa selle, se pencha en avant et dit sur un ton de reproche :

— Qu'est-ce que tu es venue faire ici, petite fille ?

Hérissée par ces mots, elle répondit :

— Si je suis une petite fille, pourquoi donc as-tu si peur de moi ?

— Moi, peur de toi ?

— Oui, peur de moi.

— Tu m'as déjà vu courir en te voyant ?

Elle éclata d'un rire provocateur.

— Plusieurs fois, mon ami, plusieurs fois.

— Si c'est ça que t'appelles éviter les complications inutiles.

— Quel âge elle a, ta Marion McKinnon, hein ?

— Ça ne te regarde pas.

Heather haussa les épaules.

— Et puis où as-tu pris ce nom-là, hein, toi ? s'enquit-il, méfiant.

Ce ton qu'elle utilisait, l'audace avec laquelle elle l'abordait, cette façon de prononcer les mots Marion McKinnon et le simple fait qu'elle semble si bien le connaître firent naître en l'esprit de Donald une idée absurde qu'il repoussa bien vite d'ailleurs : se pouvait-il que Heather ait lu ses lettres et même qu'elle ne les ait pas mises à la poste ?

Il mit pied à terre en se disant qu'il avait affaire à une adolescente capricieuse et trop stupide pour poser des gestes aussi malhonnêtes.

Il s'approcha, lui lança un regard autoritaire, dit sèchement :
— Remonte sur ton cheval et retourne au ranch.
Elle soutint son regard, rétorqua :
— Mais le ranch, c'est ici !
— À la maison !
— C'est chez moi ici autant qu'à la maison.
— Tu risques de me faire renvoyer par ton père et ça, je n'y tiens pas.
C'était là un mot de trop et qui fit réfléchir Heather. Elle se retourna pour regarder au loin en sussurant :
— Tu sais bien que jamais je ne dirais à mon père que tu m'as prise dans tes bras et embrassée de force. Il pourrait te chasser à coups de pistolet.
Il s'impatienta :
— Écoute, petite fille, éclairons nos lampes. J'ai une fiancée dans l'Est et quand je vais retourner là-bas...
Elle coupa :
— Quand tu retourneras, il y aura belle lurette qu'elle sera mariée à quelqu'un d'autre.
— Dans l'Est, les filles ne sont pas comme ici.
— Elles sont partout les mêmes. Elles attendent...mais pas toute leur vie.
— Je serai là-bas l'année prochaine.
— Ils viennent tous pour un an ou deux et ils restent tous dix ans. T'as vu Charles MacAuley ? C'est pareil pour tous les cow-boys. Parfois ils changent de patron mais ils restent ici. Autant te faire une raison de vivre... Sors de ta prison ; t'es comme un esclave.
Prisonnier, passe toujours ! Mais esclave, Donald ne le blairait pas. Il résolut de se réfugier dans le silence, arme qui avait déjà fait ses preuves contre elle. Il renfourcha sa monture et fit demi-tour.
— Où vas-tu ?
Il ne répondit pas, éperonna le cheval et partit.
Elle lui cria, enragée :
— Attends ou je te fais jeter dehors de ce ranch.
Il ne revint qu'une demi-heure plus tard, ramenant deux vaches et un veau. Heather avait disparu. Le corral était vide. On avait défait la corde et les animaux s'étaient dis-

persés. Donald émit un juron : chose rare.

En fin d'après-midi, précédé de sept bêtes seulement, il franchissait le pont du ranch. Dès qu'elles furent parquées dans le corral, Morgan le héla. Il se rendit à la maison en se doutant de ce qui l'attendait.

L'éleveur le fit asseoir, mais lui resta debout, marchant nerveusement d'un bout à l'autre de la petite pièce, disant :

— Heather m'a raconté que tu l'as interceptée alors qu'elle se dirigeait vers la ville, que tu as essayé de...de faire des choses... Si tu étais quelqu'un d'autre, je ne te le pardonnerais pas. Mais comme tu es Donald Morrison, c'est différent. Je t'aimais bien. T'es un bon homme. Je comprends qu'un gars qui vit tout seul dans ce coin de pays perdu sente le besoin de... Mais vois-tu...

— Peut-être que j'aurais un mot à dire...

Morgan ouvrit les mains dans un geste de protestation et dit :

— Non, ne dis rien. Ne me donne pas ta version de ce qui s'est passé réellement. Ça ne servirait à rien.

Il s'arrêta, baissa le ton qui devint dubitatif :

— Un père doit tout sacrifier pour ses enfants, même les plus belles choses. Il ne doit pas hésiter à faire du mal aux autres pour les protéger. Est-ce que tu comprends cela, Donald Morrison ?

Le jeune homme avait retrouvé la paix. Il savait maintenant que Matthew ne le croyait pas coupable mais qu'il cherchait à couvrir Heather.

— Pour éviter pire, va falloir que tu t'en ailles. Je vais te donner un mot de recommandation et tu pourras trouver de l'embauche assez facilement. Je te souhaite une bien bonne chance. Et surtout, je te demande de me comprendre, de me comprendre...

C'est en penchant la tête que Morgan avait répété les derniers mots. Il quitta la pièce d'un pas ferme, y laissant l'autre seul avec ses pensées.

On ne voudrait pas de lui dans la région immédiate car l'écho de sa prétendue conduite se répandrait. Pas question de rentrer dans l'Est, faute d'argent. Et puis il ne serait jamais retourné à Mégantic les mains vides. Alors il choisit de partir pour Cheyenne.

Après le souper, il régla ses comptes avec Morgan. On ne parla pas de Heather. La rencontre fut brève et ne porta que sur les affaires. Donald s'acheta un cheval. Morgan en exigea un dollar tandis que le prix normal aurait dû osciller entre trente et cinquante dollars. Morgan quitta les lieux accablé par la honte qu'il s'inspirait à lui-même. Donald griffonna un mot qu'il laissa sur le bureau et qui se lisait simplement : « Merci pour tout, monsieur Matthew. » Et il signa : D. Morrison, Mégantic.

Au petit matin, le jour suivant, le jeune cow-boy qui avait considérablement réduit ses bagages, ne gardant que le strict nécessaire mis dans une valise qu'il avait attachée sur la croupe de son cheval derrière la selle, engagea sa monture sur le pont. Le bruit des sabots attira Heather à sa fenêtre. Les dents serrées, elle le regarda s'en aller. On frappa à sa porte. Son père lui remit le bout de papier de Donald et il jeta à mi-voix :

— Il est parti. Tu n'auras plus rien à craindre de lui.

Quand il eut quitté sa chambre, elle courut jusqu'à la fenêtre, étira le cou ; mais il n'y avait plus personne sur le chemin. Le tournant avait déjà effacé l'image du jeune cow-boy.

— Fou d'idiot ! ragea-t-elle en trépignant et en serrant les poings. Elle chiffonna le papier, le jeta par terre, l'écrasa rageusement avec sa chaussure.

•

Donald voyagea sans se presser. Chemin faisant, il fit le bilan de ce qui s'était produit depuis son arrivée dans l'Ouest. Pas de miracle ! Argent dur à gagner, vite dépensé. Combien d'années devrait-il y rester pour libérer la ferme paternelle de cette damnée hypothèque ? De se poser la question soulevait un peu le voile sur la réponse : plus de temps que prévu. À moins que l'imprévu ne vienne à sa rescousse comme il l'avait plutôt desservi jusque là.

Sa fortune se chiffrait à trente-six dollars. Mais il possédait un assez bon cheval, une selle, des armes restées neuves.

Un soir poussiéreux, à la brunante, il arriva à Cheyenne. En entrant dans la ville, il se sentit plus seul que dans la prairie. Pourquoi donc avait-il choisi cette ville-là ? Pourquoi pas Buffalo ? Pourquoi ne pas passer son chemin et se rendre tout droit à Dodge ?

Ça n'avait pas d'importance ; cette ville en valait bien d'autres. Il y connaissait quelques personnes. En s'identifiant comme cow-boy venu d'Alberta, équipier de Bill Henry dans deux convois, quelqu'un lui donnerait bien du travail.

Il se rendit droit au Grand Saloon, retrouva Kandy Cane avec une joie qu'il ne laissa pas paraître. Pour lui, la danseuse délaissa un homme appelé Tom Horn au visage anguleux, aux oreilles décollées, chauve sur le devant et à l'air froid. Ces traits désagréables s'accentuèrent quand il se vit évincer par le blanc-bec.

Kandy amena Donald chez elle. Dans les semaines qui suivirent, il devait partager ses repas, sa chambre et son lit.

Il se construisait un nouvel hôtel dans la ville et qui s'appellerait le Club de Cheyenne, financé par les barons de l'élevage, de ces hommes d'affaires qui détenaient des actions dans la moitié des propriétés d'élevage du Wyoming et qui feraient parler d'eux de plus en plus dans les dix années à venir

Kandy leur vanta les mérites de Donald, soulignant son expérience en Alberta, son habileté en construction. On lui donna du travail à un dollar et demi par jour. Il œuvrerait à l'érection du Club de Cheyenne mais c'est pour autre chose tout à fait qu'on prévoyait l'utiliser.

Par le Cheyenne Sun qu'il lisait tous les jours, Donald apprit que s'accréditait de plus en plus la rumeur rôdant depuis quelque temps voulant que des voleurs de bétail refoulés du Kansas et de l'Arkansas par les milices vigilantes du juge Parker aient trouvé refuge au Wyoming, y formant des bandes actives.

Jamais Donald Morrison n'aurait pu se douter, à la lecture de cet article, que l'action des voleurs de bétail le conduirait à poser des gestes qui auraient pour lui de graves conséquences jusqu'à son dernier souffle.

Un matin, il fut congédié. Prétexte : trop d'hommes sur le chantier. Le soir même, au saloon, il fut abordé par un rancher du nom de John Tisdale. En s'approchant de la table, l'homme dit :

— Je cherche un bon homme ayant besoin de travailler. Je peux m'asseoir ?

Seul, comme d'habitude lorsque Kandy était sur scène, Donald acquiesça en désignant d'un geste bâclé la chaise qui se trouvait en face de lui.

Tisdale était un personnage raffiné, mince, grand, proprement vêtu et charmant. Il dit :

— Accepte un whisky ; c'est sur le compte du ranch Bell.

— Où c'est ?

— Au nord. Sur la frontière du Nebraska.

— Pour y faire quoi ?

— Rassemblement, marquage, convoyage...toutes choses qui te connaissent et que tu as faites en Alberta.

Donald jeta un regard oblique en direction de Kandy et dit :

— Tant qu'à y être, vous devez aussi savoir mon nom ?

L'autre sourit en disant :

— Donald Morrison... C'est ton employeur du Club de Cheyenne qui m'a parlé de toi. La danseuse, elle, m'a dit où te trouver.

— Et vous-même ?

— John Tisdale, membre de l'Association des éleveurs du Wyoming.

Et il tendit une main que Donald serra.

Le lendemain, les deux hommes quittaient la ville pour se rendre au ranch Bell. Donald avait promis à Kandy de venir la voir chaque dimanche. Habituée à voir les hommes passer vite dans sa vie, elle lui avait dit qu'elle l'attendrait sans trop se faire d'illusions. Même réaction pour lui qui avait déjà entendu la pareille.

Au ranch, il n'en crut pas ses yeux quand on lui présenta le chef des cow-boys. On l'avait fait asseoir au bout d'une table dans une pièce semblable à celle de chez les Matthew où les hommes étaient reçus quand les affaires du ranch le requéraient et dans laquelle ils allaient manger. Tisdale avait pris place à l'autre bout. On frappa. Un personnage entra qui remplit d'incrédulité les yeux de Morrison.

— Voici la personne qui a la charge des hommes de ce ranch, fit Tisdale, amusé.

Donald se leva et salua en enlevant complètement son chapeau.

— Donald Morrison que j'ai engagé hier... Belle Starr, ajouta Tisdale en présentant la femme au cow-boy. Mise au point qu'il faut faire : le ranch Bell et le prénom de madame se ressemblent sans plus. Madame travaille pour nous depuis trois mois. Elle a remplacé l'ancien lieutenant mort tragiquement comme cela arrive de plus en plus souvent, hélas, dans ce coin de pays.

La jeune femme esquissa un sourire énigmatique lorsqu'elle vit que Donald ne faisait pas exception et l'examinait lui aussi de pied en cap.

Elle ne manquait pas de surprendre par son énorme ceinture avec revolvers en bandoulière et une large cartouchière qui lui contournait l'épaule gauche. Un chapeau gris dont un rebord retroussait dans un sens et l'autre, orné d'une sorte de plumeau rouge planté sur le devant, lui calait jusqu'aux yeux. Des yeux petits, perçants, cruels. Moricaude. Ses mains gantées tenaient une cravache.

Elle aussi procéda à un examen impudent de ce jeune homme qu'elle connaissait plus qu'il ne l'aurait cru. On avait l'intention de se servir de lui comme pion dans une attaque du convoi de Danbridge en automne.

Belle Starr était le chef d'une bande de voleurs de bétail. Le zèle du juge Parker l'avait forcée à s'en aller au nord avec ses hommes pour y respirer un air plus sain. Un baron du bétail de Cheyenne, actionnaire principal dans le ranch Bell, l'avait envoyée à Tisdale qui l'avait aussitôt engagée comme lieutenant afin de cacher ses véritables activités.

Elle parla à Donald de ses fonctions qui ne différeraient pas beaucoup de celles qu'il connaissait de ce métier sauf que là, il devrait passer beaucoup plus de temps à veiller en solitaire sur les bêtes soit à vivre dans une cabane au loin dans la prairie. On se débarrassait de lui en attendant le moment venu.

— Par ici, ça grouille de voleurs de bétail, lui dit Belle pour justifier le travail qu'elle lui confiait mais aussi pour l'endormir sur elle-même.

Un pur hasard permit à Donald de découvrir le pot aux

roses. Revenu de la prairie pour se ravitailler alors qu'on ne pensait même plus à lui, il entra dans la maison et attendit discrètement dans la pièce voisine de celle où il avait connu Belle. La femme et Tisdale y conversaient. Dans leurs propos il était question de l'attaque du convoi d'Alberta et d'autres.

Sachant alors à qui il avait affaire, Donald sortit, monta à cheval et partit au galop pour Cheyenne. Tisdale eut le temps de l'apercevoir. Il en déduisit qu'il avait surpris leur conversation. Il fallait se débarrasser et vite de ce jeune cow-boy.

On retint un plan qui consistait à le tuer sous le couvert d'un accident. Car descendre un homme, même un étranger, et bien que le shérif Canton fût un homme de mains soudoyé par les barons, n'était pas une mince affaire.

Belle fut dépêchée à la ville. L'affairiste du Club de Cheyenne la mit en contact avec Tom Horn, un tueur qui avait d'excellentes raisons de haïr Donald.

On convint d'un prix et des phases du plan. Un plan sans raffinement, à la mesure de ce pays où tout était simple et expéditif. Belle et Horn se rendraient au Grand Saloon où ils ne manqueraient pas de trouver le jeune Morrison. Sous prétexte que l'arme s'enrayait, Belle prêterait son Peacemaker, un pistolet à pontet ouvert, à Horn qui l'examinerait. Et soudain un coup, fatal pour Donald, partirait. On soutiendrait qu'il s'agissait d'un malheureux accident. Belle témoignerait. Que se soucierait de Morrison, ce solitaire canadien perdu dans l'Ouest ? Quant au marshal Canton, c'est avec agrément qu'il avalerait l'histoire.

Donald arriva au saloon. Tom Horn surveillait l'entrée depuis l'autre côté de la rue. Quelques minutes plus tard, il s'y rendit à son tour afin de juger de la disposition des tables et des clients et pour repérer le meilleur endroit pour exécuter le coup.

Il fallait éviter que Belle fût reconnue par le jeune Morrison. Elle avait eu beau changer de chapeau, se couper le front d'une mèche de cheveux : difficile qu'on n'identifie pas au premier coup d'œil son visage de hyène en chaleur.

Horn retourna chercher Belle qui l'attendait derrière les portes battantes. Sur scène le spectacle reprenait. C'était le moment. Le couple n'attira pas l'attention et put s'attabler à vingt pieds du bar.

— Où est l'oiseau ? demanda Belle dans la pénombre.

Horn n'entendit pas. Il se rapprocha l'oreille. Elle répéta sa question. À l'odeur de sa bouche, halenée de tabac et dents gâtées, l'homme eut un haut-le-cœur. Il se dit alors qu'il la tuerait volontiers, cette femme qui se prenait pour un homme, qui dirigeait un groupe de miteux, qui constituait une honte pour le sexe masculin.

— Là, debout au coin du bar. Il ne pouvait pas mieux se placer. Un cow-boy le moindrement intelligent ne devrait jamais se laisser le dos à découvert.

— Mais celui-là, c'est un jeune morveux du Canada.

— On va lui montrer à vivre.

— Et à mourir.

Il leur fut servi à boire. Belle avait commandé un double whisky, à l'instar de son voisin. Les éclats de voix couvrant parfois la rumeur, se mêlant aux accents du piano donnaient l'apparence d'un tohu-bohu ; mais il régnait un certain ordre dans la place lorsque les convoyeurs ne se trouvaient pas en ville.

Quand, pour un moment, les gens cessaient de parler, ils rivaient leurs yeux sur les quatre danseuses, toutes en couleurs vives. Bras accrochés, elles jetaient leurs jambes en cadence vers le public ou bien tournaient autour d'un axe imaginaire, parfois retroussaient leurs jupes sur un coup de croupe jusqu'à montrer leurs dessous roses.

Le regard plongé dans son whisky, Donald réfléchissait. Un profond écœurement lui remplissait l'esprit. Il était revenu à Cheyenne pour prendre des choses qu'il avait laissées chez Kandy et pour lui faire ses adieux. Car il avait l'intention de repartir tôt le lendemain pour la Canada afin de prévenir Morgan Matthew et Bill Henry des risques d'attaque courus par le prochain convoi.

Inutile de révéler au shérif Canton ce qu'il avait appris au ranch Bell puisqu'il savait, par les propos même de Tisdale, que le marshal était aussi à la solde des barons du bétail.

Kandy n'avait pas vu entrer le couple. Elle souriait souvent au public. Mais ses yeux ne s'arrêtaient jamais sur quelqu'un de précis sauf sur Donald. Quelque chose d'instinctif devait pourtant lui permettre d'apercevoir le geste de Belle quand elle sortit son revolver et le prêta à son compagnon. Une danseuse de saloon avait le flair du but de telles manœuvres.

L'air inquiet, elle continua à danser, surveillant les agissements louches de cet homme qui lui avait inspiré une crainte bizarre dès les premiers mots qu'il avait prononcés devant elle quelques semaines plus tôt.

Elle vit qu'il examinait l'arme. Puis qu'il la pointait inutilement en direction du bar. En une fraction de seconde, ce que Donald lui avait raconté de son équipée au ranch Bell lui revint en mémoire. Cette femme aux allures d'homme ne pouvait être que le chef des cow-boys décrit par le jeune homme. On savait qu'il savait. Et on était venu pour le liquider. Plus précisément pour le faire descendre par Tom Horn, cet homme qui se disait un tueur de voleurs de bétail pour cacher qu'il n'était en réalité qu'un assassin de profession.

Au grand désarroi des autres danseuses, Kandy sauta entre les tables en bas de l'estrade. Elle courut jusqu'à Donald afin de le prévenir. Au moment même où elle arrivait à lui, un coup de feu retentit. Donald se retourna, recueillit son dernier regard. Une douleur triste imprégna le visage de Kandy. Elle s'écroula sans bruit dans ce silence qu'avait imposé le coup de feu.

Donald se jeta à ses côtés, lui souleva la tête. Vainement. Elle était déjà morte d'une balle en plein cœur.

Un quart d'heure plus tard, le shérif se trouvait sur place. Afin de procéder à son enquête, il réunit autour du cadavre les principaux témoins.

Horn expliqua qu'il se trouvait en train d'examiner l'arme de Belle lorsque le coup était parti accidentellement. Il soutint qu'il connaissait à peine la danseuse et qu'il n'avait aucune raison de lui en vouloir, prouva que lui-même ne portait pas de revolver. Belle corrobora ses dires.

— Affaire classée ! finit par déclarer Canton.

Donald, qui était resté auprès de Kandy, se releva. Il dévisagea Canton puis Belle puis Horn. Une amertume rageuse lui passait par les yeux.

— Peut-être que tu ferais mieux de quitter la ville, suggéra le marshal. Ça pourrait éviter des querelles inutiles et plus de dégâts.

C'était la seule solution. Pour le moment. Donald sortit. Il partirait... Mais il reviendrait. Et si la justice n'existait pas dans ce pays, il verrait à la rendre lui-même quand son heure serait venue.

Le lendemain, il prit la direction du nord, surveillant ses arrières, toujours sur le qui-vive. Et le soir, il s'arrêta au ranch K.C., propriété d'un éleveur indépendant du nom de Nathan Champion à qui il demanda asile.

— On te pourchasse, hein ? fit remarquer le rancher.

— Oui.

— Dans ce cas-là, probable que tes ennemis sont aussi les miens.

Pièce d'homme, dans la trentaine, sourcils épais et bien découpés, aux yeux d'un gris verdoyant, Champion accueillit Donald, lui offrit le repas qui fut servi par sa femme, un être maigret, prévenant et qui multipliait les pataquès au cours de phrases étirées aux mots raréfiés.

Donald eut aussitôt confiance. Il raconta ce qui s'était passé à Cheyenne. Nathan confirma la complicité de Canton avec les barons. Il conseilla fortement à Morrison d'apprendre à se servir de ses armes s'il tenait à survivre dans ce pays.

— Ou bien ne viens pas ici et reste toujours au Canada.

Donald n'avait pas à se faire tordre le bras puisque la décision de devenir bon tireur avait été prise à la porte du Grand Saloon juste après la mort de Kandy.

— Je te donnerai ta première leçon tout à l'heure, proposa le rancher.

Il vécut plusieurs jours au ranch K.C. On l'apprit à Cheyenne et cela valut à Champion d'être porté à la liste noire des barons.

Onze ans plus tard, Nathan le paierait de sa vie lors de la guerre du comté de Johnson au printemps 1892 et qui mettrait aux prises des justiciers à la solde des barons et de véritables voleurs de bétail, ce qui offrirait aux affairistes l'occasion de se débarrasser d'éleveurs innocents comme Champion.

Le dernier conseil que Nathan prodigua au jeune cowboy fut celui de s'entraîner au tir chaque jour que le Seigneur amenait. Car en cette matière, affirma-t-il, la main se perd en moins d'un mois.

Le jour de son départ, Donald quitta avant l'aube afin d'éviter d'éventuels tueurs embusqués. Nathan l'accompagna sur cinq milles puis les deux hommes se séparèrent. À midi, le jeune Morrison croisa la piste des convois. Il l'emprunta en se disant que les chances étaient bien minces d'être rejoint par les mercenaires de Tisdale et des barons.

La quantité de têtes dans le grand corral de Danbridge lui permit d'estimer que le convoi se mettrait en marche dans les jours très prochains. Sur plusieurs milles de piste, il avait craint que le convoi ne fût passé ailleurs, plus à l'ouest, empruntant peut-être quelque autre piste. Puis il s'était dit que Bill Henry n'était pas homme de chambardements et qu'il n'aurait pas modifié -à moins de force majeure- un vieil itinéraire.

Morgan Matthew reçut l'arrivant à bras ouverts. Il l'acceuillit dans la salle à manger, fit servir du café, s'enquit de sa santé. Il ne laissait pas l'autre répondre tant il montrait de fébrilité. Il voulait réparer l'injustice commise envers Donald et qui lui avait pesé sur la conscience tout l'été. Tout en jacassant comme une vieille pie, il se rendit à son bureau dans la pièce voisine, en rapporta un petit paquet qu'il jeta sur la table.

— Voici tes lettres... De ta fiancée. Retrouvées dans la chambre de notre chère Heather. Elle a aussi retenu celles que tu lui donnais à poster.

Donald hocha la tête en riant. Morgan lui offrit de reprendre sa place au ranch. Il lui demanda de pardonner à Heather : une enfant. Et surtout de tâcher d'oublier l'humiliation qu'il lui avait fait subir en le chassant.

— Si c'était le contraire, je ne serais pas revenu par ici, soutint Donald.

Puis il donna les raisons de son retour, raconta ce qui se passait depuis le printemps au Wyoming, dit qu'il faudrait peut-être doubler les effectifs du convoi pour décourager les voleurs de bétail. À la fin du récit, Morgan avait les yeux chargés de regret et il l'exprima :

— Et dire que tu es un homme que j'ai renvoyé.

— Il faut oublier tout ça : c'est vous-même qui l'avez proposé tout à l'heure.

— Ton salaire sera désormais d'un dollar et demi par jour.

— Merci !... Avec votre permission, je vais aller me décrotter un peu.

Il montra ses lettres et ajouta :

— J'ai pas mal de courrier à dépouiller.

C'est ainsi que le lien avec Marion fut renoué. Heather avait déjà jeté son dévolu sur un autre cow-boy.

Ce soir-là, Donald scruta le ciel vers l'est. Il lui sembla que des étoiles prometteuses y brillaient à nouveau.

Norman lui raconta comment une lettre de son oncle Charles avait permis de démasquer Heather. Donald lui fit part de ses aventures à Cheyenne. Bill Henry en prit bonne note. Il ajouta les hommes requis à l'équipe du convoi. Les voleurs en prendraient pour leur rhume.

Morgan refusa de laisser partir Donald, craignant pour sa vie, mais il lui promit qu'il serait du convoi du printemps.

Au retour des hommes, Morgan apprit que tous les convois du nord avaient été attaqués. Tous, sauf celui de Danbridge. Même un régiment de cavalerie aurait eu du mal à s'y frotter.

Beau temps mauvais temps, Donald trouva moyen de pratiquer le tir au pistolet. Un jour, il fut capable de déchirer une corde tendue devant lui à cinquante pas. Au printemps, on le disait un as.

En mai, il accompagna les bestiaux à Cheyenne. Il claironna sa présence par toute la ville, chercha Tom Horn, se rendit au bureau du marshal...

— Tu perds ton temps, lui avait affirmé Bill Henry.

— Je m'en lave les mains, lui dit le shérif Canton en lui indiquant la sortie.

De retour au Double M, Donald, une fois encore vida ses poches et fit parvenir à ses parents l'argent requis pour effectuer le paiement annuel. Puis il écrivit à Marion et lui dit qu'il devait rester dans l'Ouest une troisième année en raison du temps perdu.

En ce temps-là, Donald se passionna lui aussi comme tous les Canadiens pour le parachèvement de la ligne de chemin de fer reliant les deux océans.

Mais surtout, il s'intéressa à l'affaire Riel. Même si le métis n'était pas de sa race, il se révolta quand on le pendit en 1885. Le premier ministre MacDonald aurait pu sauver Riel et Donald pensa qu'il avait bien raison, ce jeune tribun du Québec, Honoré Mercier, qui avait traité Sir John d'assassin.

Pour lui, ces années furent bien plus tranquilles que les deux premières. Petit à petit, il amassa un pécule d'environ mille dollars.

1886 fut une terrible période pour tous. Une effroyable tempête de neige, véritable mort blanche, déferla pendant trois jours et fit perdre des centaines de bêtes au ranch MM. L'été suivant amena le fléau de la sécheresse. Les animaux durent se contenter d'une maigre pitance, si bien qu'à l'automne, ils ressemblaient à des cages d'os tendues de peau. L'hiver 1887 ne fut pas mieux que le précédent. Des milliers de vaches moururent de faim, de misère, de froid. Certaines gelèrent debout et y restèrent jusqu'au printemps.

Pour sauver leur emploi, les cow-boys offrirent de travailler à moindre salaire. En mars, Donald reçut une lettre de ses parents et dans laquelle sa mère écrivait que le Major McAuley réclamait le paiement total de l'hypothèque. Donald ne comprit pas le sens exact des mots mais il sut qu'il devait rentrer chez lui.

Norman le reconduisit à la gare. Le transcontinental du Canadien Pacifique passait maintenant près de Danbridge. Déjà en ville pour affaires, Morgan vint assister au départ du cow-boy qu'il affectionnait le plus... Il lui serra la main avec chaleur en disant :

— Il y aura toujours une place pour toi au Double M. Si jamais ça ne va pas comme tu veux là-bas, rappelle-toi qu'une chambre t'attend ici.

Donald remercia, salua puis monta à bord du train dont les wagons à voyageurs sentaient le neuf et le cuir.

CHAPITRE 6

Avant de faire son entrée fracassante en gare, le train espaça de trente secondes trois sifflements fatigués. Une fois encore, Donald embrassa du regard ses chères montagnes retrouvées qu'un superbe soleil d'avril n'avait qu'à moitié décoiffées de leur chapeau d'hiver.

Pour la centième fois, il se demanda si Marion l'attendrait sur le quai. Et pour la centième fois, il se dit que non. Peut-être ne savait-elle même pas qu'il avait décidé de revenir. Six fois déjà il avait dû lui dire qu'il devait surseoir à son projet de retour pour une année de plus. Encore une fois, un mois auparavant, il lui avait laborieusement expliqué qu'à cause des graves problèmes auxquels devait faire face son patron, il avait décidé de rester là-bas une autre année.

Mais la lettre de ses parents avait bouleversé ses projets. À eux, il avait annoncé son retour prochain. Mais à sa fiancée, il n'avait rien écrit, désireux qu'il était de lui ménager la plus heureuse surprise de sa vie.

Peut-être que Murdo ou Sophia ou un de ses frères aurait fait part à Marion de la bonne nouvelle ? Ce dont il doutait fort. Car alors, il aurait fallu à ses parents avouer la vraie raison de son retour prématuré. Les pauvres devaient éviter de parler à quiconque de peur qu'on pût lire dans leurs yeux la honte de se trouver une fois de plus devant l'épouvantable perspective de perdre leur terre.

Depuis qu'il avait reçu cette lettre, Donald s'inquiétait de savoir ce que signifiait la phrase disant que le créancier réclamait la somme totale. Cela devait sûrement vouloir dire le reste de la dette soit huit cents dollars puisque six paiements annuels consécutifs de deux cents dollars avaient été faits depuis 1881. Heureusement qu'il avait dans ses bagages son pécule de plus de neuf cents dollars : ainsi il éviterait à ses parents de se faire dépouiller.

Il lui était arrivé une fois ou deux de penser que le créancier pouvait réclamer tout le montant de l'hypothèque en utilisant quelque stratagème pour spolier ses parents, mais il n'avait pas creusé cette idée tant elle lui avait paru absurde.

Sur le quai, ils étaient plus d'une dizaine à attendre qui un parent, qui un ami pour le ramener chez lui. Mais Donald n'y apercevait que des visages vaguement connus. Il mit ses deux valises près d'un banc et entra dans la bâtisse. Le chef de gare, un homme moustachu, roux, aux yeux rieurs, souleva sa visière et s'exclama :

— Si c'est pas le gars à Murdo Morrison !

— En personne, jeta Donald.

— T'arrives de l'Ouest ? fit l'autre dans une interrogation affirmative.

Donald fit signe que oui tout en promenant son regard autour de la pièce. Ne s'y trouvaient que trois personnes, toutes jeunes et aucune qu'il ne connaissait.

— Dis donc, ça fait un siècle que t'es parti, toi ?

— Sept ans.

— Laisse-moi te serrer la main. Sais-tu qu'à part ton habillement, t'as pas changé d'une ligne. Même que t'as l'air aussi jeune, chanta le chef de gare en tendant le bras par-dessus le comptoir

Donald répondit à l'invitation du geste en disant :

— Curieux que mon père ne soit pas là ! Trompé de journée probable.

— Non, non, il est là. Sa voiture est derrière. Tiens, le voilà justement qui entre.

Donald se retourna. Il aperçut un petit vieillard décharné qu'il eut du mal à reconnaître au premier coup d'œil. Murdo leva les yeux, vit son fils, baissa aussitôt la tête. Il marcha à petits pas comme un chien malade. Parvenu à Donald, il murmura d'un air sévère, préoccupé :

— C'est tes valises, là, dehors ?

— Bonjour monsieur Morrison ? fit le chef de gare en se penchant loin par-dessus son comptoir.

Murdo lui jeta un regard sec avant de répondre :

— Oui... Bonjour...

— La santé ?

L'homme haussa les épaules, tourna les talons. Il fit quelques pas, s'arrêta pour dire en jetant vers son fils un regard oblique :

— Je mets tes bagages dans la voiture, là-bas, derrière la bâtisse.

Le chef de gare glissa à Donald :

— Pas l'air trop en forme, ton père. Par chance que t'es revenu : tu vas pouvoir lui donner un bon coup de main. T'as l'air solide comme un arbre.

— C'est pas l'ouvrage dure qui manquait là-bas, acquiesça Donald.

En habit de ville, il avait néanmoins gardé sous son blouson sa ceinture à revolvers et ses armes. Il recula un pan de son vêtement pour tirer sa montre. Le chef de gare écarquilla les yeux à la vue des pistolets. Il s'exclama sur un ton exagérément poli :

— Ça ne serait pas trop à conseiller de te marcher sur les pieds, hein ?

— Ça ne sert pas à faire peur au monde ; c'est des outils de travail, répliqua Donald pour rassurer son vis-à-vis.

— Ah, pour quelqu'un qui veut se faire respecter, ça ne doit pas nuire, hein ? dit l'autre, les yeux toujours agrandis.

Donald salua en touchant le rebord de son chapeau et il suivit son père. Quand il sortit, le chef de gare cria :

— Moi, j'aime mieux voir revenir les gens que de les voir s'en aller.

Donald fit une dernière salutation d'un geste imprécis et

lâche comme seuls les cow-boys savent les faire, puis il rejoignit Murdo. Cordeaux en mains, l'homme l'attendait avec un air d'impatience. Il désirait quitter les lieux et retourner le plus vite possible à la maison.

— La Gueuse est encore de ce monde, se surprit Donald en apercevant la jument. Et il lui frotta le nez. Mais l'accueil de la bête ne fut pas plus chaleureux que celui du vieil Écossais.

Murdo ne parla pas.

— Elle a quel âge ? Un bon quinze ans ?

— Probable ! dit Murdo.

Donald monta. Son père émit deux clappements. La Gueuse se mit en marche.

Ce n'est guère le temps de poser des questions, pensa Donald. En tout cas concernant l'hypothèque. Car il avait compris que le malaise extrême qui accablait son père, n'était rien d'autre que cette terrible question-là.

Il lui parut indiqué de laisser l'homme dans son silence mais par contre d'éviter qu'il ne se claustre dans un mutisme complet et d'empêcher que ne s'érige entre eux une barrière trop haute. Alors il résolut de parler sans arrêt malgré que lui-même, à cause de sept années d'un métier à couper les cordes vocales, n'eût plus la parole très facile.

À chaque nouvelle bâtisse qu'il apercevait sur l'avenue Maple, il exprimait de la curiosité mais sans interroger. Il entrecoupait ses réflexions sur Mégantic et les changements qu'il y trouvait de courts récits de ses expériences ou de comparaisons avec les villes de l'Ouest.

Parfois il remontait le temps jusqu'à ses premières années de vie de cow-boy.

À la sortie du village, il se retourna pour admirer ce superbe paysage qui l'avait vu naître : ce long ruban immaculé du lac gelé, encaissé dans des collines aux flancs parsemés de taches blanches avec, çà et là, des tourbillons de vapeur s'échappant des cabanes à sucre.

Il imagina tout le plaisir qui l'attendait à courir les bois l'automne, à la recherche de gibier. Avec son habileté plus grande encore à la carabine qu'au revolver, il assurerait en quelques jours de chasse seulement la provision de viande pour tout l'hiver.

— Quel beau pays ! échappa-t-il tout haut en admirant les forêts aux essences variées. Depuis les érablières jusqu'au faîte des montagnes, se succédaient des bouquets immenses de sapins et d'épinettes.

En apercevant le toit de la maison, il ne put s'empêcher de questionner son père :

— Maman, elle se porte bien au moins ?

— Ouais ! acquiesça Murdo sur un ton et avec un mouvement de tête de demi-mesure.

— Et ma blonde, la petite McKinnon ?

— Elle va rester bête.

— Rester bête ?

— Contente...

Donald sentit qu'à l'instar de celle du lac, la glace entre eux venait de caler de quelques pouces. Il demanda :

— Vous le père, content de me revoir ?

— Oui... Et non...

— Ah ?

— Ce qui t'attend ici, c'est un problème plus gros que le Morne que tu vois là-bas.

— Un problème demande une solution et tout finit par s'arranger. J'ai un peu d'argent, des bons bras. Avec ça, on va s'en sortir. Après souper, je vais aller voir ma blonde. Ensuite on va regarder ensemble ce qu'il y a moyen de faire avec cette histoire d'hypothèque.

— Bonne idée ! soupira Murdo.

Le vieil homme pensait qu'il pourrait éloigner de son esprit pendant quelques heures au moins la terrible angoisse que lui valait la réclamation du créancier. Peut-être qu'à la noirceur, il pourrait mieux cacher sa honte de devoir avouer l'inavouable à son fils.

Sophia avait les yeux remplis de larmes quand elle accueillit Donald sur le pas de la porte. Elle le serra dans ses bras comme elle le faisait parfois quand il était encore un enfant. Car à l'âge adulte, un fils était rarement embrassé par sa mère.

Après sept longues années de séparation, même un cowboy pouvait bien répondre un peu à l'émotion de sa mère. Il l'étreignit aussi. Puis la femme se recula pour l'examiner des pieds à la tête.

— Sans ton chapeau, on ne pourrait pas dire que tu es resté si longtemps dans l'Ouest, commenta-t-elle, rassurée de le retrouver inchangé.

Il ferma instinctivement les revers de son veston.

Comme elle avait changé ! Ses cheveux étaient devenus si blancs. Et ce tremblement quand elle bougeait la tête... Ça ne pouvait s'imaginer rien qu'à lire ses lettres. L'écriture était restée la même : longue, ronde, harmonieuse.

Les premiers mots de l'arrivant surprirent ses parents mais mirent un peu de gaieté dans leur tristesse et leur anxiété.

— Avez-vous encore la guitare de l'oncle Henry ? Parce que j'ai appris à en jouer là-bas. Et de l'harmonica aussi. C'était pour m'accompagner quand je chantais. Parce qu'un cow-boy doit savoir chanter pour calmer les vaches.

— Elle aura des cordes en moins, dit Sophia en jetant un bref coup d'œil en direction de l'instrument accroché au mur près de l'escalier.

— Pas d'importance ! Je vais la réparer.

— On ne restera pas à motié dehors : c'est déjà frais. Viens nous conter ce que tu ne nous as pas dit dans tes lettres.

— Ah ça, va falloir plus qu'une soirée !

Pour lui, l'effusion des sentiments avait déjà pris fin. Une apparente froideur avait repris son droit de cité dans son visage et ses gestes. Mais son cœur, lui, continuait à vibrer au moindre objet chargé de souvenirs qu'il redécouvrais avec tant de bonheur.

C'est ainsi qu'après le souper, au moment où il s'apprêtait à partir pour aller chez Marion, il vit sa mère s'étirer sur la pointe des orteils, prendre l'horloge, aller la remonter sur la table de cuisine. Il ne put retenir un sourire qui néanmoins se perdit sous sa grosse moustache rousse.

•

Dans l'Ouest, à maintes reprises, il s'était trouvé dans des situations angoissantes, notamment quand il avait fui le ranch Bell puis Cheyenne et en 1884 lorsqu'au beau milieu d'un troupeau en débandade, son poney avait perdu pied et qu'alors lui n'avait pu s'en sortir que grâce au sang-froid et à l'expérience de Bill Henry. Mais jamais de tout ce temps il n'avait senti aussi flageolante guenille dans ses jambes qu'en ce moment, sur la route de Marsden, à l'approche de la maison des McKinnon.

Combien de fois s'était-il demandé s'il n'aurait pas dû faire savoir son retour à la jeune fille d'une façon moins brutale. Elle lui en voudrait de ne pas lui avoir laissé l'occasion de se préparer. Comment serait-elle ? Ses mains si douces seraient-elles devenues calleuses à cause des lourds travaux ? Saurait-elle encore rêver au clair de nuit, à l'écoute des silences des montagnes, de la forêt et de l'étang, au rocher de la gelée ?...

Il passait à côté de l'endroit quand il se posa la question. Et pour la première fois depuis sept ans, la légende de Régina Graham lui revint en mémoire. Il hocha la tête de satisfaction à la pensée que l'histoire ne se répéterait pas pour Marion. Car l'Ouest, ainsi qu'il l'avait toujours dit, finirait bien par les réunir. Ses yeux distinguèrent nettement le fer à cheval entourant leurs initiales sur le rocher.

Il fit arrêter la Gueuse, lissa un bout de sa moustache, sourit. Puis la jument obéit à l'ordre d'avancer imprimé dans l'onde transmise au cuir des cordeaux par les mains de l'homme.

Un désir aussi angoissé, aussi douloureux que merveilleux d'arriver à destination prenait en lui les proportions de la montagne. Mais à chaque pas du cheval, disparaissait la crête imprécise derrière une colline voisine.

Soudain Donald réalisa que Marion ne pouvait se trouver à la maison en pleine période des sucres puisque John McKinnon comme bien d'autres exploitait une petite érablière.

Il serra les mâchoires et les mains. À quoi bon toutes ces interrogations ? Comme s'il avait à s'excuser d'être là ! Il fit avancer la Gueuse au petit trot comme il l'avait toujours fait, à l'époque, dans cette portion de la route, plane et droite sur plusieurs bons arpents.

Marion ramassait du linge mis à sécher sur une corde tendue derrière la maison. Elle vit cette voiture qui venait. Une mèche de cheveux se balançait au-dessus de ses yeux ; elle la releva. C'était pour mieux voir et savoir. Combien de fois avait-elle posé les mêmes gestes à l'approche d'un attelage pouvant ressembler à la Gueuse tirant la voiture de Donald ? Il était arrivé une ou deux fois par année que Murdo et Sophia viennent prendre des nouvelles plus fraîches que celles qu'ils avaient eux-mêmes de leur fils.

L'âme de l'exilé avait animé ces visites. Jamais de toute sa vie Marion ne pourrait oublier ce jour où on lui avait apporté la lettre que Donald avait confiée à Charles MacAuley. Fébrilité, angoisse, espoir, peur s'étaient tour à tour emparés de son esprit avant qu'elle ne se décide à l'ouvrir. Elle s'était retirée dans sa chambre pour le faire car seule cette solitude pouvait lui faire sentir la présence réelle de celui qui se trouvait à l'autre bout de la terre. Puis elle était retournée dans la cuisine auprès des Morrison. À lui voir les yeux, ils avaient compris qu'une grande espérance venait d'être ravivée dans son cœur.

Ce regard intense, maintenant que se précisait l'image de l'arrivant, elle l'avait. Et quand le conducteur fit trotter son cheval sur le platin, l'émotion folle crut en elle. Elle s'appuya fermement sur le fil de fer servant de corde à linge. Mais elle ferma les yeux. À quoi bon laisser une illusion grandir et grandir puis s'évanouir pour la faire brutalement chuter ensuite dans la triste réalité du quotidien ? Combien de fois de pareils mirages ne l'avaient-ils pas emportée au ciel pour ensuite la précipiter au fond d'un gouffre rempli d'amertume et d'ennui ?

Elle rouvrit les yeux. Le soleil baissait derrière l'adret du mont Mégantic dont la calotte blanche découpait un ciel déjà rose. Marion trouvait le spectacle trop beau pour en arracher son regard et le porter vers la route. Pourtant toute sa substance lui ordonnait impérieusement de renouer avec la chimère qui s'était faite attelage.

Peut-être n'y avait-il plus personne sur le chemin ? Sans doute que le voyageur était en train de passer tout droit. Le bruit des roues et des sabots du cheval se précisait. Non, non, cette fois, elle ne s'y laisserait pas prendre. Qu'il passe, ce voyageur venu de Mégantic !

Donald vit le linge étendu mais il ne remarqua point les cheveux adorés car la jeune fille était restée immobile depuis plusieurs minutes, claustrée dans un doux rêve douloureux.

Bientôt la maison s'érigea entre eux. Marion reprit son activité. Donald interpréta l'apparente désertion des lieux. On devait se trouver à la cabane à sucre. Il irait frapper à la porte quand même, au cas où...

La voiture s'engagea dans la montée, rasa la maison, s'arrêta. Marion prit sa cuve remplie, se l'appuya sur une hanche et marcha pour sortir du labyrinthe formé par ce qui restait de linge étendu. Elle se dirigea vers le côté de la maison pour répondre à l'arrivant. Car elle avait muselé, rejeté dans quelque oubliette du fond de son âme qu'il pût s'agir de Donald Morrison.

La Gueuse bougea un peu la patte quand elle aperçut la jeune fille venir tête baissée comme si elle eût voulu reculer jusqu'au dernier moment l'absolue certitude qu'il ne s'agissait pas de son fiancé.

Donald vit d'abord sa longue robe de coutil brun à gros plis qui allaient se perdre dans sa taille fine.

Au même instant, ils relevèrent la tête.

Les yeux de chacun prirent l'entière mesure du visage de l'autre. Dans un tourbillon fantastique, l'esprit, le leur, ajustait des souvenirs, coordonnait des idées, cherchait la réaction et ses moyens de contrôle et ses manifestations et...

Elle eut le réflexe de jeter sa cuve par terre et de courir vers lui. Il pensa se jeter en bas de son siège pour aller l'écraser sur lui.

« Qui est-il maintenant ? » se dit-elle.

« Qu'est-elle devenue ? » pensa-t-il.

Le premier choc s'atténuait en s'éternisant.

Il n'avait jamais remarqué comme elle avait l'air timide. Le regard frondeur des femmes de l'Ouest lui effleura la mémoire.

Elle le trouvait comique, ce chapeau de cow-boy. Elle se souvint de l'avoir vu quelques minutes auparavant lorsque venait la voiture sur la route. Comment donc n'avait-elle pas réagi ? Le chapeau aurait dû lui dire que c'était lui.

Il se dit qu'elle avait la peau aussi dorée que les femmes de l'Alberta.

Elle releva sa mèche rebelle, mit sa cuve à terre, le regarda encore sans prononcer une seule parole, comme figée dans une stupeur inquisitrice.

Donald se sentit le cœur et les mains qui tremblaient. Il jeta un coup d'œil furtif à ses cordeaux : le cuir bougeait sans arrêt entre ses doigts nerveux.

« Est-ce bien toi ? » lui demanda-t-elle avec ses yeux.

La Gueuse bougea. Une roue de la voiture crissa. Donald empoigna le montant du siège, se donna un élan, sauta en bas.

Marion regarda son linge, pensa à son père qui reviendrait sous peu, se dit que Donald devait la trouver bien quelconque dans son accoutrement de semaine, de travail, de mère de famille. Et ces mains qu'elle sentait si rugueuses...

Il prit une longue inspiration, fit deux pas vers elle, porta son doigt à un œil qui lui piquait.

C'était Marion, c'était bien elle. Et pourtant... Il y avait tant de bonté dans son regard ! De la bonté ou bien de la souffrance ? De la tendresse ou bien de la misère ?

Sans crier gare, comme un violent coup de tonnerre en plein ciel bleu, les sept années de leur séparation, toute la mélancolie accumulée, des milliers d'heures d'angoisse, de détresse, de désirs refoulés, tout cela vint se loger dans les bras de Donald et malgré qu'il fût un homme et un cowboy, il tendit ces bras pourtant si lourds vers celle qu'il avait tant attendue.

Elle courut jusqu'à lui. S'arrêta tout près. Leurs regards se pénétrèrent. Fervemment ! Elle ne put le supporter. Elle baissa ses yeux timides. Il s'approcha plus. Elle appuya doucement sa tête sur son épaule en murmurant un seul et simple mot, limpide comme l'air d'avril :

— Enfin !

CHAPITRE 7

De retour à la maison, Donald prit des nouvelles de ses vieux amis. Plusieurs étaient mariés, chefs de famille, établis. Il leur rendrait visite dans les semaines à venir.

— Semble que John MacRitchie va faire un vieux garçon, dit Murdo entre deux pouffes.

— Ah ! s'exclama Donald que cette nouvelle encourageait.

Puis le sujet tant redouté par Murdo fut mis sur la tapis. L'homme ramassa tout son courage. Il se rendit à la tablette de l'horloge, y prit une lettre qu'il mit entre les mains de son fils. Donald lut à la lumière de la lampe posée au milieu de la table. Quand il eut terminé, il recula bruyamment sa chaise en vociférant :

— Qu'est-ce que ça veut dire ? Il réclame les deux mille dollars ? Comment est-ce possible ? Selon ce qu'il prétend, les paiements n'auraient jamais été faits ?

— Ils ont tous été faits, dit Murdo qui s'était retiré dans la pénombre et regardait la nuit par la fenêtre.

— Quand on recevait ton argent, ton père se rendait le lendemain payer pour l'hypothèque, assura Sophia d'une voix douloureuse.

— Vous avez vos reçus ?

— Donald, ton père n'a jamais demandé de reçus à personne de toute sa vie.

— Aurait fallu ! Ce Malcolm McAulay est reconnu pour être impitoyable en affaires.

Murdo restait silencieux, accablé par le reproche, le cœur attristé.

Donald saisissait maintenant la raison véritable de l'abattement qu'il avait pu lire dans le comportement de son père depuis son retour. Plutôt que de mettre du sel sur la plaie, il chercha à le rassurer :

— Pas plus tard que demain matin, on va rencontrer cet homme. Il faudra bien qu'il reconnaisse les faits. Sinon ça va aller très mal pour lui. C'est pas un tripoteur de son espèce qui va me voler sept ans de ma vie...

Donald se leva très tôt. La fatigue du voyage s'était envolée. Le jour serait gris. Peut-être pluvieux. « Mauvais pour les sucres, » pensa-t-il. Mais ça ne changerait rien pour lui puisque Murdo avait loué son érablière au voisin.

Le jeune homme se rhabilla comme la veille mais il remit sa ceinture à revolvers qu'il avait enlevée peu après son arrivée. Les commentaires du chef de gare et les regards apeurés de sa mère lui avaient fait comprendre que les gens de l'Est risquaient de souffrir de ses habitudes. Par contre, ces mêmes paroles du chef de gare l'avaient incité à reprendre ses armes, histoire de faire voir au créancier qu'il risquait gros à jouer à ce jeu-là.

Murdo remarqua la ceinture bardée de cartouches. Il s'en inquiéta mais ne dit mot. Il devait d'ailleurs garder jusque chez McAulay ce même mutisme qui le caractérisait depuis le retour de son fils.

Le major leur ouvrit. Sa maison était sise à deux pas de la rue principale, près du lac. En apercevant Donald, il eut un mouvement de recul, fronça les sourcils, baissa les yeux. Il devint carrément nerveux lorsque Donald recula un pan de son veston pour ainsi découvrir sa ceinture et l'un des ses Peacemakers. McAulay riva son regard au pistolet et déclara :

— Nul doute que vous venez pour l'hypothèque... Traiter des affaires avec un homme aussi bien armé et qui arrive de l'Ouest : non. Ici, c'est un pays civilisé. Nous ne sommes pas à Dodge.

L'homme avait presque murmuré. Son regard restait bas. Pas une seule fois il n'avait envisagé l'un ou l'autre des Morrison.

— Tu ferais mieux d'aller mettra ça dans la voiture, dit Murdo.

— Écoutez, monsieur, je ne m'appelle pas Jesse James. Je n'ai jamais tué personne...

— Qu'importe ! coupa le major.

— Si vous voulez !

Et Donald retourna jusqu'à la rue où il déposa sa ceinture dans la voiture tandis que Murdo parlait déjà de la dette.

— On vient pour régler le montant qu'on vous doit...

— Exactement deux mille dollars !

— Pas deux mille mais huit cents.

— Ah, faudra que vous donniez des preuves.

— Écoutez, monsieur McAulay, je sais que vous avez bien des clients et que vous avez peut-être oublié. Mais tâchez de vous rappeler : je vous ai fait six versements ici même avec l'argent que m'envoyait mon garçon. Ça fait douze cents dollars que je vous verse. Restent donc huit cents. C'est ça qu'on va vous donner aujourd'hui.

— Si vous avez des reçus, alors produisez-les.

Les deux hommes étaient restés debout dans le vestibule. Chacun toisait l'autre.

Né d'un père écossais et d'une mère canadienne-française, le major traitait des affaires avec les deux communautés. Il était un personnage court, rondouillard, bedonnant, au front écrasé et dégarni, à la peau vergetée. Son visage était gras et huileux, son nez large avec un poireau piqué de longs poils à la base d'une narine. À force de garder la tête basse, son bouc inégal en était venu à s'arrondir pour pointer vers l'avant des mèches laineuses d'un blanc pisseux. Vénal adepte de l'usure et de procédés douteux, il n'en était pas moins veule.

Donald revint, poussa la porte pour entendre son père au comble de l'émotion et qui, le corps droit, le visage livide, disait à son créancier :

— Des reçus ? Je n'ai jamais demandé un seul reçu à personne de toute ma vie. Qui a jamais entendu parler d'un honnête homme demandant un reçu à un autre ? Ce serait une insulte. Comme si vous doutiez de la bonne foi de l'autre...

McAulay fit un geste vague en direction de la porte et bredouilla :

— Montrez les reçus ou bien allez-vous en. Je n'ai pas de temps à perdre.

À son retour, Donald s'indigna :

— On va vous traîner devant la justice. Tout Mégantic saura quelle sorte d'homme vous êtes...

— Ça, c'est votre droit. Mais rappelez-vous d'une chose : si vous n'avez pas réglé toute votre dette à la date d'échéance, la terre sera saisie. C'est tout ce que j'avais à vous dire.

Sous les invectives mélangées de Donald et de son père, l'homme partit. Par un petit couloir, il disparut ensuite dans une pièce fermée, laissant maugréer ses visiteurs.

Le jour suivant, Donald consulta un avocat du nom de McLean qui s'écria lorsque le récit de son futur client fut terminé :

— La cause est gagnée d'avance. Qu'on me conduise ce gars-là dans la boîte à témoins et je vais le confondre et lui faire admettre qu'il a bel et bien reçu de l'argent !

Tout de noir vêtu, col dur, œil de rapace, l'homme de loi se leva de sa chaise, contourna son bureau d'un pas sec, militaire, et se rendit à Donald. Il lui mit une main ferme sur l'épaule, lui scruta les yeux jusqu'à l'âme, déclara péremptoirement :

— Donald Morrison, faites-moi confiance. Justice finira bien par être faite dans votre cas.

Puis il regagna son fauteuil en ajoutant :

— Si, bien sûr, tout ce que vous m'avez dit est exact... J'aimerais bien en parler avec votre père... Vous avez bien envoyé l'argent chaque année ?... Paraît que c'est payant, le métier de cow-boy ?... Si j'ai bien compris, vous avez pu vous ramasser un petit capital pour finir de payer l'hypothèque ?

— J'ai pas loin de mille dollars.

L'avocat impécunieux ne put contrôler un mouvement des paupières. Mais il l'enterra d'une question dont chaque mot, par le ton, suggérait la farouche détermination qui l'animait et cherchait à communiquer à Donald l'esprit du combat et le goût de la victoire :

— Voulez-vous que nous allions au fond des choses ? Voulez-vous que la question soit vidée ? Bref, est-ce que vous désirez retenir les services professionnels de l'avocat McLean ?

— Si vous pensez que...

— Je ne pense pas, je suis certain. Ce sera un procès imperdable. Bien entendu, nous ne disposons pas de la preuve légale qu'il faudrait mais on a la certitude morale et c'est peut-être ce qui compte le plus. On va lui arracher l'aveu, vous verrez bien. Je dois vous dire que ça va nécessiter une certaine recherche. Va falloir travailler sur le dossier. Coupons au plus court. À mon avis, un cow-boy ne doit pas aimer que les choses traînent en longueur. Alors faites un dépôt tout de suite... C'est une sorte d'avance sur mes frais. Deux cents dollars pour montrer que vous êtes sérieux et que vous voulez que je fasse toutes, toutes les démarches.

Une semaine plus tard, McLean exigea un autre montant de deux cents dollars. Quinze jours après, il en demanda cent. Le jour de l'audience, près de six cents dollars lui avaient ainsi été versés.

— Naturellement tout vous sera remboursé lorsque la cause sera gagnée, affirmait McLean chaque fois qu'il demandait de l'argent.

Le dix juin 1887, au Palais de Justice de Sherbrooke, la cause fut entendue. Et perdue par les Morrison.

Avec elle, Donald perdit toute confiance dans la justice, les avocats, la loi. Il y avait autant de pourriture dans l'Est que dans l'Ouest.

McLean avait présenté une défense molle. Il n'avait pas tenu sa promesse de traquer McAulay dans la boîte à témoins, avait vasouillé. Et le major, les yeux fuyants et l'esprit marécageux avait soutenu à deux reprises que

Murdo Morrison n'avait jamais versé un traître sou sur l'hypothèque.

Malgré sa conviction personnelle que la vérité se trouvait du côté des Morrison, le juge n'avait pas pu faire autrement que de s'en tenir aux preuves légales.

Quand McLean eut fini de lire à Donald et à son père l'acte du jugement, il dit, l'air désolé :

— J'ai bien fait tout mon possible. Il n'y aura pas de frais additionnels...sauf bien entendu ceux de la cour qui comme vous le savez, sont à la charge de la partie perdante.

— Que nous reste-t-il à faire ? demanda Murdo.

— Peut-être aller en appel ? suggéra McLean.

— À quoi ça servirait ? fit Donald.

— C'est entendu qu'avec un autre juge...

— D'autres frais ? s'enquit Donald, méfiant.

— Deux cents dollars, pas plus.

Donald hocha la tête en signe de refus.

— S'il ne reste que deux cents dollars à perdre, allons en appel, dit Murdo.

— Je n'ai plus beaucoup d'argent.

— Vous n'êtes pas obligé de me payer aujourd'hui. La veille de l'audition, ça suffira bien.

Donald se tint coi. Il nourrissait d'autres projets.

— En attendant, dit l'avocat, retournez voir McAulay et tentez de l'infléchir. Trouvez-lui du sentiment. Briser le cœur de deux personnes âgées, ce n'est pas bien...

Le jour même, les Morrison se rendirent chez le major. Donald parla de la misère que ses vieux parents auraient à finir leurs jours sans pouvoir compter sur les fruits de leur terre. Mais l'homme d'affaires resta insensible. Donald misa alors sur les devoirs de la religion. Il cita l'Écriture : « Tu ne voleras point. » Rien n'y fit. McAulay était buté.

La rencontre avait eu lieu dans le même petit vestibule que la fois précédente. Le major ouvrit la porte pour signifier à ses visiteurs de partir. Quand ils furent dehors, il dit :

— Vous avez quinze jours pour quitter les lieux. Et surtout, n'oubliez pas que les animaux, les outils de ferme et meubles meublants devront rester sur place. Autrement, vous seriez condamné à la prison pour vol. Et à votre âge... Quant à vous, jeune homme, vous veillerez à ce que tout reste à l'ordre sur la ferme.

Une rage indescriptible envahit le cœur de Donald. Sa bouche se remplit de salive. Il la cracha bruyamment en direction de McAulay en disant :

— Prépare-toi, bandit, à faire face à des problèmes comme tu n'en as jamais eus.

— Quinze jours, fit l'autre à voix blanche en essuyant sa chemise.

— Si mes parents n'ont pas le droit de vivre sur leur terre, jamais personne ne prendra leur place. Et la terre perdra sa valeur. Et vous n'en sortirez pas gagnant...

— Quinze jours, coupa vertement McAulay.

Et il leur claqua la porte au visage.

Dans les jours suivants, l'on se reprit quelque peu d'espoir à cause de la promesse de McLean de porter la cause en appel. Mais plutôt que d'entreprendre les procédures, l'avocat se contenta d'envoyer à Donald une facture de deux cents dollars.

Au nom de McAulay, la firme Brown et French remplit un bref de possession qui fut présenté à la Cour Supérieure de Sherbrooke. McLean refusa de plaider à moins qu'on ne lui paie les deux cents dollars. En fin de compte, un jugement fut rendu en faveur de Malcolm B. McAulay. Donald Morrison et ses parents avaient trois jours pour évacuer les lieux.

À mesure qu'elle se déroulait, l'histoire avait fait le tour du canton. Tous ceux qui connaissaient les Morrison étaient convaincus qu'on les avait spoliés et leur exprimaient leur sympathie. Des dizaines de vieux amis de Donald vinrent lui offrir un coup d'épaule. Mais chaque fois, il garda la tête haute et leur dit que les Morrison avaient toujours su se débrouiller par eux-mêmes et qu'ils y arriveraient bien une fois encore.

Mariés et pères de nombreux enfants, les frères de Donald, Norman et Murdoch, ne pouvaient recueillir leurs parents faute d'espace. Mais ils mirent à leur disposition le peu d'argent liquide dont ils disposaient.

Il fut suggéré par l'un deux d'installer le couple dans la maison d'école en attendant puisqu'on se trouvait en période de vacances estivales. Ce temps permettrait à

Donald de chercher un refuge pour ses parents.

Il fut ainsi fait la veille du jour où la loi devait expulser les occupants de la maison. Sophia et Murdo prirent place dans la voiture derrière Donald qui conduisait le cheval, la Gueuse qu'il devrait ramener à la ferme avant la fin du jour pour éviter qu'on puisse les accuser de vol.

Les deux vieux s'appuyèrent épaule contre épaule, regardant s'éloigner ce bien qu'ils avaient créé de leurs mains, défrichant dans la misère, gagnant sur la forêt au prix d'un dur labeur, un à un, des âcres de prairie fertile, trimant d'une étoile à l'autre pour cultiver, épierrer, essoucher, agrandir les bâtisses, fabriquer des meubles, des couvertures, des vêtements. Toute une vie de travail intense ne se résumait plus que par leur linge de corps et par la honte, la terrible honte qui les marquerait au front jusqu'au jour de leur mort que chacun espérait le plus rapproché possible.

Ils pleurèrent tout le long du chemin. Le cœur brisé mais résignés, ils entrèrent dans l'école. Alors ils eurent l'agréable surprise d'y trouver des meubles et divers objets utiles. Dans les jours précédents, les fils Morrison avaient fait une cueillette. Bien des Écossais de même que des Canadiens français s'étaient montrés généreux.

Trop fiers pour accepter la charité publique, les vieux auraient refusé toutes ces choses si on les leur avait offertes. C'est la raison pour laquelle John et Murdoch avaient travaillé en catimini, se disant qu'une fois les objets recueillis et leurs parents n'en sachant pas la provenance, ils seraient bien forcés de les garder et de s'en servir.

Ils avaient eu raison car, à la première occasion, ils devaient être remerciés avec chaleur. Mais ces choses firent croître au cœur de Donald sa haine de McAulay. Jamais comme en ce moment il n'avait aussi vivement pris conscience de la disgrâce de ses parents. De retour à la ferme pour y laisser la Gueuse, il fit le serment de ne laisser personne vivre en paix sur cette terre volée.

Après un dernier adieu aux choses de la maison, il referma la porte sur un ultime regard à l'horloge qui lui rappelait impitoyablement le peu de temps encore laissé avant que ses parents et donc lui-même ne fussent officiellement et définitivement dépouillés de ce qu'ils avaient mis des dizaines d'années à gagner.

La ferme fut vendue à Auguste Duquette, un Canadien français venu d'un lieu situé à une vingtaine de milles de Mégantic. Et la nouvelle famille s'y installa quelques jours plus tard.

Donald rechercha un autre refuge pour ses parents car il leur faudrait quitter la maison d'école pour septembre de toute manière. Grâce à Marion, il put trouver à Marsden une cabane en bois rond avec quelques âcres de terre défrichée qu'un colon découragé avait abandonnés l'année d'avant pour s'en aller vivre à Sherbrooke. Le petit lot fut acheté et payé avec les quelques dollars qui restaient encore à Donald.

Tout au cours de cette difficile période, Marion soutint avec sollicitude son ami. Plus d'une fois, elle l'empêcha de sombrer dans un profond découragement. Quand il se plaignait d'avoir inutilement souffert de leur éloignement pendant sept longues années, elle répondait que l'important était qu'il demeurât à Mégantic désormais. Et quand il se désolait de la douleur imposée à ses parents au déclin de leur vie, elle lui rappelait la mort de sa mère. « Eux, ils ont la santé ! » soulignait-elle.

Bien que la ferme spoliée fût à treize milles du lot acheté, il arrivait souvent que Donald passât devant ce qui était maintenant la terre de quelqu'un d'autre. En fait, chaque fois qu'il se rendait à Mégantic.

Un soir, un peu avant la brunante, il aperçut par la fenêtre, la femme Duquette qui remontait l'horloge. La pauvre, sans le savoir, avait l'air de vouloir narguer Donald. Ce jour-là, il était à cheval comme ça lui arrivait le plus souvent de voyager. Une jument empruntée à John McKinnon. Il s'était procuré une selle usée et ainsi, vêtu comme dans l'Ouest, armes aux hanches, il allait par monts et par vaux et n'avait par tardé à être connu par tous les cantons sous le surnom du cow-boy de Mégantic.

Le rappel de son serment, toute la douleur et la rage accumulées en lui depuis plusieurs mois, la vue de ces bâtisses qui lui disaient leur regret de ne plus voir chaque jour son ombre familière et cette horloge, symbole de tous ses rêves brisés firent grimper sa fureur au plus haut degré. À cela s'ajouta un sentiment de profonde injustice. Il fit avancer la jument jusqu'aux abords de la maison, sauta à terre. Quand la femme eut remis l'horloge à sa place sur la tablette et se fut éloignée, il s'approcha un peu plus. Emporté par la douleur et la colère, il sortit un de ses pistolets, visa soigneusement et tira. La vitre vola en éclats et la balle se rendit fracasser l'horloge sous le regard affolé et les cris de la Duquette.

Alors pour la première fois depuis le lendemain de son retour, il sourit. Il se mit en selle et repartit tranquillement, quelque peu soulagé.

Posé par un tireur de ce calibre, le geste en lui-même n'était pas très dangereux ; mais il eut pour effet de remplacer dans le cœur de Donald le désir de vengeance par un certain goût de violence. Il se sentit justicier et fort. C'est la raison pour laquelle, trois jours plus tard, il retourna à la ferme des Duquette pour y scier en deux parties une dizaine de poteaux de télégraphe qui avaient été coupés et vendus à McAulay par le nouveau fermier.

Il ne se cacha pas pour accomplir son geste. Au contraire, il passa lentement devant la maison, fit avancer sa monture en plein chemin qui menait de la route jusqu'au lieu où se trouvaient rassemblées les billes. Terrorisés, les Duquette n'osèrent intervenir et quand le cow-boy remonta à cheval, ils se couchèrent sur le plancher de la cuisine de peur d'entendre une fois encore des balles siffler à leurs oreilles.

Puis Donald continua sa route jusqu'au village. Il se rendit à l'American Hotel, se commanda un whisky qu'il but calmement en racontant au barman ce qu'il venait d'accomplir.

Dans un coin de la salle, attablé seul, un ivrogne s'efforçait de tenir ouverts ses yeux lourds. Donald ressentit un étrange frisson quand il l'aperçut. L'homme lui rappelait Tom Horn : mêmes yeux fourbes, même tête oblongue, mêmes oreilles décollées. Mais il y avait si longtemps déjà !

— Qui c'est ? demanda-t-il au barman après une dernière rasade.

— Un Américain... Il dit qu'il faisait un peu chaud pour lui aux États. Il travaille ici et là quand il peut se trouver quelque chose. Le reste du temps, il boit. Un vrai trou : il avale comme ça whisky sur whisky pendant des heures jusqu'à sa dernière vieille cenne noire.

— J'espère que son nom n'est pas Tom Horn ? jeta Donald avant de quitter les lieux.

— C'est un dénommé Warren. Lucius Warren. Il se fait appeler Jack. Qui c'était, Tom Horn ?

— Un assassin que j'ai connu là-bas, dans l'Ouest, répondit Donald d'une voix lointaine.

— Ça pourrait être lui. Changer de nom, c'est pas bien difficile quand tu changes en même temps de pays.

Donald marcha vers la sortie. Il s'arrêta devant le soûlard qui releva péniblement la tête et marmonna des paroles inintelligibles. Il était clair que cet homme n'était pas Tom Horn.

Le jour suivant, Donald se rendit à nouveau à l'hôtel. McAulay qui avait appris l'affaire des poteaux, averti de la présence du cow-boy en ville, se rendit aussi à l'American Hotel. Il trouva celui qu'il cherchait, accoudé au bar. Et il l'interpella vertement :

— Cow-boy, si ton vieux a bu l'argent que tu lui envoyais, ce n'est pas à moi qu'il appartient de payer la facture. On m'a rapporté que tu avais scié en deux mes poteaux de télégraphe, hier. C'est bien toi ?

— En personne ! fit Donald en bombant le torse.

— Tu es témoin, barman, de ce qu'il vient d'avouer ?

Donald regarda le serveur et lui fit un signe de tête affirmatif. L'autre dit :

— Oui. Il me l'a conté hier soir.

— Dans ce cas-là, mon petit Morrison, je vais te faire arrêter. On va t'accuser d'avoir tiré sur la maison de Duquette et d'avoir saccagé un bien m'appartenant. Ça voudra dire la prison pour toi.

— Et quand je sortirai, je recommencerai.

McAulay fit pris de court. Il changea de ton.

— Tu veux quoi au juste, hein ?

— Pas grand-chose.

— Mais quoi ?

— Rien que les huit cents dollars que cette affaire m'a coûtés.

— Rien que ça ?

— Rien que ça !

— Jamais dans cent ans ! L'histoire est réglée, jugée, terminée. J'ai la loi avec moi. Je vais quand même te donner une chance pour cette fois-ci. Mais à la prochaine folie, je te fais enfermer pour deux ans, menaça le major de sa voix aiguisée.

— Comme vous l'avez déjà si bien dit, faites ce que vous avez à faire, jeta Donald en vidant les lieux.

McAulay releva la tête et le regarda partir. Une voix pâteuse lui dit pas loin de l'oreille :

— Qui c'est, ce cow-boy ?

— Morrison... Donald Morrison, répondit McAulay, la voix et le regard absents.

— Et moi, je suis Jack Warren, fit l'arrivant dépenaillé.

CHAPITRE 8

Plusieurs familles prêtèrent des animaux aux Morrison de sorte que la petite étable fut bientôt remplie. Murdo et Sophia pourraient donc subsister et quand ils le pourraient, ils restitueraient à leurs propriétaires les bêtes qu'on leur avait fournies ou d'autres équivalentes.

Jamais Murdo n'aurait accepté qu'on lui donnât quoi que ce fut et les dettes qu'il avait envers chacun étaient gravées comme sur le rocher de la gelée dans son esprit et dans son cœur jusqu'à leur effacement.

Donald travaillait ici et là. Deux jours chez les MacRitchie, trois à Scotstown, une semaine à l'érection d'un marché public à Mégantic. De retour chez lui, il aidait son père à faire le train. Et après le souper, il se rendait chez Marion ou parfois à Mégantic pour y rencontrer des amis à l'American Hotel. Il voyageait à dos de cheval ou sur un pompeur. Les milles étaient ainsi plus vite franchis.

Suite au coup de feu dans l'horloge et à l'affaire des poteaux, sa réputation avait encore grandi. Son habillement western y contribuait aussi pour beaucoup, particulièrement ces armes qui ne le quittaient jamais. Il était un homme à part : fier, indépendant, fort. Il faisait peur à quelques-uns, imposait le respect à tous. On recherchait sa compagnie.

Quand on lui parlait de la ferme paternelle, il s'écriait :

— Au printemps, vous verrez : justice sera faite. Je vais reposséder mon bien.

Mais il crânait car sa soif de vengeance avait fortement diminué à cause du temps qui avait passé, parce que ses parents avaient un abri et de quoi se nourrir, parce que le coup de l'horloge et celui des poteaux l'avaient libéré du plus gros de son agressivité envers Duquette et McAulay, parce que Marion usait avec lui d'une tendre persuasion.

Le midi du Jour de l'An, il conduisit sa fiancée chez lui. Malgré les misères de l'année précédente, la table était bien garnie. Ragoût de poule. Cretons français. Tarte au sirop d'érable.

Il restait de la tristesse dans l'air. Chez Murdo surtout. Sophia avait bien quelques rides de plus mais qui ajoutaient à la sérénité de son front.

Marion avait remodelé un vêtement de sa mère et ajusté à sa taille plus forte. C'était une robe de laine à larges carreaux gris avec une longue rangée de boutons jusqu'au col. Ni séparée sur le milieu de la tête, ni ramassée en toque sur le dessus ou sur la nuque, sa chevelure n'était pas à la mode. Elle ondulait, épaisse, en s'élargissant au-dessus de chaque oreille, se réunissait dans un chignon lâche qui laissait échapper dans le cou de fines mèches tournoyantes.

Donald ne se lassait pas de la trouver belle. À la voir ainsi, à l'aimer, l'espérance avait refleuri en son âme. Il avait tout perdu ? Qu'à cela ne tienne : il se cracherait dans les mains, défricherait de nouveaux lots, travaillerait à la journée à Mégantic dans les temps plus morts.

Au cours de l'automne, il était allé à la chasse le dimanche. Chaque fois qu'il avait vu du gibier, il avait fait mouche. Une provision de viande avait été mise à geler dans la remise à bois attenant à la maison. Il avait même vendu des carcasses de chevreuil aux MacIver, aux MacRitchie ainsi qu'à plusieurs bourgeois venus de Montréal et qui revenaient invariablement bredouille de leurs randonnées de chasse parce que portés à confondre souches et cerfs.

Après le repas, Donald fit part à ses parents d'une nouvelle qui n'en était plus une. Lui et Marion s'épouseraient. Mais cette fois, ils en avaient fixé la date : le vingt juillet.

Murdo s'inquiéta :

— Où habiterez-vous ?

— Pour un an, chez Marion. Craignez-pas, je vas venir vous aider tous les jours. Je travaillerai le plus souvent possible à Mégantic. Le lot, ici, on va l'agrandir tranquillement. J'aurais bien dû faire ça au lieu d'aller perdre sept ans en Alberta.

— Ce n'est pas ta faute ; c'est moi qui t'ai fait perdre tes sept ans, répliqua Murdo.

— Pas vous, pas vous. C'est votre honnêteté. Dans l'Ouest, j'ai vu jusqu'où des hommes pouvaient être pourris. McAulay fait partie de ces gens-là et c'est pour ça qu'il s'est enrichi...

À cause du regard implorant de Marion, Donald s'interrompit. Il reprit :

— Bon, à quoi ça sert de rabâcher tout ça ? Pas question d'oublier mais vaut mieux regarder en avant.

Marion sourit. Donald était content.

Dans l'après-midi, il prit sa guitare et chanta quelques berceuses. La mélancolie des chansons se mêla aux joies présentes et à venir pour diaprer l'atmosphère d'un bonheur façonné au moule de la souffrance.

L'hiver fut doux. Et court. Donald bûcha pour les MacRitchie. Il fit boucherie chez les McIver. Il trappa pour lui-même. L'année 1888 était bien commencée ; elle serait la plus belle de toute son existence, se disait-il et confiait-il souvent à sa fiancée.

En avril, quelques jours avant Pâques, alors que les Duquette comme tous ceux qui possédaient une érablière, se trouvaient à leur cabane — on était en période de forte coulée — une lueur rougeoyante apparut dans le ciel de Mégantic. Quelque bâtisse pas très loin du village était de toute évidence la proie des flammes. Les gens accoururent sur les lieux de l'incendie. Il était déjà trop tard : la grange et la maison des Duquette n'étaient plus qu'un gros brasier.

Chacun pensa aussitôt à l'œuvre du cow-boy. Lorsqu'à son tour, McAulay arriva sur les lieux, il osa l'affirmer tout haut. Mais il ne réussit pas à s'attirer la sympathie des gens. Malgré cet acte d'incendiat présumé et que l'on attribuait volontiers à Donald, car l'on s'identifiait à son sens de la justice et à son courage, les cœurs battaient en sa faveur.

Le jour suivant, à une ferme située de l'autre côté de Marsden sur le chemin de Scotstown, Donald apprit la nouvelle de la bouche de l'un de ses meilleurs amis, Norman MacRitchie.

— Je ne veux pas le savoir si c'est toi qui as fait le coup et je t'approuve à cent pour cent, termina le jeune homme roux au visage couvert de taches.

— Jamais de la vie ! protesta Donald. Mettre le feu à une grange, peut-être ! Mais jamais avec les animaux dedans. Penses-tu seulement que j'aurais pu laisser mourir la Gueuse brûlée vive ?

— Faudra que tu prouves où tu étais. Il paraît qu'on va faire émettre un mandat d'amener contre toi.

— Je suis venu ici à pied hier soir.

— Quelqu'un pourra le confirmer ?

— Les gens sont à leur cabane ces jours-ci.

— Si t'es venu ici, tu n'as pas pu te rendre là-bas puisque ce n'est pas dans la même direction.

— C'est justement !

— Tu es parti à quelle heure de Marsden ?

— À sept heures. Pour savoir au juste, faudrait le demander à ma mère.

— Tu seras arrivé ici aux alentours de huit heures et demi, neuf heures ?

Le maître de la maison, un homme du nom de McLeod, s'était blessé à une cheville quelques jours auparavant. On lui avait parlé de Donald. Il avait envoyé un commissionnaire et le cow-boy avait accepté la proposition de travail. Témoin de la conversation, il intervint au moment opportun :

— Donald est arrivé pas longtemps après neuf heures, dit-il avec vigueur.

Il se fit un court silence puis Donald songea tout haut :

— D'abord que je peux prouver que je ne suis pas coupable, je devrais en profiter...

— Pour faire quoi ?

— Faire chier dans leurs culottes Duquette et McAulay qui se partagent mon bien.

— À quoi ça t'avancerait ?

— Peut-être que ça ferait assez peur à McAulay pour qu'il me rembourse les huit cents dollars que le procès m'a coûtés. Un homme qui a peur change de point de vue parfois.

Norman grimaça.

— C'est risqué. McAulay a de l'argent. Il pourrait te faire arrêter et même condamner pour crime d'incendiat.

— Qu'il essaie donc pour voir !

Et Donald mit la main à son pistolet.

•

Convaincu de la culpabilité de Morrison, le major poussa Duquette à se rendre chez le juge de paix pour faire lever un mandat d'amener. C'était le meilleur moment de mettre ce cow-boy hors d'état de nuire. Trouvé coupable, il récolterait au moins trois ans de prison.

Dans les jours qui suivirent, la rumeur se transforma quelque peu. À ceux qui le questionnaient, Donald disait la vérité. Il arrivait aussi qu'il réponde à certains par un sourire énigmatique. Le bruit fondé courut voulant qu'il ait été Scotstown chez Gil McLeod le soir de l'incendie et balaya le vent de soupçon qui avait tout d'abord soufflé sur lui.

McAulay y mit tout son poids et le mandat fut émis. Le shérif Edwards de Mégantic se rendit à Marsden, convaincu à l'avance de l'innocence de Donald. Il avait inspecté les cendres et n'avait rien découvert portant à supposer qu'une main criminelle y avait été pour quelque chose. À son arrivée, il fut soulagé de constater que le cow-boy s'était envolé.

Il s'assit devant une tasse de thé et conversa avec Murdo et Sophia. Le vieil homme lui dit que son fils avait admis avoir tiré par la fenêtre chez les Duquette et sectionné les poteaux mais avait nié toute responsabilité quant à l'incendie et qu'il pouvait démontrer qu'il se trouvait ailleurs à ce moment-là.

— Ce n'était qu'une vérification, dit Edwards. Qui oserait douter de la parole d'un Morrison ?

Le constable avait vécu pendant plusieurs années dans le

voisinage immédiat des Morrison à Mégantic. Il savait que Murdo, un fier presbytérien n'aurait jamais menti, même pour sauver son fils. En son esprit, l'affaire était classée.

Mais la loi n'a pas de cœur. McAulay continua de faire pression sur le juge de paix pour que le mandat fût respecté. Le constable Edwards reçut instruction de garder les yeux bien ouverts. Ce qu'il fit. Et quand il apercevait Donald à Mégantic, il se dépêchait de regarder ailleurs.

Quand on lui rapportait que Donald venait d'arriver en ville sur un pompeur, Edwards s'empressait de s'en aller vers le sud sous prétexte d'aller intercepter le fugitif plus loin sur la ligne de chemin de fer.

Donald comprit l'embarras dans lequel il mettait le shérif. Alors il s'arrangea pour disparaître de sa vue le plus possible.

Les semaines passèrent. À plusieurs reprises, Duquette se rendit chez le juge de paix pour lui reprocher son incapacité de faire respecter la loi. Avait-on jamais vu de mémoire d'homme un personnage contre qui existait un mandat d'amener se promener à la barbe des représentants de la loi ?

Tout cela avait profondément attristé Marion. Elle craignait une nouvelle remise à plus tard de son mariage.

— Dors tranquille, lui disait son fiancé en la serrant sur son cœur. Le vingt juillet, nous nous marierons.

— Et si on vient t'arrêter à l'église ?

— Personne ne viendra m'arrêter tant que je garderai mes deux amis avec moi, répondait-il en montrant ses pistolets.

Alors elle protestait :

— Mais ils pourraient tirer sur toi.

— Des dizaines d'amis seront là pour empêcher les intrus de venir. Et qui donc oserait interrompre une cérémonie de mariage, hein ?

Un soir de juin, Jack Warren rendit visite à Malcolm McAulay. Le jour suivant, les deux hommes se rendirent chez le juge de paix pour y réclamer l'assermentation de Warren en tant que shérif adjoint. Lui, pourrait servir le mandat contre Morrison.

— Désolé major, dit Morin, je ne peux le faire.

— En ce cas, pourquoi Morrison n'est-il pas derrière les barreaux ?

— Personne ne pense qu'il a mis le feu. Et Bill Edwards moins que les autres.

— Que Morrison se lave devant une cour de justice !

— Désolé major, répéta Morin.

— Alors des têtes vont tomber, fit McAulay, menaçant.

Morin pensa au poids de l'autre. Financièrement. Politiquement. Il se dit qu'après tout, pour le bien même de Donald Morrison, il valait peut-être mieux qu'on l'arrêtât. On lui ferait un procès. Il serait blanchi. L'affaire serait classée. Personne n'en souffrirait.

Warren fut assermenté et autorisé derechef à porter une arme. Il s'en procura une dans la même journée.

Ce soir-là, il se rendit à l'American Hotel pour boire et se vanter. Ivre, il déclara aux hommes qui s'y trouvaient :

— Vous êtes une bande de peureux. Je vais vous l'arrêter, moi, votre cow-boy.

Le lendemain matin, il se mit une cible en position à l'arrière de l'hôtel et il pratiqua le tir pendant plus d'une heure. Piqués par la curiosité, car il n'était pas fréquent d'entendre autant de coups de feu consécutifs en pleine ville, des badauds s'amenèrent. Warren leur déclara qu'il se préparait afin d'arrêter Donald Morrison.

— Ce satané cow-boy va lever les mains en l'air quand je vais le lui ordonner ou bien je lui brûlerai la cervelle, clamait-il à qui voulait l'entendre.

Donald apprit vite les intentions de l'Américain. Il résolut de se rendre moins souvent à Mégantic comme il lui arrivait encore de le faire pour acheter des marchandises ou prendre un whisky et jaser avec des amis.

Dans tout le canton, l'on ne parlait plus que de l'affrontement qui ne pourrait manquer de se produire entre les deux hommes.

Des villageois sympathiques à la cause de Donald se mirent à victimer Warren sans penser aux graves conséquences que cela pourrait amener. L'un soutenait que le cow-boy était capable d'abattre une mouche à cent pieds ; pourquoi pas une puce comme Warren à cinquante ? Un autre dit au matamore qu'il ferait dans ses culottes s'il venait à rencontrer Morrison sur son chemin. D'autres lui riaient au nez en affirmant qu'il n'oserait même pas faire cent pieds en dehors du village de peur d'avoir à faire face au hors-la-loi.

Cette risée dont il faisait l'objet décuplait la détermination de ce shérif improvisé. Si bien qu'il résolut de tendre un piège à celui qu'il désirait arrêter.

Au soir du vingt et un juin, il annonça qu'il se rendrait à Stornoway le lendemain pour y arrêter Morrison qui, selon ce qu'on lui avait rapporté, travaillait là-bas. Il savait bien que le cow-boy en serait informé et qu'il se risquerait peut-être à mettre le nez à Mégantic, ce qu'il avait évité de faire depuis trois semaines, même le dimanche.

La ruse réussit car Donald à qui l'on rapportait chaque jour les faits et gestes, et même les paroles de l'Américain, se rendit au village à pied pour y faire des achats.

Warren s'était embusqué sur la galerie du deuxième étage de l'American Hotel. Il était en train de montrer à quelqu'un le mandat qu'il détenait lorsque Donald fit son apparition à l'autre bout de la rue principale. Quelqu'un le reconnut de loin à sa démarche caractéristique et à son accoutrement et entra à l'hôtel pour dire :

— Morrison... Morrison s'en vient...

Des hommes attablés s'esclaffèrent. Ils se rendirent auprès de Warren et le provoquèrent :

— C'est le temps de montrer ce que tu as dans le ventre, fit l'un deux.

Warren vida d'un trait son verre de whisky. Il demanda à l'homme qui se trouvait avec lui si l'arrivant était bien Morrison. L'autre ne put que répondre par l'affirmative. Alors Warren descendit dans la rue en tenant une de ses mains dans la poche de son veston et l'autre dans le revers.

Pas un seul nuage dans le ciel bleu. Au loin, l'eau du lac se mirait au soleil de ce milieu d'après-midi. Des éclats durs brillèrent dans les yeux de Morrison quand il reconnut Warren qui marchait au beau milieu de la rue vers lui. Pas question de rebrousser chemin et se faire tirer dans le dos. Quant à marcher lui-même dans la rue, Warren aurait pu l'interpréter comme de la provocation et sortir son arme sous le coup de la nervosité. Alors il décida de continuer d'aller sur le trottoir de bois, talons bruyants, corps droit, sous les garde-soleil des bâtisses et de se tenir prêt à riposter si on l'attaquait.

Des hommes se risquèrent dehors. D'autres, assis sur des vérandas, pressentant le drame qui allait se jouer, cessèrent de fumer leur pipe...

Quand Donald fut à trente pas de lui, Warren cria :

— Cow-boy, lève les mains en l'air ! J'ai un mandat d'arrêt contre toi.

Donald s'arrêta net. Il répondit calmement :

— Warren, tu n'as aucune autorité pour m'arrêter. Tu n'es même pas citoyen britannique. Laisse-moi passer.

L'Américain sortit brusquement le mandat de sa poche gauche. Il le brandit en criant :

— Je vais te le montrer si je n'ai pas l'autorité... Lève tes damnées mains ou bien je te fais un trou dans ton crâne dur.

— Laisse-moi passer, répéta deux fois Donald en faisant des pas en avant mais sans perdre de vue son adversaire une seule seconde.

Rageur, Warren sortit alors la main qu'il avait tenue cachée jusque là. Elle tenait une arme qui brillait sous les rayons vifs du soleil de trois heures.

Donald laissa tomber une canne qu'il tenait dans la main droite. À la vitesse d'un félin, il sauta dans la rue, dégaina son revolver et tira.

Les genoux de l'Américain ployèrent puis l'homme tomba mollement sur le dos. Il mourut à l'instant. La balle avait sectionné la carotide et fracassé la colonne vertébrale près de la base du cerveau.

Des témoins sortirent de leur hébétude, se précipitèrent auprès de l'homme tombé qui gisait le visage figé dans une expression de surprise béate. Il avait la tête sur le trottoir à côté de son revolver.

Donald était comme étonné de son geste ; mais rien n'y paraissait dans ses yeux. Il resta là pendant plusieurs secondes à regarder le cadavre. Puis il tourna les talons et repartit lentement vers la sortie du village.

CHAPITRE 9

Un policier, puisque Jack Warren avait été assermenté comme tel, ayant été abattu, la nouvelle se répandit comme une traînée de poudre non seulement de par les cantons mais par tout ce pays où il se passait rarement quelque chose de passionnant. L'on ne parlait plus, dans les journaux de la province, que du cow-boy de Mégantic.

C'est le jour même du meurtre que Marion l'apprit de la bouche de son fiancé. Car malgré son apparente froideur, Donald avait été bouleversé par l'image de cet homme dont il avait le sang sur les mains.

Dans sa marche vers Marsden, triste et d'une solitude désespérante, il s'inquiétait au plus haut point de savoir si l'on comprendrait son geste impulsif posé pour sa défense uniquement et si on le pardonnerait. Il adressa à Dieu une longue prière, implorant le ciel de faire en sorte que justice lui soit un jour enfin rendue.

Les yeux rouges, l'air absent, le cœur las, il frappa à la porte des McKinnon. Dans l'attente qu'on ouvre, il se rappela les cris et les rires des enfants qui l'y accueillaient toujours avant son départ pour l'Alberta. Mais les années avaient fui.

Des pauvres années bien vides pour lui. Les enfants avaient grandi. Le benjamin frôlait ses dix ans maintenant. Outre lui et Marion, il ne restait plus que deux adolescents dans la maison. Les autres étaient partis ailleurs, fonder leur propre foyer.

Marion savait que c'était son fiancé qui frappait à la porte. C'est ravie qu'elle ouvrit. Mais son sourire se figea quand elle vit son visage de près. Elle seule pouvait y lire l'angoisse. Elle le fit entrer, s'asseoir. Lui resta silencieux.

— Je suis seule comme tu vois. Sont tous partis pour Stornoway. Pour aller aux fraises demain de bonne heure.

Elle montra sa robe tachée de farine.

— Faut pas me regarder, je suis en train de préparer de la pâte à tarte. Et j'en profite pour faire du pain. Ce qui fait que je suis dans la farine par-dessus la tête.

Elle rit un peu puis changea le ton :

— Je ne t'attendais pas comme ça en plein vendredi soir. J'en suis surprise et...un peu inquiète.

Donald resta muet. Il détacha sa ceinture, l'accrocha au dossier de sa chaise. Puis il regarda intensément Marion et essaya de se forger un sourire qui se termina par une mine désolée.

— Tu avais raison quand tu disais que de porter des armes attire le malheur...

Marion était assise près de la table, sur une chaise droite, à trois pieds de lui. Elle chercha ses yeux qu'il avait déjà abaissés et demanda :

— On dirait qu'il est arrivé quelque chose ?

— Oui, quelque chose, oui... Et de très grave...

Elle attendait qu'il s'explique. Il ne savait plus que hocher la tête. Alors comme guidée par une force, elle courut à lui, s'agenouilla près de sa chaise, le supplia :

— Dis-moi ce qui s'est passé de si terrible, dis-moi, Donald.

— Est-ce que tu aurais peur de moi, Marion, si je te disais...que j'ai tué un homme ? Tu aurais peur ?

Elle prit sa main droite entre les siennes, la porta à sa joue en disant :

— Comment avoir peur d'un homme capable de tout donner aux autres ?

— J'ai tué un homme, Marion.

— McAulay ?

— Non.

— Qui ?

— Jack Warren. Ça s'est passé au village de Mégantic à trois heures. Il a voulu m'arrêter. Il m'a menacé de son arme. J'ai eu peur.

— Tu n'as fait que te défendre. Il s'est vanté devant tout le monde qu'il te mettrait une balle dans la tête.

— Peut-être, mais il avait un mandat.

— Tu disais qu'il n'avait pas l'autorité...

— Je sais, je sais...

Envahie à son tour par l'abattement moral de son fiancé, Marion se mit à pleurer. Il lui caressa longuement les cheveux en répétant sans cesse :

— Ne pleure pas. Tout va s'arranger. Tu verras.

Plus tard elle dit dans une douloureuse révolte :

— Quand donc cette vie va-t-elle nous laisser tranquilles. Que va-t-il advenir de nous deux ? D'autres rêves transformés en poussière. Notre mariage ? Notre avenir ? Est-ce que tu vas encore repartir pour l'Ouest ?

— Non, je vais rester ici, près de toi.

— Ils vont t'arrêter, te mettre en prison, te pendre peut-être...

Donald frissonna. D'une chair de poule venue à l'idée de la corde à laquelle il songeait pour la première fois. Il garda un long silence puis il crispa les poings pour affirmer :

— Ils ne me prendront jamais vivant. Ils m'ont volé mon bien. Ils m'ont jeté dehors de chez moi. Maintenant ils voudraient me pendre. Je n'ai rien fait pour mériter cela. Jamais ils ne m'auront, jamais !

La tête appuyée sur sa poitrine, Marion écoutait en sanglotant. Elle comprenait, percevait que leur avenir n'existait plus, que, d'une façon ou de l'autre, ils seraient séparés, que Donald serait arrêté, emprisonné et peut-être pendu ou bien qu'il serait tué par la police parce qu'il résisterait comme il se promettait de le faire.

Une seule issue restait : il fallait qu'il reparte pour l'Ouest. Et à tout jamais. Elle s'en irait avec lui, le suivrait jusqu'au bout de la terre. Sa part était faite pour les siens.

Que ses sœurs prennent la relève ! Là-bas, ils s'épouseraient, enfin...

— Tu dois partir, Donald. Retourne aux États, dans l'Ouest.

Rageur, il coupa :

— Jamais je ne partirai d'ici ! On me remettra ce qui m'appartient. Je ne t'abandonnerai pas une fois encore.

— Je te rejoindrai là-bas.

— Non, Marion. Quitter les tiens, ton pays pour me suivre ? Penses-tu à la honte qu'auraient ton père, tes frères, tes sœurs ? Partir pour une destination inconnue avec un fuyard qu'on va désigner comme étant un meurtier ? Non. Je reste ici et je me bats.

Marion demeura calme et silencieuse pendant de longues minutes, tâchant d'ordonner quelque peu ses pensées. Quand elle finit par relever la tête, son regard était empreint de la plus grande détermination. Et sa voix prit un ton définitif bien que les mots furent détachés :

— Donald, marions-nous... Ce soir... Cette nuit... Ici...

De ses mains grandes ouvertes, il lui enveloppa la tête pour mieux plonger son regard dans la souffrance de ses yeux. Il dit avec intensité :

— Mais je viens de tuer un homme, Marion.

— Ce n'était pas ta faute.

— Je ne te fais pas peur ?

— Épouse-moi, Donald, cette nuit. Nous sommes seuls dans la maison.

Pendant plusieurs secondes, leurs yeux se donnèrent un mutuel consentement. Il pencha la tête. Leurs lèvres furent le sceau de leur contrat. Elles s'unirent avec toute la fougue de cœurs écrasés qui soudain se libèrent du poids qui les étouffe. Leurs âmes se rassurèrent, s'apaisèrent. Leurs émotions se réunirent.

Il fallait aller jusqu'au bout. Elle se mit devant lui, debout. Il appuya sa tête contre son ventre comme l'eût fait un enfant à consoler. Elle caressa ses cheveux. Il se leva à son tour. Elle rit de lui voir la moustache enfarinée. Il lui entoura l'épaule de son bras comme lors de ces centaines de fois où ils avaient marché côte à côte sur les chemins de Marsden les deux dernières années précédant son départ.

Ils disparurent bientôt dans l'escalier sombre qui les conduisait à la chambre de Marion.

La brunante s'infiltrait par les fenêtres et envahissait toute les choses de la maison, les recouvrant de ses gris et de ses noirs.

•

Arrivèrent à Mégantic, le lundi suivant, deux détectives venus de Montréal et deux autres de Québec. Ce qu'ils savaient d'avance sur l'homme recherché : Donald Morrison, vingt-huit ans, six pieds, cent soixante-quinze livres, yeux bleus, blondin. Au cours de leur première journée, chaque équipe, de son côté, rencontra une bonne douzaine d'hommes répondant à cette description.

Les quatres policiers se réunirent à l'American Hotel ce soir-là. Ils se dirent que jamais le fugitif n'oserait se montrer au village si peu de temps après son meurtre et au surplus, sachant qu'il était recherché.

Ils questionnèrent le barman, le propriétaire, des clients. Personne ne savait, semblait-il, quoi que ce soit. Un jeune homme aux yeux fourbes s'arrangea pour être seul avec un des Montréalais. Il lui glissa à l'oreille que Morrison se trouvait quelque part dans une ferme près du lac. Le détective se frotta les mains d'aise. De retour à sa table, il se garda de dévoiler son secret devant les Québécois. Son compagnon ne fut mis au fait qu'une fois rendus dans leur chambre.

Le mardi, à la barre du jour, avant même que leurs collègues ne soient debout, les deux hommes se mettaient en marche dans la direction donnée par le délateur.

Ils perdirent leur journée à fouiller des bâtisses où Donald n'avait jamais mis les pieds, avant de se rendre compte qu'ils étaient les dindons d'une farce. Pendant ce temps, les hommes de Québec s'étaient postés au bord du chemin à l'entrée de Mégantic. Ils y interceptaient tous les arrivants. Parmi les Écossais qu'ils questionnèrent, certains répondirent en gaélique, d'autres en français et quelques-uns en anglais. Tous connaissaient Morrison. Aucun ne l'avait vu récemment.

— C'est un petit noir avec des yeux de Chinois... Et rondouillard, dit l'un.

— Moi, je l'ai vu. Pas plus tard qu'hier, confia quelqu'un d'autre. Au service funèbre de Jack Warren.

— Vous voyez la voiture là-bas ? C'est lui qui s'en vient, leur confia le dernier Écossais qui fut interrogé. Il a une Winchester .73 et ses revolvers chargés. Il m'a dit que ceux qui voudront l'arrêter subiront le même sort que Jack Warren.

Comme des peaux de veau, les deux hommes prirent leurs jambes à leur cou et détalèrent. Ils rentrèrent à l'hôtel et ne voulurent plus remettre les pieds dehors.

Ils furent bientôt rejoints par les Montréalais revenus bredouille. On décida alors d'user de stratégie. Première étape : écouter ce qui se disait aux tables. Qu'un bon renseignement les mît sur la piste et à quatre, ils affronteraient sans crainte un homme seul, même armé jusqu'aux dents et aux griffes.

De toutes les conversations, ressortaient les mêmes conclusions : Morrison n'était pas un assassin mais une victime ; il était si habile tireur que dix hommes l'affrontant se seraient retrouvés au sol avant même d'avoir pu dégainer ; il ne se laisserait jamais prendre vivant.

Les détectives se dirent alors qu'il leur faudrait des renforts pour mener leur tâche à bien. Par bonheur, il s'agissait d'un prétexte pour ne plus bouger de l'hôtel.

Renseigné par ses amis sur l'attitude des détectives, enhardi par la semaine qui s'était écoulée depuis le meurtre, plus déterminé que jamais à vivre sa vie au pays qu'il aimait et près de celle qu'il adorait, Donald se rendit à Mégantic au soir du vingt-neuf juin, une semaine après un assassinat qui n'en était pas un et un mariage qui n'en était pas un non plus.

Revolvers à la ceinture, carabine en mains, il fit son entrée à l'American Hotel. Surprise générale. Les détectives, eux, restèrent bouche bée. Car en plus de reconnaître Morrison à son allure et par son accoutrement, ils entendirent des quatre coins de la salle des gens s'exclamer :

« Salut Morrison, comment vas-tu ? » « Tiens bon, on est avec toi. » « Les morveux de Montréal ou de Québec ne viendront pas faire la loi par ici. » « Eux autres, ils ne connaissent pas Mégantic mais nous autres, on connaît Montréal. »

Les quatre détectives s'aplatirent. De l'un, il ne restait plus que la tête au-dessus de la table. Un autre mit ses mains en œillères de chaque côté de ses tempes et s'enroba d'une couche de ciment. Le troisième adressait un sourire béat en direction du cow-boy. Et le quatrième cherchait à éloigner sa chaise par petits coups afin de ne pas passer pour un membre de ce groupe.

Plusieurs parlèrent à Donald à voix basse en montrant parfois les détectives. Deux se mirent à transpirer ; les deux autres à tremblotter.

Son verre vidé, Donald serra la main de ceux qui l'entouraient. Puis il cria aux autres :

— Les amis, à la semaine prochaine !

Il traversa dans une autre pièce où se trouvait la sortie. Moins de soixante secondes plus tard les détectives se levèrent à leur tour et se bousculèrent afin de trouver refuge dans leur chambre. Au moment de traverser la pièce donnant sur la rue, ils aperçurent, par la grande fenêtre, le cow-boy qui venait de rebrousser chemin et s'apprêtait à rentrer dans l'établissement.

Une heure plus tard, le barman retrouva les quatre hommes à moitié étouffés, cachés dans un placard étroit sous l'escalier. Le jour suivant, ils prenaient le train avec armes et bagages, soulagés de quitter cette ville pour toujours.

Quelques semaines s'écoulèrent au cours desquelles personne ne vint inquiéter Donald. Le constable Edwards continuait de ne pas le voir quand il le voyait. Le jeune homme put reprendre ses activités coutumières non sans toutefois demeurer constamment sur le qui-vive. Ses armes ne le quittaient plus d'un pouce. La nuit, il les déposait sur une chaise près de son lit, à portée de la main.

Murdo et Sophia avaient courbé l'échine et pleuré quand ils avaient appris la mort de Warren ; mais ils n'avaient adressé aucun mot de reproche à leur fils. Donald n'était pas un assassin ; ils le savaient. Et quoi de plus ?

Par l'action agressive des conservateurs, le gouvernement de la province vit tous ses ennemis et adversaires politiques tirer sur lui à boulets rouges. On lui reprochait son manque d'énergie, sa tolérance criminelle. Ce n'est pas Morrison que l'on jugeait mais la justice québécoise qui aurait dû juger, elle, le cow-boy après l'avoir fait arrêter.

Le premier ministre Mercier rencontra le maire de Montréal et lui demanda d'envoyer à Mégantic une équipe de ses meilleurs limiers afin d'arrêter cet homme dangereux...politiquement.

Le chef Silas Carpenter se rendit lui-même sur place. Il procéda à son enquête. Il voulut tout d'abord savoir si les raisons invoquées par ses détectives et ceux du Québec pour expliquer leur échec étaient exactes. Car il avait bien du mal à croire qu'un meurtrier pût être protégé par une population entière.

Pendant quatre jours, il parcourut la région, questionnant, visitant deux douzaines de familles de Mégantic et des villages voisins : Marsden, Stornoway, Spring Hill... Partout, on lui témoigna une hospitalité correcte mais sans chaleur. Les réponses obtenues manquaient de précision. L'enquête piétinait. Une seule évidence : tous étaient sympathiques à la cause de Morrison.

Il retourna à Montréal. On fit une réunion au bureau du maire à laquelle participaient outre le chef, le grand connétable Bissonnette et le juge François-Octave Dugas. Le maire eut une conversation téléphonique avec le premier ministre après quoi il annonça :

— Messieurs, la tête du meurtrier est mise à prix. Le gouvernement offre trois mille dollars qu'on le prenne mort ou vif. Faut envoyer une dizaine d'hommes là-bas. Et le gouvernement va faire envoyer des soldats qui seront mis à notre disposition de même que des policiers provinciaux. D'ici à septembre, l'affaire devra être réglée.

Il fut décidé que le juge Dugas prendrait lui-même la charge des opérations là-bas. Il serait secondé par le chef Carpenter.

Quelques jours plus tard, les forces de l'ordre établissaient leur quartier-général à l'American Hotel. Ainsi en avait décidé le juge, affirmant que l'endroit permettrait mieux de délier les langues. « In vino veritas ! » avait-il dit à Carpenter dont la bouche constabulaire était restée ouverte devant ces mots qu'il croyait être du gaélique tant il en avait entendu lors de son séjour au pays de Morrison.

Dès qu'il apprit leur présence, Donald quitta la maison de ses parents et s'en fut à travers bois chez les MacRitchie, se rapprochant ainsi de Mégantic. On lui aménagea un coin du grenier. Il y attendit la suite des événements sans toutefois rester muet puisqu'il fit parvenir des messages à Marion et un au juge Dugas.

À sa fiancée, il demandait de se montrer patiente et aussi de se tenir prête car il lui donnerait signe de vie dans les moments où elle s'y attendrait le moins.

Au juge, il écrivit qu'il ne se laisserait pas arrêter à moins qu'on lui remboursât l'argent que la justice lui avait fait perdre dans le procès contre McAulay.

Cette insolence irrita le juge au plus haut point. Comment un homme du petit peuple, simple cow-boy, meurtrier d'un représentant de l'ordre, osait-il défier la loi et vouloir ainsi négocier avec la justice ?

Sa réponse fut de mettre des hommes en permanence pour surveiller la demeure des Morrison, celle des Duquette ainsi que celle des McKinnon.

— Amenez-moi sa petite amie, ordonna-t-il. C'est par elle que nous attraperons le poisson.

Cela fut fait le jour suivant par Carpenter qui, tout le long du trajet, questionna la jeune femme en vain. Elle se tint dans le plus complet des mutismes.

On la fit asseoir près du placard qui avait permis aux apprentis-détectives d'échapper au terrible cow-boy. Un peu à l'écart, on se concerta avant de procéder à l'interrogatoire.

— Elle est restée muette comme une carpe, dit Carpenter.

— Faut savoir s'y prendre ! Une femme, il faut la toucher là où ça compte : en plein cœur. Ne lui dites pas un mot. Mieux, restez loin.

Froissé des remontrances de son chef, Carpenter se retira aussitôt qu'il eut présenté la jeune fille au juge.

Sous des moustaches poivre et sel se dessinait un bouc fourni conférant au juge un air de sagesse et d'autorité qu'accentuait un regard mélancolique. Ses épaisses paupières se fermaient en lenteur pour s'ouvrir sèchement ensuite : manœuvre ayant pour effet de démasquer et désarmer ses adversaires, et pour déconcerter les autres et, de la sorte, contrôler mieux leurs réactions.

Il s'assit dans un fauteuil à deux pas de sa visiteuse. D'un geste tranquille, il se croisa la jambe.

— Je vais aller droit au but, fit-il d'une voix basse, persuasive et à laquelle il injecta une touche de condescendance. Je vous ai fait venir pour vous parler, comme vous vous y attendez, de Donald Morrison. Vous êtes le clef qui permettra de régler, au mieux pour tous, cette malheureuse...ou plutôt malencontreuse affaire.

Il aperçut toute la méfiance qui pouvait se lire dans les yeux de Marion et en tint compte et poursuivant :

— Vous n'êtes pas ici pour trahir votre ami...fiancé m'a-t-on dit...mais pour le sauver. Vous n'êtes pas sans savoir qu'il court un grave danger.

— Je sais, murmura-t-elle.

— Est-ce à dire que vous nous aiderez ?

— Je sais qu'il est en danger, mais je ne peux rien faire pour vous.

— C'est pour lui que vous le feriez.

Elle hocha la tête négativement.

— Écoutez-moi seulement. Peut-être allez-vous changer d'avis après. Vous êtes une jeune femme très jolie. Votre visage respire l'intelligence. Vous aimez Donald Morrison. Moi, je ne vous veux aucun mal. Ni à lui non plus. Alors... Demain, mademoiselle, demain arrivera par le train tout un régiment de soldats. Cent hommes armés. Ils viennent pour arrêter votre ami. Et lui, il dit qu'on le prendra pas vivant. Deux et deux font quatre : il se condamne lui-même à se faire abattre comme un chien. Est-ce que vous voulez cela ?

Marion écoutait avec attention. Ce que disait le juge paraissait logique et surtout effrayant.

— Par contre, s'il se rendait aujourd'hui même, il aurait droit à un procès juste avec un et même plusieurs avocats pour le défendre. On tiendrait compte du fait qu'il s'est rendu de lui-même. Je verrai personnellement à ce qu'il soit bien représenté. Peut-être même pourra-t-il faire ressortir l'injustice dont il soutient avoir été la victime. D'un côté, il risque de se faire tuer à tout moment ; de l'autre, il aura droit à la protection de la justice. C'est ça, la situation, mademoiselle McKinnon.

— Donald craint d'être pendu.

— Rien n'est moins certain.

— Et s'il ne l'est pas et qu'on l'emprisonne à perpétuité, ce serait bien pire encore pour lui.

— Écoutez, je ne peux rien promettre. Il aura droit à un jury. Douze de ses pairs décideront de sa culpabilité ou de sa non-culpabilité. Très possible qu'on ne lui inflige que trois ou quatre ans de prison. C'est bien peu pour un jeune homme de vingt-huit ans.

— Il a déjà perdu sept ans de sa vie à cause des simagrées de la justice.

Le juge haussa les mains dans un geste de reproche désolé.

— Ma pauvre demoiselle, est-ce que vous préférez le voir mort, étendu dans la poussière comme Jack Warren ?

Marion ne changeait pas d'idée. Ce qu'elle voulait toujours, c'est que Donald reparte pour l'Ouest où elle le rejoindrait plus tard. Certes, il risquait de se faire tuer à courir les bois en hors-la-loi et surtout avec cette prime sur sa tête. Il finirait bien par se trouver quelque Judas pour le dénoncer. Mais, pas plus que Donald, elle ne croyait à un procès juste. D'un côté une balle ; de l'autre, la corde. La meilleure solution, c'était la fuite et l'exil.

— Il a besoin de sa liberté comme de l'air qu'il respire.

— S'il est innocent, il va la retrouver, sa liberté.

— La justice l'a déjà dépouillé de tous ses biens.

— La situation n'était pas la même.

— Pour lui, c'est du pareil au même.

Le juge se leva. Il se racla la gorge, laissa tomber :

— Je ne vous demandais pas d'avoir une plus grande confiance en moi qu'en lui, mais plutôt de réfléchir pour lui, à sa place. Car c'est l'émotion qui le guide. Son cœur est rempli de fiel à cause du bien qu'il a perdu. De plus l'idée d'être pendu a l'air de le terroriser.

Marion se laissa un peu fléchir.

— Qu'est-ce que vous auriez voulu que je fasse ? Vous dire où il se cache ? Je l'ignore moi-même.

— Arrangez une rencontre. Faites en sorte qu'il soit mis en ma présence. Je tâcherai de le persuader. En tout cas, je ferai tout mon possible.

— J'essaierai, dit Marion sans conviction.

— Pas nécessaire de le prévenir ! Il pourrait refuser. D'autant plus qu'il semble plutôt farouche.

Le juge venait de dire un mot de trop. Marion se cabra. Tendre une sorte de guet-apens à Donald lui répugnait souverainement. Elle marcha vers la sortie et dit sans se retourner :

— Ce n'est pas une rencontre que vous voulez que je vous arrange mais une trahison. Pour ça, il vous faudra chercher quelqu'un d'autre.

Et, sans ajouter un seul mot, elle repartit, plus déterminée que jamais à convaincre son fiancé de s'exiler.

Le jour suivant arriva de Québec le régiment de soldats envoyé par le gouvernement d'Ottawa à la demande du premier ministre de la province. On s'était dit que des soldats francophones n'hésiteraient pas à accomplir leur travail, fouille de maisons et granges, battues, patrouilles, mieux que des anglophones qui eux, risquaient de finir par se montrer favorables à la cause du hors-la-loi que soutenait la communauté écossaise des cantons.

Deux semaines plus tard, aucun des soldats n'avait plus le cœur à l'ouvrage. Sans le connaître directement, sans l'avoir jamais vu, ils avaient tous la plus grande sympathie pour l'homme qu'ils pourchassaient. Tous étaient convaincus de l'innocence du hors-la-loi et de la justesse de sa cause.

Un soir, Norman MacRitchie dit à Donald :

— Quand on signale ta présence quelque part, les soldats retardent tant à s'y rendre ou bien font un tel tapage en y allant que le gibier aurait cent fois le temps de disparaître avant leur arrivée. Si les choses continuent, dans un mois ou deux, les soldats canadiens-français seront tous devenus des Écossais.

— Ça me donne une idée, fit Donald, songeur.

Et les semaines qui suivirent en furent de mystification des forces de l'ordre. Chaque jour il se trouvait quelqu'un pour approcher les autorités et leur faire croire que Morrison se trouvait à tel ou tel endroit.

Des dizaines de fermes aux quatre coins des cantons furent cernées et fouillées sous l'œil amusé des fermiers avant qu'on se rende compte d'être berné de façon systématique.

Alors le juge décida qu'on procéderait de la même façon c'est-à-dire en suivant un plan. Les maisons seraient fouillées rang par rang, paroisse par paroisse. Il était improbable qu'on attrape Donald de cette façon, mais on avait des chances de le dénicher et de l'obliger à se déplacer. Car le juge soupçonnait fort le cow-boy de n'avoir qu'une seule cache depuis le début tant il s'était rendu invisible.

Quand il en avait l'occasion, le chef Carpenter se promenait sur la rue, arrêtait les gens, les questionnait, espérant finir par trouver quelqu'un qui veuille bien collaborer et dont il pourrait se servir pour découvrir une bonne piste.

Un après-midi, il ramena à l'hôtel un homme qui semblait posséder toutes les caractéristiques d'un dénonciateur efficace. Timoré au point de ne pas éveiller les soupçons, il était cependant absolument fasciné par l'idée d'empocher les trois mille dollars de prime.

On lui confia une avance de deux cents dollars dont la moitié devait servir à appâter sa victime. Tout d'abord il avait ordre de rencontrer, comme par hasard, un jeune homme soupçonné d'avoir des liens avec le hors-la-loi. Il lui donnerait vingt dollars pour supporter la cause de Morrison en se déclarant de tout cœur avec lui et désireux de le prouver de manière tangible. Il suffirait d'attendre une parole de remerciement de la part de Donald pour savoir que le jeune homme l'avait vu et pour ensuite l'arrêter aux fins de l'interroger.

Plan farfelu probablement voué à l'échec. Mais alors l'homme lancerait une campagne visant à créer un fonds pour venir en aide au hors-la-loi. On croirait en sa sincérité. Il pourrait ainsi faire du porte à porte, guetter le moindre indice, surveiller tout ce qui se dirait au sujet du cow-boy et dénoncer les personnes susceptibles de lui apporter leur aide.

L'homme rentra chez lui. Il cacha l'argent dans du foin au fenil de l'étable. Il se garda bien de révéler son secret à quiconque. Son étrange conduite ne manqua pas d'intriguer sa femme. Surtout de le voir fréquenter l'étable en dehors des heures normales.

Le jour suivant, il se rendit à sa première mission. Guidée par les réponses qu'il avait faites à ses questions anodines, la femme enquêta pendant son absence. Elle découvrit l'argent caché, le mit ailleurs.

Quand il découvrit la disparition du magot, l'homme rentra à la maison, désespéré. Il se mit à questionner. La femme le fit d'abord parler. Il finit par avouer son marché pour perdre le fugitif. Elle ne lui fit aucun reproche. Pourtant elle-même était gagnée à la cause de Donald. Elle dit naïvement qu'elle avait jeté du foin aux vaches depuis le fenil après la traite du matin.

— En plein été ? s'écria l'homme à travers des grimaces de la plus grande douleur morale.

— Au pacage, elles n'ont pas beaucoup à manger, rétorqua la femme. Tu disais toi-même que la production de lait avait diminué et que les vaches n'étaient pas bien grasses cette année. Comme il nous reste du foin de l'année passée...

L'homme passa trois journées entières à parcourir le champ de pacage, à farfouiller dans les bouses, espérant y récupérer ses billets. Il examina aussi tout le crottin de cheval qu'il put trouver. En vain.

L'histoire s'ébruita et il devint la risée de tout le canton.

•

Donald et Marion ne se virent que deux fois au cours de l'été. Se rendre chez elle tenait du véritable exploit car la surveillance de la maison McKinnon ne se relâchait jamais.

La première fois, c'est le père de Marion qui cacha le hors-la-loi dans sa voiture sous une pile de sacs vides. Donald et sa fiancée purent se parler quelques heures dans la grange. À la faveur de la nuit, il repartit sans être inquiété.

Vers la fin d'août, Donald demanda à Norman MacRitchie de le reconduire chez les McKinnon. Son ami aménagea son boghei de façon à doubler la cloison arrière afin qu'un homme puisse s'y tenir debout sans être aperçu. Seules les jambes du cow-boy dépassaient par dessous. Il eût fallu qu'on se penche et qu'on regarde sous la voiture pour les voir, ce qui apparaissait comme peu probable. Pour plus de sûreté, on installa une jupe de toile qui cacherait les pieds. Et l'on se mit en route à la brunante. À quelque distance de la maison des McKinnon, trois soldats interceptèrent la voiture.

Norman raconta qu'il venait de Mégantic et se rendait chez les McKinnon sur invitation d'une des jeunes filles de la maison.

— Laquelle ? Marion ? demanda un soldat.

— Non, Mary.

Un autre fit une inspection rapide derrière le siège de Norman. Puis il se pencha pour voir dessous. Cette jupe inutile lui parut insolite. Il mit sa lanterne par terre et à l'aide de sa carabine, il releva la toile, découvrant ainsi les bottes du cow-boy.

— Quelque chose de spécial ? lui demanda-t-on de le voir ainsi s'arrêter.

— Rien, rien, répondit-il. Puis il ajouta en anglais à l'intention de Norman et de l'homme caché :

— Nothing special !

Il se remit debout, leva sa lanterne à hauteur du visage de Norman et répéta avec un sourire énigmatique :

— Nothing special !

Marion ne réussit pas encore à convaincre son fiancé qu'il lui faudrait partir. Leur discussion fut âpre.

— On dirait que tu cherches à te faire tuer, lui dit-elle à maintes reprises. Pourquoi jouer à ce jeu-là ? Par plaisir ? Moi, ça me fait peur, très peur.

Il répondait en exhibant des coupures de journaux.

— J'ai la presse de mon côté. Regarde ce qu'on dit de moi. Que j'ai été spolié, que j'ai tiré sur Warren pour me défendre, que ma liberté est plus importante que ma vie, que...

Marion se mettait à pleurer. Il lui demandait d'avoir confiance, la consolait, la rassurait momentanément.

Le lendemain, Marion écrivit à Norman McAuley et lui demanda, au nom de son amitié pour Donald, de venir le chercher pour le ramener avec lui dans l'Ouest.

Septembre couvrit les cantons de toutes ses splendeurs. Ce fut la rentrée scolaire. Le juge Dugas pensa que les enfants pourraient constituer une véritable mine de renseignements. Il envoya des hommes au voisinage des écoles où ils interceptaient les élèves et les questionnaient. Mais les petits avaient été avertis par leurs parents de ne jamais répondre à des étrangers qui cherchaient à savoir des choses sur Donald Morrison.

La vue de ces hommes à proximité pendant plus d'une semaine troubla fort une maîtresse d'école. Nouvelle dans le canton, de nature nerveuse, elle envisageait de fermer sa classe. Les gens chez qui elle pensionnait n'arrivaient pas à la calmer. Donald le sut. Il fut chagriné de voir que des enfants risquaient de souffrir à cause de lui, parce qu'il défiait la loi. Alors il trouva une solution au problème.

Un soir, à son retour à la maison où elle logeait, un jeune homme fut présenté à la maîtresse.

— Monsieur Morrison est le fils d'un vieil ami de la famille, dit le maître de la maison. Il est venu veiller avec nous autres et il a apporté sa guitare.

Donald avait évité de mettre sur lui ce qui aurait pu le faire identifier comme un cow-boy. Ni bottes, ni chapeau, ni même ses armes qu'il avait cachées sous la véranda.

Il se déclara le fils d'un marchand de Scotstown non sans s'être assuré que la jeune fille ne connaissait personne dans ce secteur.

La conversation fut enjouée. Donald prit le risque de chanter des berceuses apprises dans l'Ouest.

Encore célibataire malgré ses trente ans et pas des plus jolies, l'institutrice fut plus que charmée par ce jeune homme à qui elle trouvait si fière allure et dont la voix était si pleine de tendresse. À son départ, en dépit de la température fraîche, elle l'accompagna jusque sur la véranda. Le soir même, elle garda ses impressions pour elle. Les gens de la maison ne soufflèrent mot. Le lendemain, quand elle allait partir pour l'école, le chef de famille lui dit avec un sourire moqueur :

— Vous ne devez certainement plus avoir peur de vous rendre à l'école maintenant que vous avez passé une soirée entière en compagnie de Donald Morrison.

Elle faillit s'évanouir puis s'écria :
— Le hors-la-loi ?
Quelques jours plus tard, on la questionna sur le fugitif.
— On m'a dit qu'il se trouve du côté de Red Mountain, répondit-elle avec conviction.
Et le jour suivant, elle vit tout un régiment d'hommes armés se diriger sur le chemin menant dans la direction qu'elle avait indiquée. Elle sourit en sachant que Donald ne s'y trouverait certainement pas.

•

Il faisait déjà trop froid le soir pour laisser des hommes en des points fixes sur les routes. Il fallut donc relâcher la surveillance des McKinnon. Les fiancés eurent l'occasion de se voir plus souvent. Mais en raison des patrouilles, il eût été risqué de se donner rendez-vous à la maison ou même à la grange. On se voyait à la cabane à sucre.
À la nuit tombée, la jeune fille marchait le long des clôtures. Et quand elle avait fait quelques pas dans l'érablière, elle allumait sa petite lanterne. À l'approche de la cabane, elle l'agitait selon le signal convenu. Donald y répondait en faisant jaillir la petite flamme d'une allumette.
Fenêtres bouchées, portes verrouillées, on s'isolait dans une pièce où avait été percée une porte inapparente qui aurait permis au hors-la-loi de s'échapper au besoin. Il arrivait souvent à Donald de coucher là, car il ne restait plus longtemps au même endroit et avait fait de la cabane des McKinnon un de ses points de relais dans ses nombreux déplacements.
John McKinnon avait apporté son entière collaboration.
Il approuvait sans arrière-pensée la conduite de Marion. Elle, si généreuse, si dévouée pendant tant d'années, elle qui aimait son fiancé de toute son âme et risquait de se voir à nouveau séparée de lui, ne méritait pas de reproches parce qu'elle rencontrait son ami dans la clandestinité.
Il avait lui-même préparé les lieux pour que le fugitif puisse y trouver abri.
Certains jours, Donald avait le moral qui flanchait. Alors Marion exerçait plus de pression sur lui pour qu'il parte. Il répondait :
— On penserait que j'ai fui parce que je suis coupable.

Jamais je ne pourrais ravoir mon bien. Je ne pourrais plus revoir mon pays. Je reste ici. Je dois rester pour obtenir justice. Je connais par cœur tous les bois de Birchton à Whitton et de Stornoway jusqu'aux États-Unis ; on ne pourra pas m'attraper. Ils sont cent à me courir au derrière depuis deux mois et je suis encore libre comme un chevreuil.

— Les chasseurs de prime sont dangereux. Quelqu'un finira par te trahir...

— Mes amis ? Jamais. Quant aux autres, je les évite.

Ce que Donald pourtant ne faisait pas toujours. Il se fiait bien davantage à son flair pour détecter les gens de confiance.

Au lendemain de cette rencontre avec Marion, il marchait vers un village voisin où des amis l'hébergeraient pendant quelques jours. Après une courbe prononcée, il aperçut un détachement de quatre hommes, visiblement des officiers de police à sa recherche. Ils bavardaient tranquillement, assis sur un tronc d'arbre, fusils pointés en l'air, à portée de la main.

Trop tard pour rebrousser chemin ou se lancer dans le sous-bois sans toutes les chances de se faire poursuivre et abattre comme un lapin. Mieux valait bluffer.

On devait s'attendre à ce que le hors-la-loi portât des signes permettant de l'identifier comme cow-boy : chaussures, chapeau, armes. Le fugitif avait fait disparaître tout cela. Il ne gardait sur lui que ses pistolets mais qui, tout comme la ceinture, étaient soigneusement dissimulés sous ses vêtements. Quant à sa carabine, il l'avait échangée contre celle d'un ami. Il pouvait donc aisément passer pour un chasseur, surtout en cette époque de l'année.

Il s'approcha à bon pas et dit à voix ferme :

— Bonjour messieurs ! Beau temps aujourd'hui ?

Chacun marmonna des salutations. L'un d'eux avait le regard suspicieux. Donald le perçut et il s'adressa plus à lui qu'aux autres :

— Je gage ma pipe que vous êtes à la recherche de Donald Morrison.

— Moi, je pensais que tu pouvais être Morrison, suggéra l'autre.

Donald s'esclaffa, leva sa carabine, déclara :

— Je chasse le chevreuil, mais un panache de hors-la-loi vaudrait pas mal plus que plusieurs orignaux par les temps qui courent. Ça fait qu'il faudrait pas que le cow-boy se présente dans ma ligne de tir.

On le prit pour un chasseur de prime. On parla de gibier, de carabines, du temps qu'il faisait. Puis Donald prit congé et disparut bientôt au-delà d'une colline.

Le policier sceptique le regarda aller et finit par dire tout haut :

— Ce gars-là est trop sûr de lui. On devrait le suivre.

Il ajouta pour convaincre les autres qui l'interrogeaient du regard :

— Moustachu, six pieds, yeux bleus, armé... Il me semble que...

Ébranlés, les autres l'accompagnèrent jusque sur le dessus de la côte. Donald avait déjà disparu. Il n'était plus sur la route. Il avait certainement piqué à travers bois. Mais dans quelle direction ?

— C'était lui, s'écria le policier en frappant le sol de la crosse de son arme.

Donald se rendit jusqu'à une route parallèle. Il aperçut venir en boghei un citoyen du village où il avait lui-même l'intention d'aller. C'était un homme à l'air sévère et qui l'invita à monter.

— Vous avez vu des policiers ? s'enquit le hors-la-loi avant de se rendre à l'invitation.

— De bonne heure ce matin, oui. Mais pas depuis. Tu es Donald Morrison ?

— Oui, dit le fugitif en plongeant son regard dans celui de l'homme.

— Monte. Je m'appelle John Hall. Je m'en vais à Dudswell.

— Je sais, dit Donald en prenant place.

— Je suis peut-être un chasseur de prime, fit Hall sans se départir de son sérieux.

— Je ne crois pas. Vous êtes commerçant de moutons et un ami de John Smith. J'ai entendu parler de vous et je vous ai vu souvent passer. John Smith ne serait pas votre ami si vous étiez un donneur.

Pour la première fois, Hall sourit un peu. Au cours du

trajet il tenta de convaincre Donald de se rendre. Il lui conseilla de se faire donner par un ami qui utiliserait ensuite les trois mille dollars de prime pour sa défense.

— Tout le monde sait que tu as descendu Warren pour protéger ta vie. Pas un jury ne te condamnerait.

— Je ne crois plus en la justice.

— Un jour, tu vas te faire tuer.

Donald jeta un long regard panoramique depuis le mont Mégantic jusqu'au Morne et dit d'une voix grave :

— Sans doute ! Mais je mourrai en pleine nature comme un chevreuil abattu, pas comme un mouton égorgé par un boucher.

— Je gagne ma vie à vendre des moutons, mais je préfère les chevreuils. Sûr que je dois t'approuver ! Le plus grand bien après la santé, c'est la liberté. Il n'y a pas un maudit gars instruit qui va me faire penser le contraire.

Lorsque le village fut en vue, Donald descendit. Il tendit la main et remercia Hall pour son aide. L'autre dit avec chaleur :

— Si je peux t'aider, ma maison te sera ouverte. Et que le Seigneur te protège, Donald Morrison, homme libre...

— Je me livrerais bien si la justice était administrée par des gens comme vous.

— J'ai pas l'instruction. Tu sais, il faut en savoir beaucoup pour être juste.

CHAPITRE 10

Sur le quai de la gare, deux jeunes hommes s'échangèrent une vigoureuse poignée de main qui scellait un pari.

Ils s'étaient connus aux études et depuis, chaque fois qu'ils se revoyaient, ils trouvaient prétexte à d'amicales prises de bec.

— Si au Jour de l'An tu n'as pas obtenu ton entrevue avec le hors-la-loi, tu avoues ton échec dans ton journal.

— Et si je l'ai eue ?

— Moi, je voterai pour Mercier aux prochaines élections.

L'un, John Leonard, était avocat à Sherbrooke. L'autre, Peter Spanjaardt travaillait comme journaliste pour le compte du Montreal Star. Son journal l'avait envoyé à Mégantic pour couvrir l'affaire Morrison et surtout pour tâcher de rencontrer le désormais célèbre hors-la-loi.

Spanjaardt installa ses pénates à l'hôtel Graham d'où il pourrait surveiller les allées et venues des policiers logés à l'American Hotel.

Dans le but d'approcher Donald, il claironna tout d'abord sa présence dans tout Mégantic ainsi que dans le Montreal Star où chaque jour, il signait un article sur l'affaire et dans lequel il se montrait éminemment favorable à la cause du hors-la-loi. Et il restait à l'affût, dans l'attente d'un signe qui lui permettrait de reconnaître une personne susceptible de le mettre en contact avec le fugitif.

Il chercha à prendre contact avec Donald en passant par ses parents puis par Marion. S'il y avait la moindre chance qu'on lui tende un piège et qu'il tombe dedans, jamais Donald ne se serait pardonné de faire se sentir coupables ceux qu'il aimait le plus au monde. C'est la raison pour laquelle il ne donna pas suite aux demandes d'entrevue que lui transmirent sa fiancée et son père.

Par un ami sûr, il fit transmettre un message verbal à Spanjaardt. Il déclarait qu'il accepterait une rencontre secrète si le journaliste promettait d'en faire la une du Star afin que tout le pays puisse connaître son point de vue, ce qui aurait pour effet de contrebalancer les allégations de certains journaux dont La Presse et La Patrie qui présentaient Morrison comme un dangereux bandit pris de panique à l'idée d'être pendu et prêt à tirer sur quiconque cherchait à l'arrêter.

Une organisation secrète pour la défense du hors-la-loi avait été mise sur pied quelques jours avant l'arrivée de Spanjaardt par le propriétaire de l'hebdomadaire local, un brave homme instruit, honnête, grand connaisseur du folklore écossais, fermement convaincu de l'innocence du jeune homme.

Un soir, il rendit visite à Spanjaardt. Ils s'entretinrent de journalisme comme il se devait entre deux collèges de métier. Tout à coup l'homme livra un message un sujet du hors-la-loi :

— Demain matin, prenez le train pour Sherbrooke. Faites comme si vous partiez pour ne pas revenir. Descendez à la prochaine station, marchez jusqu'à la Baie des Sables et attendez.

Spanjaardt accomplit ce qui avait été demandé. L'attente fut longue sous la froidure de novembre. Deux heures plus tard, un boghei s'amena. Son occupant, un jeune homme grand, mince, de noir vêtu avec chapeau melon, dit simplement, l'air austère et la voix bourrue :

— Il est toujours temps pour vous de repartir. Si vous

montez et que nous tombions dans un traquenard, vous seriez le premier à vous faire descendre. Je suis armé. À tous les deux milles, un homme armé surveille la route. Des arrière-pensées de trahison pourraient vous coûter très cher.

L'œil un peu ironique, Spanjaardt monta en disant :

— Je suis bien le dernier en ce bas monde à vouloir trahir Donald Morrison.

— On ne sait jamais, jeta l'autre sur un ton menaçant.

Ce furent pratiquement les dernières paroles qu'il adressa à son passager. Tout au long du parcours, aux questions n'ayant rien à voir avec Morrison, il répondit par des oui secs ou des non. Sur le reste, il resta muet sauf quand un ami émergeait de la forêt et s'adressait à lui. On s'échangeait alors quelques mots, mais en gaélique.

Des piétons lui parlèrent. En gaélique aussi pour que le journaliste ne puisse comprendre. Et les regards qu'on jetait à Spanjaardt n'avaient rien d'amical.

On s'arrêta à Stornoway pour le repas du midi. Puis le guide s'excusa poliment, disant qu'il devait se rendre à une boutique de forge où, prétendait-il, on réparerait la voiture. Il regagna l'hôtel, dit au journaliste qu'on viendrait les avertir quand les réparations seraient terminées.

Cette attente avait été planifiée. Elle permit aux amis de Donald de constater qu'aucun piège ne se posait.

En fin d'après-midi alors que la nuit tombait rapidement, on se remit en route. C'est par clair de lune que fut parcouru le dernier mille menant à une grosse maison éloignée de la route et dont la voie d'accès était coupée par une barrière gardée par un homme armé.

Le guide entra sans frapper comme si la maison eût été la sienne. Il invita le journaliste à s'asseoir dans une grande pièce faiblement éclairée. Habitué à suivre de près des histoires criminelles, Spanjaardt n'était pourtant pas très rassuré par cette mise en scène. Mais en était-ce bien une ou bien tous ces gens ne défendaient-ils pas le hors-la-loi comme s'il avait été leur fils ou leur frère ? Toutes ces armes qu'il avait vues au cours de la journée l'impressionnaient moins que ces regards furibonds qui s'étaient posés sur lui et l'avaient convaincu de la farouche détermination de la communauté écossaise de protéger par tous les moyens un de ses fils en danger.

Depuis les dix minutes qu'il s'y trouvait, il n'avait pas encore remarqué, lui dont l'œil n'échappait pas grand-chose en pareilles circonstances, que la pièce ne comportait rien de plus que des chaises, quatre en tout, et pas un autre meuble. Et rien sur les murs non plus. Pas de rideaux aux fenêtres mais que des couvertures grises.

Il sourit à sa nervosité, se mit à raisonner. Pareille imposante maison n'était sans doute pas abandonnée. Il y faisait bonne chaleur et le fumet d'une exquise cuisine flottait dans l'air : signes qu'une famille devait y habiter. Et pourtant, le lieu était si paisible, la pièce si déserte...

Spanjaardt sursauta. Son cœur bondit. Brusquement, sans qu'il n'y soit préparé par quelque bruit annonciateur, la porte donnant sur le reste de la maison s'ouvrit. Un homme sombre apparut, marcha jusqu'à lui, salua cordialement en tendant la main, une main énorme et rugueuse.

— Je suis Donald Morrison. Le hors-la-loi terrible, dit-il sans se figurer que c'est dans le sens d'une pareille image que ses amis avaient conduit Spanjaardt tout au long de cette journée.

Il poursuivit :

— Je suis honoré de voir que le plus brillant journaliste de la province de Québec est venu rendre visite à l'humble cow-boy de Mégantic.

Donald ne s'assit pas et il ne laissa pas à l'autre le temps de lui poser des questions. Arpentant la pièce de long en large, il parla une demi-heure sans s'arrêter. Il résuma tout d'abord le temps joyeux de son enfance à la ferme paternelle, dit sur Marion des mots qui ne purent garder captive sa tendresse pour elle, donna la grande motivation de son départ pour l'Ouest. Il raconta ses expériences là-bas, parla de ses projets avortés, de la terre. Il affirma que son père lui avait toujours écrit par la main de sa mère pour lui dire qu'il avait bien reçu l'argent et qu'il avait fait le paiement. Il insista sur la dénégation des faits avancée par McAulay, sur ses attitudes qui ne pouvaient tromper : son regard fuyant, ses airs malhonnêtes.

Il raconta comment l'avocat McLean lui avait soutiré le reste de son argent en faisant des promesses qu'il savait ne pouvoir tenir. Il avoua le coup de l'horloge et celui des poteaux. Il admit qu'il avait proféré des menaces envers le major. Mais il protesta de son innocence quant à l'incendie des bâtisses de Duquette et soutint qu'il avait voulu se servir de la peur engendrée par les soupçons qui pesaient sur lui.

Ensuite il donna le nom de plusieurs personnes ayant entendu Jack Warren annoncer avec éclat qu'il tirerait à vue sur lui et que pour cette raison, il avait évité de se rendre à Mégantic. Il assura que le vingt-deux juin, jamais il ne se serait présenté dans la petite ville s'il avait su que Warren s'y trouverait.

— Et si je l'avais vu assez vite, j'aurais vidé les lieux, dit-il encore. J'ai eu peur qu'il me tire dans le dos. Je n'ai tiré sur lui qu'après avoir vu son revolver. J'étais en état de légitime défense.

Donald s'arrêta de parler. Il se rendit auprès de Spanjaardt, mit son pied sur une chaise, plongea son regard profond dans celui de l'autre pour dire fermement :

— Je ne me rendrai que le jour où l'on m'aura fait justice. Qu'on me rembourse mes huit cents dollars et je prendrai une autre chance avec la loi ! Je le demande pour mes vieux parents, pour ne pas qu'ils tombent dans la misère noire si on m'enferme. Je suis dernier de famille ; c'est mon devoir de m'occuper d'eux. Tout était prévu. Je devais les faire vivre jusqu'à leur mort. C'est comme ça que les choses auraient dû être. Si on est capable de donner trois mille dollars au premier hurluberlu qui va me loger une balle dans le cœur, comment ne peut-on me rembourser mes huit cents dollars si j'offre de me rendre en retour ? Ce serait une économie de plus de deux mille dollars pour le gouvernement.

Il soupira et termina sur une note de tristesse :

— Voilà toute mon histoire ! Je peux jurer sur l'Écriture que tout ce que j'ai dit est l'exacte vérité. Vous êtes le premier étranger à qui je raconte ces choses. Utilisez-les avec sagesse. Faites savoir à tous comment j'ai été traité. Dites pourquoi je suis devenu un hors-la-loi. Dites ce que je demande pour me livrer. Dites aussi que je ne suis pas seul et que la plupart des Écossais des cantons se sentent traqués avec moi.

Il tendit la main en disant :

— Là-dessus, je dois partir. Je vais vivre dans l'espérance de lire ce que vous écrirez dans votre journal.

Spanjaardt lui retint la main et dit :

— Si vous êtes satisfait, me laisserez-vous vous présenter un avocat de mes amis ?

Donald fronça les sourcils.

— Il s'appelle John Leonard. Il est originaire de Winslow. C'est un Irlandais catholique, mais il parle gaélique. Je peux répondre de lui comme de moi-même.

— Les avocats ! s'exclama Donald avec une moue de répulsion.

— Je vous demande juste d'y penser.

— On verra.

Le jeune homme serra vigoureusement la main du journaliste et sans ajouter un mot, il quitta la pièce.

Jamais depuis le début de sa carrière, Spanjaardt n'avait eu à faire une entrevue sans devoir poser des questions. Mais tout était clair. Il regrettait seulement que le hors-la-loi ne lui en ait pas dit davantage sur ses amours. Qu'à cela ne tienne, il trouverait bien sur le sujet des choses à faire rêver ses lecteurs et surtout ses lectrices !

Il commençait déjà à rédiger mentalement son article quand le guide revint dans la pièce et l'invita à le suivre. À l'extérieur, la voiture les attendait. Deux hommes armés se tenaient devant le cheval.

Au moment de monter en voiture et quand elle s'ébranla, Spanjaardt jeta autour de lui quelques coups d'œil furtifs. Il aperçut deux autres hommes, armés jusqu'aux dents, postés à chaque coin de la maison. Un décompte sommaire lui fit trouver que douze hommes en tout avaient participé à l'opération depuis son départ de Sandy Beach. Tout cela ne pouvait être que solidement et systématiquement organisé, pensa-t-il.

Trois jours plus tard, caché en plein cœur de Mégantic pour quelque temps, Donald reçut par les mains d'un complice, un exemplaire du Star.

Il s'y reconnut en première page dans un portrait de lui-même dessiné à la main au-dessus en grosses lettres noires : MORRISON, LE BIEN-AIMÉ.

L'article parlait de lui comme d'un géant écossais, rude

cow-boy au regard d'acier, au visage toujours sérieux qu'un sourire énigmatique venait parfois mais rarement éclairer. Et cela pouvait se comprendre dans les circonstances, écrivait le journaliste.

« Rien dans les manières du hors-la-loi ne dénote une forme ou l'autre de déséquilibre mental comme l'ont laissé entendre certains articles de journaux... »

Donald fut heureux de retrouver ensuite presqu'intégralement les propos qu'il avait tenus et de constater que Spanjaardt l'avait compris.

En son esprit, il accéda à la demande du journaliste de rencontrer son ami, l'avocat Leonard.

Un peu plus tard, ce même jour, il lui fut raconté une âpre engueulade qui venait de se produire à l'hôtel Graham entre le juge Dugas et le journaliste du Star.

— Le juge a dit qu'il verrait à le faire taire et Spanjaardt lui a ri au nez, affirma le témoin.

CHAPITRE 11

En regard des moyens mis en œuvre pour l'arrêter, Donald Morrison était devenu le plus grand hors-la-loi de toute l'histoire du Québec. Pourtant il n'avait commis aucun crime délibérément. C'est sa rébellion contre la justice et la loi, son entêtement, son courage et l'appui de sa communauté qui lui avaient valu d'être couru pendant des mois entiers par plusieurs douzaines de soldats et policiers.

Les coûts de cette chasse à l'homme gigantesque enflaient chaque jour et risquaient de devenir astronomiques.

En haut lieu on se pencha sur la question lors d'une rencontre entre le premier ministre et son ministre de la justice.

Mercier aurait pu passer pour le frère de Morrison tant il en avait, par certains côtés, le type physique : carré, moustachu, sourcils touffus qui donnaient aux yeux l'air d'être enfoncés dans leurs orbites. Mâchoire vigoureuse comme celle du hors-la-loi. Fils de cultivateur aussi, il avait l'énergie et la rudesse d'un bûcheron. Le nez différait par sa puissance et sa masculinité presque barbare. Autre différence : Mercier avait la chevelure sombre et les yeux foncés alors que Morrison était du type brun pâle tirant sur le blond et que ses yeux étaient couleur d'un ciel d'après-midi.

C'est cette sauvagerie dans l'apparence qui avait permis à Mercier d'électriser cinquante mille personnes au Champ de Mars le vingt-deux novembre 1885 alors que moins d'une semaine après la pendaison de Louis Riel, il avait prononcé un magistral discours qui exprimait le sentiment collectif des Canadiens français frappés durement au cœur par l'exécution de leur frère du Nord-Ouest.

La nation entière s'était alors sentie protégée par ce tribun assez courageux pour traiter publiquement d'assassin le premier ministre du Canada lui-même. C'est ainsi que Mercier avait été propulsé au faîte de la popularité, ce qui lui avait pavé la voie du pouvoir qu'il devait prendre deux ans après.

Sans s'expliquer pourquoi, tout le long de son entretien avec son procureur général au sujet du hors-la-loi, Mercier voyait son attention distraite par des passages de son discours sur l'exécution de Riel qui lui revenaient en mémoire et qu'il se récitait mentalement.

La rencontre avait lieu au bureau du procureur. Mercier avait refusé le fauteuil que l'autre lui avait offert. Tête haute mais pensive, il marcha devant le bureau de son ministre. Morrison était devenu une déplaisante écharde à son pied car les journaux francophones harcelaient chaque jour le gouvernement au sujet de cette affaire et de ses coûts.

— Tu peux t'asseoir, Arthur, dit Mercier en lui tournant le dos pour s'approcher d'une fenêtre donnant sur la ville.

Il demanda de sa voix nasillarde :

— Qui donc est ce Morrison que cent soldats et trente policiers pourchassent depuis six mois ?

Le procureur, un petit homme joufflu aux allures de gratte-papier, répondit sur un ton où se sentait l'excuse et la justification :

— Un...Écossais devenu cow-boy...

« Ça, je le savais déjà, » pensa Mercier qui n'écouta pas la suite de la réponse car Turcotte, une fois encore, redisait toute l'histoire.

« En tuant Riel, Sir John n'a pas seulement frappé notre race au cœur, mais il a surtout frappé la cause de la justice et de l'humanité qui, représentée dans toutes les langues et sanctifiée par toutes les croyances religieuses, demandait grâce pour le prisonnier de Régina, notre pauvre frère du Nord-Ouest... »

— Mais comment est-il possible que les Écossais de toute la région donnent assistance à un hors-la-loi ? Personne n'est au-dessus des lois.

Le procureur entama une réponse. À nouveau l'esprit de Mercier s'envola vers le Champ de Mars.

« Nous unir ! Oh ! que je me sens à l'aise en prononçant ces mots ! Voilà vingt ans que je demande l'union de toutes les forces vives de la nation. On a répondu à ce cri ralliement parti d'un cœur patriotique, par des injures, des récriminations, des calomnies. Il fallait le malheur que nous déplorons, il fallait la mort d'un des nôtres pour que ce cri de ralliement fut compris. »

Mercier interrompit Turcotte :

— Dis-moi pourquoi Morrison ne s'en va-t-il pas aux États comme Riel l'avait fait ? Son problème serait réglé et le nôtre aussi.

— L'homme qu'il a abattu était un Américain. De plus il déclare qu'il préfère la mort à l'exil.

— Pauvre Riel ! soupira distraitement le premier ministre.

— Vous voulez dire, je présume : pauvre Morrison ?

— En effet. Bien sûr !... Et qu'est-ce qu'il veut au juste, ce cow-boy ?

— Des choses qu'on ne peut lui accorder et inconséquentes.

— Comme ?

— Au début, il voulait qu'on lui remette l'argent que lui a coûté un procès contre le créancier de son père. Ensuite, fort de l'appui du Star, il est devenu plus exigeant. Il voudrait que la ferme de son père lui soit rendue. Et maintenant, il veut la promesse qu'on ne le pendra pas.

« ...au nom de la justice foulée aux pieds, au nom de deux millions de Français en pleurs, nous lançons au ministre en fuite une dernière malédiction qui l'atteindra au moment où il perdra de vue la terre du Canada qu'il a souillée par un meurtre judiciaire. »

— Chaque semaine, Arthur, nous perdons des partisans à cause de ce cow-boy. Cette chasse à l'homme doit aboutir avant Noël. Nul ne peut défier la loi.

— Tant que les Écossais l'aideront, il est probable que...

— On pourrait peut-être offrir cinq, six mille dollars de prime ? Combien il en coûte inutilement au gouvernement chaque jour pour lui courir au cul ?

— Cinq cents dollars...hasarda l'autre.

— Faut que ça finisse ! s'écria le premier ministre en levant le poing et le rabattant dans son autre main.

— On a tout fait...

— Pas tout, Arthur. On n'a jamais tout fait en politique. Qu'on applique la loi martiale dans toute sa rigueur ! Si un homme est soupçonné de prêter assistance au hors-la-loi, qu'on l'arrête ! Et s'il est reconnu coupable, qu'on le jette en prison !

Alors un autre chapitre du discours lui revint en mémoire.

« En face de ce crime, en présence de ces défaillances, quel est notre devoir ? Nous avons trois choses à faire : nous unir pour punir les coupables ; briser l'alliance que nos députés ont faite avec l'orangisme et chercher dans une alliance plus naturelle et moins dangereuse la protection de nos intérêts nationaux. »

— T'as vu, Arthur, comme le Courrier de Saint-Hyacinthe me tombe encore dessus à bras raccourcis ? dit Mercier en rajustant sur ses épaules sa longue capote de fourrure noire.

Le premier ministre supportait moins que tout autre la critique, surtout celle du journal qu'il avait lui-même déjà dirigé et qui était l'hebdomadaire de son comté.

— On va y voir, fit le procureur en plissant les lèvres.

— Voir à quoi ?

— À cette histoire de cow-boy.

— Ce n'est pas la première fois qu'on me chante cette chanson-là, fit le premier ministre en se dirigeant vers la porte.

Turcotte se leva, fit une moue désolée. Mercier ouvrit la porte, déclara, l'index menaçant :

— Tu sais, Arthur, qu'il y a des choses autrement plus

importantes à régler. On en a plein les bras avec l'extension du réseau ferroviaire.

Il s'interrompit lui-même, hocha la tête, conclut :

— Arthur, règle-moi ça, cette affaire... C'est quoi son nom déjà ?

— Morrison.

— Oui, oui, Morrison.

Et le chef du gouvernement sortit en se parlant à lui-même :

« Si ça continue, vont en faire une victime de cet Écossais. Ah, ces maudits conservateurs... Si au moins je pouvais me fier sur mes libéraux... Mais on ne m'aura pas aussi facilement... »

•

Quelques jours plus tard eut lieu une réunion tenue dans la cuisine d'été chez l'une des familles amies des Morrison. Elle regroupait les plus chauds et actifs partisans de Donald y compris son vieux copain des prairies Norman MacAuley venu non seulement à la demande de Marion mais aussi à celle indirecte et non officielle du procureur de la province pour inciter le hors-la-loi à quitter le pays en douce.

L'assemblée était dirigée par le journaliste, chef du comité pour la défense de Morrison. Il eût été bien trop risqué d'inviter le hors-la-loi à y assister. Et de plus, on voulait établir une stratégie à l'égard de l'application de la loi martiale, ce qui ne pouvait que faire surgir des objections chez Donald par crainte de causer des problèmes à ses amis.

Le fugitif était à ce moment même le moins préoccupé du canton par l'affaire Morrison puisque Marion et lui s'étreignaient dans la petite pièce chaude de la cabane à sucre.

— Nous sommes huit ici présents. Que chacun recrute dix personnes désireuses de soutenir notre cause et capables de souscrire vingt-cinq dollars et nous pourrons racheter la ferme des Morrison pour la redonner à Murdo.

— C'est mal connaître les Morrison, objecta posément un homme d'âge mûr et fumant la pipe. Jamais ils n'accepteraient cela.

— Quelle honte y aurait-il ?

— Quels sont ceux parmi vous qui accepteraient à leur place ? demanda le président.

Cinq levèrent la main.

— À quoi ça servirait de ramasser des fonds s'il faut les redistribuer ensuite ? demanda l'un.

— À la défense de Donald s'il se fait prendre. Parce que tôt ou tard, il sera pris, prononça Malcolm Matheson.

— Hormis qu'il ne s'en vienne avec moi dans l'Ouest, fit Norman MacAuley.

On continua ainsi à tourner en rond, présumant des intentions de Donald et de ses pourchasseurs. Par contre, la réunion donnait l'occasion aux Écossais de se serrer un peu plus les coudes.

Les précautions prises n'avaient pas empêché les autorités d'apprendre la tenue de leur réunion.

— C'est là qu'il faut frapper ! s'écria le juge Dugas quand il sut.

— On les arrête tous ? demanda Carpenter.

— Non pas. Faut savoir le nom de chaque participant. Ensuite on les arrête un à la fois.

Le jour suivant, un mandat d'amener fut émis contre Malcolm Matheson. L'homme fut conduit au quartier-général.

Après une demi-heure d'interrogatoire, le juge se rendit compte qu'il n'en tirerait rien de cette manière. Alors il perdit patience et se fit menaçant.

— Sachez monsieur que je pourrais vous faire envoyer en prison sur l'heure.

— Quelle utilité ? fit Matheson en bourrant sa pipe qu'il alluma ensuite en poursuivant entre chaque bouffée.

— Quand je serai là-bas, mes yeux seront fermés, mes oreilles seront bouchées et ma bouche sera cousue.

Le juge se leva, contourna son bureau, s'approcha de son prisonnier. Sa voix tonna pour mieux effrayer :

— Vous êtes, nous le savons, un des meneurs du groupe qui protège Donald Morrison. C'est un crime que de prêter assistance à un hors-la-loi en fuite, est-ce que vous saviez cela ?

Matheson haussa les épaules.

— Vous risquez non pas un, deux mais dix ans de prison. Pour un homme de votre âge, ça voudrait dire une vie finie. Hier, vous avez assisté à une réunion chez John Hammond : pour quelle raison ?

— Pour jacasser un brin. Pour fumer une pipée, fit Matheson en crachant par terre pour la dixième fois. Cela irritait le juge à ce point qu'il avait fait apporter un crachoir. Mais l'Écossais faisait exprès de rater sa cible. Et cette fois, il se mit à toussoter avant de dire lentement et d'une voix qu'il affaiblit à dessein :

— C'est comme ça que ça commence, la consomption.

Le juge ne resta pas une seconde de plus auprès de lui. Il retourna s'asseoir et répéta ce qui lui avait valu un silence un peu plus tôt :

— Où se trouve Donald Morrison en ce moment ?

— Je le sais pas...exactement.

— Pourriez-vous le trouver ?

Matheson resta muet.

— Pourriez-vous le trouver ? répéta le juge.

— Ça dépend pourquoi.

Ainsi, Dugas se résignait de mauvaise grâce à faire acheminer au hors-la-loi une proposition de trêve par le gouvernement. Car le procureur général voulait à tout prix que l'on parlemente avec Morrison et qu'on aille, s'il le fallait, jusqu'à lui donner certaines garanties morales pour qu'il se rende. Mais maintenant, un tel aboutissement de l'affaire eût déplu au juge. Morrison était allé trop loin. Il avait mis les policiers et les autorités en échec depuis trop longtemps pour qu'on accepte de gaieté de cœur une reddition de sa part. Pour enlever aux représentants de la loi le bonnet d'âne dont Spanjaardt et d'autres les avaient coiffés, il fallait arrêter Morrison de préférence à le voir se rendre.

— Parce que je voudrais le rencontrer, dit le juge.

— Certainement pas !

— Je ne vous demande pas de le trahir. Je veux le rencontrer, lui parler raisonnablement, faire la revue des événements depuis le début, obtenir ses vues, lui expliquer qu'il a tort d'avoir aussi peur de la justice. Qui sait si on ne pourra pas en arriver à une entente ? Qu'il pose ses conditions pour la tenue de l'entrevue et nous les accepterons ! Qu'il exprime ses désiderata ! Nous l'entendrons.

Pendant un long silence, Matheson considéra le pour et le contre. Puis il dit :

— Je vais essayer.

— Quand ?

— Je ne le sais pas.

— Le plus tôt possible ? Demain ?

— Je ne vous dirai pas quand. Et si dans les jours qui viennent, je me rends compte qu'on me surveille, alors je ne ferai rien du tout.

Une semaine passa. Matheson retrouva le juge au même endroit. Il annonça :

— J'ai vu Donald Morrison. Il m'a dit qu'un juge n'est pas le genre d'homme en qui il peut avoir confiance.

Le juge rougit de colère et ne put se contenir. Il agita une clochette posée sur son bureau. Carpenter accourut.

— Arrêtez cet homme. Emmenez-le à Sherbrooke. Qu'on l'emprisonne ! Il sera inculpé d'assistance à un criminel en fuite.

Dès qu'il apprit la nouvelle de l'incarcération de Matheson, l'avocat John Leonard, qui s'intéressait maintenant de fort près à l'affaire Morrison grâce à l'intervention de Spanjaardt, flanqué du député fédéral John Henry Pope, se rendit cautionner pour le prisonnier qu'on dut libérer. Ce geste se répéta à plusieurs reprises dans les jours qui suivirent à l'égard d'autres complices présumés du hors-la-loi. Ainsi, l'action du juge Dugas se trouvait encore neutralisée.

Donald fut profondément touché de l'attitude de John Leonard envers ses amis.

CHAPITRE 12

En cet automne de l'année 1888, Mégantic assista à une véritable ruée vers l'or. Venus des quatre coins de la province, de l'Ontario et des États-Unis, les chasseurs de prime se multipliaient. Bon nombre d'entre eux subirent mille misères.

Quelques-uns avaient réussi à se loger à l'American Hotel, d'autres au Graham. Mais policiers et soldats accaparaient les places disponibles de sorte que la plupart des autres devaient, quand il le pouvaient, trouver refuge chez des particuliers en se faisant passer pour des chasseurs de vrai gibier. Car ceux qui avaient le malheur de s'identifier comme des chasseurs de prime se faisaient claquer la porte au nez autant chez les Canadiens français que chez les Écossais.

Quant à eux qui se déclaraient des chasseurs ordinaires mais dont on devinait les véritables intentions, ils se voyaient charger des sommes exorbitantes pour leur gîte et couvert. Si bien qu'après quelques jours de vaines recherches dans les immenses forêts des cantons, ils repartaient bredouille pour Montréal, Toronto ou ailleurs.

Un soir d'octobre, chargés d'armes et de munitions, deux Montréalais s'amenèrent à Mégantic, comptant déjà mentalement l'argent de la prime. Chacun portait deux cartouchières croisées en X sur sa poitrine et qui lui tournaient autour des épaules. À cause de leurs intentions évidentes, ils ne purent trouver hospitalité nulle part. De guerre lasse, ils s'adressèrent au major McAulay, cet ennemi de Morrison dont ils connaissaient l'existence par leurs lectures du Star. Sa maison grouillait déjà de chasseurs de prime et il n'avait pas de place où loger les nouveaux venus. Même problème chez les rares personnes de la région ayant pris parti contre le hors-la-loi, y compris Auguste Duquette. Alors le major leur loua un vieux camp qu'il possédait à quelques milles du village. Mieux valait cela que de se trouver dans l'obligation de repartir ou bien de coucher à la belle étoile par des nuits froides.

« Des chasseurs de prime, » disait-on derrière chaque fenêtre quand on les vit passer. Dès le jour suivant, tous les amis de Morrison connaissaient leur existence.

Respectueux des autres, les Écossais ne voulurent pas s'en prendre à ces hommes sans connaître hors de tout doute leurs desseins. Et malgré leurs apparences et malgré qu'ils se logeaient dans un camp de McAulay, on s'arrangea pour les faire parler en leur tendant un piège.

Norman MacRitchie se coiffa d'un chapeau de cow-boy et se rendit sur une colline bien en vue de la cabane mais à distance respectable. Son complice John McIver se présenta au voisinage du camp et se mit à tirer en direction de l'autre que la plus puissante des carabines n'aurait d'ailleurs pas pu atteindre. Dès qu'il vit les chasseurs de prime se glisser peureusement à l'extérieur, John leur cria :

— C'est le cow-boy là-bas, regardez. C'est Donald Morrison. Venez m'aider : on va le cerner. Avez-vous des carabines ? Prenez-les... On divisera la prime en trois.

D'abord surpris, ensuite rassurés puis au comble de l'excitation, les deux citadins coururent chercher leurs armes. Des grands titres de journaux dansaient déjà dans leur tête : « Deux courageux Montréalais arrêtent le dangereux hors-la-loi. » « Dumesnil et Flynn : les héros du jour. »

Quand ils reparurent, armés, le faux Morrison avait disparu. McIver leur expliqua :

— Vite, on va le manquer. Toi, tu prends à gauche. Toi, à droite. Et moi, en plein centre. On se retrouve sur la colline dans un quart d'heure.

Pendant qu'ils s'époumonaient à courir par la futaie vers le lieu du rendez-vous, MacRitchie rejoignait son ami près de la cabane. Il tenait à bout de bras une caisse recouverte d'un morceau d'étoffe. Les deux amis pénétrèrent en riant dans le camp vétuste. Norman déposa sa caisse sous un lit, tira un peu sur le linge et on repartit sans tarder.

Une demi-heure passa. Les chasseurs de prime regagnèrent leur logis sans comprendre encore qu'ils avaient été bernés. Dumesnil s'assit sur son lit, dit à Flynn dans un anglais fortement teinté d'un accent français :

— Moi je pense qu'il l'a arrêté et qu'il va empocher la prime tout seul.

— Ou bien qu'il s'est perdu ?

Petit, rond, le nez haut et le visage replet, Dumesnil souriait à chaque phrase qu'il disait en clignant de l'œil. Il se pencha pour mettre son arme sous le lit. Quelque chose, un liquide, lui frappa la main et se mit à couler. En même temps lui parvenait l'odeur insupportable d'une mouffette et qui remplit aussitôt la pièce.

Flynn, un grand pistolet roux, filiforme, sauta sur ses pieds.

— Une bête puante, s'écria-t-il en pointant la caisse derrière les jambes de son compagnon.

Ils se ruèrent à l'extérieur sous les rires à peines retenus de MacRitchie et de son compère embusqués derrière un tronc d'arbre à quelque distance.

— Va la faire sortir de là, cria Flynn.

— T'es malade ou quoi ? protesta l'autre en s'approchant.

L'autre s'éloigna en discutant :

— Tu pues déjà à mort ; qu'est-ce que tu risques ?

Dumesnil hésita un long moment, regardant alternativement son ami et la cabane. Puis il se décida. Il tint la cage à bout de bras et se rendit la jeter à une centaine de pas du camp. La petite bête s'échappa et s'enfuit en brimbalant ses rayures noires et blanches.

Contrariés, les hommes décidèrent de retourner au village. En chemin, ils aperçurent venir un groupe d'hommes aux allures insolites. Soudain Flynn se rendit compte que l'un d'eux portait un chapeau western.

— C'est le cow-boy, s'écria-t-il.

Norman MacRitchie s'était caché derrière les hommes. À la dernière minute, il avait mis le chapeau. De plus, chaque personnage portait à l'épaule comme un milicien une carabine bien astiquée et qui reflétait les rayons du soleil.

Les chasseurs de prime furent d'abord estomaqués. Puis ils paniquèrent.

— Débarrassons la route, s'écria Flynn qui ajouta le geste à la parole et s'élança dans le sous-bois avec Dumesnil sur les talons.

Les hommes s'esclaffèrent et poursuivirent leur chemin.

— On va fumer une pipée au camp du major, suggéra McIver.

Deux heures plus tard, la cabane était la proie des flammes. Une négligence. Une pipe vidée sur le plancher de bois sec. À ce moment, les chasseurs de prime, égratignés, affolés, épuisés, arrivaient à l'American Hotel. Ils dirent au juge que Morrison avait cherché à les assassiner.

Dumesnil dut rester dehors à cause de son odeur. Il lui fallut s'acheter des vêtements neufs et des bottes et se changer dans une petite étable derrière le magasin.

Flynn raconta qu'ils avaient été pourchassés toute la journée par le hors-la-loi assisté d'autres hommes. Le juge dépêcha aussitôt des policiers au camp de McAulay.

En soirée, lors d'un interrogatoire, Flynn et Dumesnil furent accusés d'avoir incendié la cabane. Dugas voulait ainsi leur faire dire autre chose et il y parvint.

— Ce n'est pas nous, c'est Morrison. On l'a vu faire. Hein, Dumesnil ?

— Certain ! Je l'ai vu frotter une allumette sur sa cuisse, comme ça. Et il l'a jetée dans le camp.

Le juge leur fit signer une déclaration assermentée puis il leur donna congé.

Le lendemain matin, après le départ du train, Mégantic comptait deux chasseurs de prime en moins. Le soir même cependant, quatre nouveaux les remplacèrent, venus de

Montréal eux aussi et avec l'idée bien arrêtée de leur en faire voir à ces arriérés des cantons.

•

Après s'être vengé de Matheson pour n'avoir pas su convaincre Morrison de le rencontrer, le juge devait faire d'autres tentatives via d'autres personnes qui, notoirement, appuyaient la cause du hors-la-loi.

Un soir, quelqu'un rendit visite au juge et lui fit savoir que Morrison accepterait de le rencontrer si une trêve était publiquement proclamée, trêve qui mettrait le hors-la-loi à l'abri de ses poursuivants. Le juge accepta. Il fit connaître à tous sa décision d'interrompre la chasse à l'homme. Et la promesse de prime était levée temporairement.

Le quartier-général fut déménagé à Lingwick, hameau situé à vingt milles de Mégantic, au nord-ouest. Il fut entendu qu'un certain après-midi du milieu de la semaine, le juge se rendrait à une école à quatre milles du village sur le chemin des Écossais menant à Sherbrooke. Il devrait s'y rendre désarmé avec un seul homme pour l'accompagner. Morrison ferait de même.

La nuit avant le jour de l'entrevue, douze amis de Donald, armés jusqu'aux dents, prirent position aux environs de l'école. D'autres se cachèrent le long de la route. Du côté du hors-la-loi, on n'avait pas voulu prendre de chance avec les autorités.

L'échange de propos, néanmoins, se fit presque dans un seul sens. Le juge invoqua la loi, se fit menaçant :

— Si vous ne vous rendez pas, Donald Morrison, nous allons remplir d'hommes les bois des cantons depuis Lingwick jusqu'à Mégantic avec ordre de tirer à vue...

— Que je sache, c'est déjà fait, dit Donald en souriant. On a évalué qu'autour de cent-soixante-quinze hommes me courent au derrière. Deux cents de plus pour couvrir tout le pays, c'est bien peu. Au prix que ça coûte au gouvernement chaque jour, vaudrait mieux régler la question de la ferme de mon père.

— On ne peut pas. Parce que la loi, c'est la loi. La justice ne peut pas prendre de raccourcis. Elle est la même pour tous. Elle doit suivre son cours.

— Je ne me rendrai que le jour où son bien sera restitué à

mon père. Et il faudra que mes huits cents dollars me soient remboursés.

— C'est votre dernier mot ? demanda le juge en fermant les yeux pour cacher une lueur de satisfaction puisqu'il n'avait aucune envie que la rencontre fasse progresser les parties sur le chemin d'une entente. Car sans pour autant contourner la loi, il aurait pu faire montre de son talent de persuasion, en général bien plus efficace.

Quand ils se quittèrent, les deux hommes ne se saluèrent même pas. Chacun ne garda en son esprit que le souvenir du mépris témoigné par l'autre.

Le juge retourna à Lingwick où Carpenter l'attendait. Il lui demanda l'autorisation de partir sur l'heure avec un détachement à la poursuite du fugitif.

— Il faut respecter la trêve sinon les journaux et l'opinion publique nous massacreraient, répondit-il avant d'ordonner un retour du quartier-général à Mégantic.

Dès que la trêve eut pris fin, il donna ses ordres au chef de police :

— Morrison ne peut pas coucher à la belle étoile de ce temps-ci. Les patrouilles vont sortir la nuit et fouiller les fermes de fond en comble : maison, hangars, grange. Et chaque jour dès l'aube, des groupes vont aller visiter les cabanes à sucre. Jamais nous ne frapperons au même endroit d'un soir à l'autre. Et surtout, qu'on le tire à vue.

Un soir, Donald faillit se faire prendre. Un détachement se rendit à North Hill pour perquisitionner dans les bâtisses d'un dénommé William MacDonald où, selon les renseignements fournis par un délateur, devait se cacher le hors-la-loi.

On ne se rendit compte qu'à la dernière minute de l'approche d'un détachement qu'une lanterne avait trahi.

Quand les policiers entrèrent, ils virent dans l'escalier menant au deuxième étage un jeune homme assis et qui tenait un revolver. Ne sachant trop à quoi s'en tenir, les représentants de la loi commencèrent à parlementer.

— Nous recherchons Donald Morrison et on nous a dit qu'il se cachait ici, dit le porte-parole du groupe.

Ni le jeune homme ni ses parents assis à table ne répondirent.

— On dirait que des places viennent de se vider, dit un policier en désignant des chaises déplacées devant lesquelles se trouvaient des assiettes où fumait encore du ragoût de lièvre.

Nouveau silence qui constituait la meilleure garantie de ne pas trahir involontairement Donald par le ton des réponses ou des mots échappés. Et surtout qui faisait gagner du temps.

— On peut faire le tour des lieux ?

— Montrez-nous un mandat de perquisition et nous vous laisserons visiter, dit le jeune homme.

— Pas besoin. Le district est sous le coup de la loi martiale, dit l'officier.

— En ce cas, montez, dit le jeune homme qui avait déjà vécu dans l'Ouest et en avait vu d'autres. Il allongea ses jambes de façon à bloquer le passage.

Un policier monta lentement en le fixant du regard. Un regard nerveux.

— Si tu nous empêches de passer, il va falloir qu'on t'arrête. C'est ça que tu veux ?

— Laisse-le passer, Dan, dit le père de famille. De toute façon, il n'y a personne en haut.

William savait que Donald avait maintenant assez d'avance et qu'on ne pourrait plus le rattraper dans la nuit.

Quand la fouille fut terminée, Dan montra son arme aux policiers. Il leur dit qu'il l'avait rapportée du Montana et qu'à leur arrivée, il était justement en train de la nettoyer.

•

En octobre, il arriva à Donald de passer quelques nuits chez un homme du nom de Kenneth Nicholson, un géant paisible qui n'utilisait jamais sa très grande force à moins d'extrême provocation.

On disait qu'il arrivait parfois à des hommes sous l'influence de l'alcool de lui chercher noise parce que voulant se mesurer avec lui. Il leur mettait alors une de ses mains énormes dans la poitrine et les envoyait rouler au sol. Un jour, il avait jeté hors d'un bar en les transportant comme des sacs de farine deux hommes qui l'avaient attaqué à la fois.

En novembre, les policiers apprirent que le hors-la-loi

avait résidé chez Nicholson. Ils fouillèrent sa maison à trois reprises sans crier gare.

Alors l'homme confia à un voisin :

— Il se peut qu'avant longtemps une de mes fenêtres se fasse défoncer. Je vais finir pas perdre le contrôle de moi-même et un jour, un de ces fouineurs va passer par le châssis avant de s'être aperçu de ce qui se passe.

Ce furent deux chasseurs de prime qui finirent par goûter à sa médecine lors d'une bref échange de propos qui tourna à l'empoignade.

— Nous recherchons Donald Morrison, dirent les apprentis-détectives quand il leur répondit à la porte.

— Ah oui ? fit Nicholson en attrapant chacun des visiteurs par son vêtement.

Il les souleva très haut et leur dit dans une colère noire :

— Bien moi, c'est vous autres que je cherchais. Et je vous ai trouvés.

Et il les jeta en bas de la galerie, ajoutant, avant de claquer la porte :

— Maintenant, disparaissez si vous ne voulez pas que je réduise votre squelette en bouillie.

CHAPITRE 13

« Une récompense de trois mille dollars sera versée à la personne qui arrêtera Donald Morrison mort ou vif ou bien qui fournira des renseignements pouvant conduire directement à lui et à le faire arrêter. »

Cette proclamation, Pete Leroyer l'avait lue et relue cent fois depuis qu'elle avait paru dans les journaux l'été d'avant à quelques jours à peine de la clôture de la deuxième session de la sixième législature à Québec alors que Mercier avait pris quelques minutes pour s'arrêter à l'affaire Morrison et qu'il avait confié à son procureur général Arthur Turcotte et à son ami le maire de Montréal le soin de la régler.

Cette malencontreuse décision du premier ministre avait conduit à un imbroglio quant à la conduite de l'affaire car devaient s'y trouver mêlées en même temps trois juridictions : l'administration de la ville de Montréal qui avait dépêché une dizaine de policiers dans le territoire de Mégantic ; celle du gouvernement provincial parce qu'on avait mis à prix la tête du hors-la-loi et qu'on avait aussi dépêché des policiers ; et le fédéral car le crime de Morrison relevait de la justice du pays et que le district fut mis sous le coup de la loi martiale.

Leroyer se serait bien moqué de démêler qui devait décider de ceci ou cela. Pour lui, ce qui comptait était de savoir qu'une prime de trois mille dollars était promise par le gouvernement sous la signature du procureur général.

Lui, le sang-mêlé, guide de chasse et pêche, qui avait foulé de son pas chaque pouce carré des cantons, qui vivait à Mégantic huit mois par année, qu'on avait surnommé le Sauvage, était resté à l'affût tout l'automne, mettant son nez dans des dizaines de cabanes à sucre pour y chercher des traces du hors-la-loi. Il était trop discret et silencieux pour qu'on se méfie de lui.

— J'ai de l'ouvrage plein mes bottes et je suis un chasseur, répondit-il un jour à quelqu'un qui soutenait qu'un homme comme lui devait sûrement avoir déjà rencontré Morrison et parfois savoir où il se cachait.

Bien que demeurant dans la région les deux tiers du temps, et ce depuis plusieurs années, on le considérait toujours comme un étranger tant il se montrait sombre et renfermé.

« Il vient de Sherbrooke, » disaient d'aucuns.

« De Québec, » soutenaient d'autres.

« Le Sauvage, il a quatre sortes de sang dans le corps, » affirmait-on partout.

Le nez arrondi comme le taillant d'une hache avec de gros plis nés sur les ailes, les cheveux raides, longs, séparés sur la nuque formant tresses qu'il portait devant sur la poitrine, joues creusées, yeux petits, bouche démesurée, l'homme, par son physique, disait tout de ses origines mais rien de ses intentions. Cruel, généreux : qui eût pu l'affirmer rien qu'à le voir ?

Qu'on apprenne qu'il nourrissait dessein de faire arrêter Morrison eût pu lui faire du tort et surtout l'empêcher de réussir son entreprise. Guider les chasseurs le justifiait de se promener armé dans toutes les forêts et c'est la raison pour laquelle il n'inquiétait pas les amis du fugitif. Et personne ne s'interrogea non plus lorsqu'à la mi-septembre il changea de lieu de résidence. Lui qui vivait auparavant chez des gens dont la ferme était au sud de Mégantic près du lac, se trouva une place à Marsden chez un Canadien français dont la maison si situait entre celle des McKinnon et celle des Morrison. Ainsi, quand il n'était pas parti à la chasse, il pouvait espionner des deux yeux.

En ce matin du sept décembre, il regarda par la fenêtre comme il le faisait tous les quarts d'heure quand il se trouvait dans sa chambre. Son instinct de chasseur le portait à surveiller les environs de sorte qu'il avait souvent aperçu un chevreuil ou un orignal à proximité et qu'il ne lui avait suffi que d'une facile approche dehors pour abattre la bête téméraire.

En outre, tout ce qui passait sur la route, attelages ou piétons, l'intéressait, maintenant que de ce point stratégique il pouvait surveiller les allées et venues autant des Morrison que des McKinnon.

Il regarda à deux fois pour bien se rendre compte que ses yeux ne le trompaient pas. Il recula de deux pas de peur qu'on ne l'aperçût depuis la route. À n'en plus douter quand elles furent passées, les deux personnes qui s'en allaient vers la maison des Morrison étaient Marion McKinnon et Norman MacAuley. Ce cow-boy, il le connaissait avant son départ pour l'Ouest et le bruit avait couru qu'il n'était revenu que pour ramener avec lui son ami. Quant à la silhouette de la jeune fille, elle lui était familière puisqu'il l'avait souvent en tête, et pour des raisons éloignées de l'affaire Morrison.

Voilà bien l'occasion qu'il attendait ! Quelque rencontre avec le hors-la-loi aurait sûrement lieu dans le courant de la journée chez les Morrison. Jamais il ne s'était senti aussi près d'un magot de trois mille dollars. Ni soldats ni policiers n'ayant droit à la prime, il lui suffisait de dénoncer Morrison et de le faire arrêter pour empocher à lui seul le montant total. Il ne fallait pas éveiller les soupçons car les gens de la maison, bien que Canadiens français, avaient aussi épousé la cause de Morrison et se seraient empressés de lui donner l'alerte s'ils avaient cru qu'on se préparait à le capturer.

Il se comporta comme à l'accoutumée et ne sortit de la maison que plusieurs minutes plus tard, après avoir annoncé qu'il passerait la journée dans la région du lac

Moffat après s'être rendu à Mégantic pour y renouveler sa provision de munitions.

Il attela son cheval à une voiture fine et fit route lentement. Pour un temps. Il s'arrêta devant la maison des McKinnon et fit mine d'aller rajuster la longueur d'une sangle du harnais. Il l'avait prévu : le père de Marion sortit. Le Sauvage salua en soulevant son chapeau. Puis il clappa. Son cheval repartit. Mais dès lors que la maison eut disparu après le prochain tournant, il fouetta sa jument jusqu'à Mégantic. Aux environs de dix heures, il se présentait à l'American Hotel.

De l'autre côté de la rue, à l'hôtel Graham, à sa table habituelle, Spanjaardt rédigeait son article quotidien. Il aperçut l'arrivant et son attention fut retenue par l'écume qui apparaissait entre les cuisses de la bête.

Par l'agitation qui s'ensuivit, le journaliste sut que l'homme était un chasseur de prime venu dénoncer Morrison. Car tout un détachement de soldats et policiers, les uns à cheval et les autres en voiture, se regroupa dans la rue puis se mit en route. Ils étaient dirigés par Silas Carpenter en personne : circonstance exceptionnelle. À n'en pas douter, on s'apprêtait à mettre fin aux équipées de Donald Morrison.

Spanjaardt se rendit en toute hâte au journal local avec le dessein d'emmener avec lui, à la suite du détachement, le propriétaire Higgins. Si Donald avait besoin d'assistance, un homme comme lui pourrait s'avérer des plus utiles. Ils ne tardèrent pas à se mettre en route à leur tour.

Chez les Morrison, MacAuley et Murdo s'entretenaient en fumant leur pipe tandis que Sophia et Marion préparaient le repas en jacassant.

Dès qu'on serait à table, Norman mettrait sur le tapis le sujet de leur rencontre et que chacun connaissait d'avance : les pressions plus fortes à exercer sur Donald pour qu'il se décide enfin à partir pour l'Ouest.

Ensemble dans la même voiture, Carpenter et l'officier responsable des soldats s'entendirent sur un plan des opérations. L'on tint compte des trente-deux hommes dont huit cavaliers dont on disposait pour mener l'attaque à bonne fin. On s'arrêterait un peu avant que la maison des Morrison ne soit en vue pour faire récupérer les chevaux puis on les lancerait à bride abattue. Les cavaliers, en tête, dépasseraient la maison pour le cas où le hors-la-loi ait déjà eu le temps de s'enfuir. Ensuite ils se déploieraient de chaque côté du chemin, se distanceraient, s'embusqueraient.

— S'il avait neigé, il ne pourrait jamais nous échapper, réfléchit tout haut l'officier.

— Neige ou pas, aujourd'hui, il est fait, commenta Carpenter en crachant une fois de plus par-dessus la ridelle une salive jaunie par le tabac à chiquer.

D'un œil distrait, il suivit le contour de la montagne sur l'horizon. Les ornières de la route imprimaient à la voiture des mouvements secs se répercutant jusqu'à son menton en galoche qui pointait à gauche et à droite dans l'air vif.

— Avec l'effet de surprise, il ne pourra pas réagir. En espérant que vos soldats fassent bien leur travail.

— Ils sont aussi efficaces que vos policiers.

— On dit qu'ils auraient pu arrêter Morrison, dix, vingt fois depuis qu'ils patrouillent...

— Admettons, mais les choses ont bien changé. Ils commencent à se lasser de courir les chemins par un temps de plus en plus froid. De plus, ils savent ce qui va leur arriver s'ils ne font pas leur devoir. Manquer de zèle est une chose ; refuser d'obéir en est une autre.

Le cavalier de tête rebroussa chemin, donna le signal d'arrêt. Le détachement se regroupa. L'officier cria les ordres :

— Les hommes à cheval vont bloquer la route de l'autre côté de la maison. Les six premiers s'enfoncent dans le sous-bois ; les deux autres restent sur la route. La première voiture prend la montée, s'arrête devant la porte et les hommes qui s'y trouvent cernent aussitôt la maison. La deuxième voiture suit les cavaliers. Les hommes de la troisième contournent puis fouillent la grange. Tous les autres vont se regrouper autour de monsieur Carpenter et de moi-même devant la maison.

Pour le moment, on laisse aux chevaux cinq minutes de repos. Que vos carabines soient vérifiées, chargées ! En apercevant Morrison vous dites HANDS UP et s'il refuse d'obéir, vous tirez. Et n'hésitez pas parce que lui peut vous abattre à cent pas d'une balle en plein cœur.

Spanjaardt et Higgins purent profiter de cette halte pour rattraper leur retard. Ils étaient partis dix minutes après la troupe et avaient dû s'arrêter à deux embranchements pour bien s'assurer auprès des habitants que le détachement se dirigeait à Marsden. Mais ils voyageaient en voiture fine et allaient donc plus vite.

À leur arrivée, quand il les reconnut, Carpenter dit d'une voix aigre-douce :

— Espérons qu'à deux journalistes, vous serez plus honnêtes...

— On ne rapporte que ce qu'on voit, répliqua Spanjaardt.

— Ce n'est peut-être pas toujours vrai, dit Carpenter sur un ton modéré. Car il était content de voir cette chasse à l'homme approcher de sa conclusion.

— N'oubliez pas de le prendre vivant sinon tout le pays va vous pointer du doigt, avertit Spanjaardt.

— Mort au vif, disent les instructions. Et ce n'est pas moi le responsable des directives. Morrison a déjà tué un représentant de la loi ; il n'est pas question de prendre la moindre chance avec lui.

Spanjaardt se leva dans la voiture et cria à tous les hommes le plus fort qu'il put :

— Messieurs, n'oubliez pas que par nos yeux à nous les journalistes, c'est tout le pays qui vous regarde.

— Spanjaardt, si vous ne cessez pas de crier, je vous fais arrêter sur l'heure, dit Carpenter.

— Alors quoi, c'est criminel de dire sa pensée ?

— Votre voix est assez forte pour ameuter tout le pays.

Carpenter se tourna vers l'avant. Il cria à son tour mais d'une voix retenue :

— Messieurs, à l'attaque !

Un quart d'heure plus tard, tous les hommes étaient en position. Un policier qui aperçut par la fenêtre la silhouette de MacAuley, s'écria :

— C'est Morrison, c'est Morrison.

Alerté par le bruit des sabots, Murdo avait vu venir la troupe. Il s'était calmement rassis à table en disant simplement et sans ton :

— Encore une fouille !

— Est-ce qu'ils peuvent nous arrêter ? s'inquiéta Sophia.

— Ils n'ont aucune raison, dit Murdo. Ou bien ce serait un crime d'être les parents ou les amis de Donald.

Chacun continua à manger du bout des doigts, en silence. Marion refoulait ses larmes. Elle avait mis toutes ses espérances dans cette rencontre où les volontés de chacun se combineraient pour devenir une volonté commune s'exerçant avec bien plus de poids sur celle de Donald. Les justiciers, une fois encore, venaient s'interposer comme si quelque esprit malfaisant dévoué à la perte de Donald les avait guidés et inspirés.

— Morrison, au nom de la loi, je t'ordonne de te rendre ! cria Carpenter de toutes ses forces.

— Ils sont sûrs que Donald se trouve ici, dit Murdo. Il faut que je sorte. Ils pourraient se mettre à tirer sur nous par les fenêtres.

Le vieil homme se rendit à la porte ouvrit doucement tandis que Carpenter répétait son ordre.

— C'est mon chapeau de cow-boy, dit Norman. Il faut que je sorte aussi.

Et il emboîta le pas à Murdo.

Carpenter crut à un piège. Il cria à ses hommes :

— Tous à terre et pointez vos carabines.

Murdo et le jeune homme levèrent les bras et se mirent côte à côte sur la galerie.

— Ce cow-boy n'est pas mon fils, cria Murdo.

Sceptique, Carpenter lança :

— Alors qu'il avance pas à pas...

Spanjaardt s'approcha de Carpenter et dit :

— Cet homme n'est pas Donald Morrison.

— Alors qui est-ce ?

— Je m'appelle Norman MacAuley, dit le cow-boy en sautant sur le sol en bas de la galerie.

— Où est le hors-la-loi ?

— Pas ici. Il n'est pas venu depuis le mois de juillet, affirma Murdo en appuyant ses paroles par un mouvement de négation de ses deux bras.

Carpenter se remit sur ses pieds, fut imité par ses hommes. Il se rendit jusqu'au vieil homme et dit :

— Qui se trouve à l'intérieur ?
— Rien que ma femme et Marion McKinnon.
— Ah bon ! Et votre fils n'y serait pas par hasard ?
— Non...

L'œil suspicieux, Carpenter ordonna qu'on fouille la maison jusque dans ses moindre recoins. Ce qui fut aussitôt fait et ne donna aucun résultat.

À son visage déjà rougi par le froid s'ajouta une teinte de colère. Carpenter se planta militairement devant MacAuley puis devant Murdo. Il leur adressa alternativement au fond des yeux un regard qu'il voulut mordant comme la bise. Peu protégé du froid, le vieillard frissonnait. Carpenter eut une idée remplie de malveillance et de cruauté. Il interrogerait l'homme sur place.

Spanjaardt retira son long manteau et se rendit le mettre sur les épaules de Murdo. Carpenter eut un mouvement pour l'en empêcher, mais il se ravisa, rendu prudent à penser à la plume acide du journaliste. Il s'adressa à l'officier militaire :

— On va les questionner un à la fois.

Il jeta un coup d'œil sur les journalistes et ajouta :

— Et sans témoins... Qu'on laisse ceux-là dehors ! Et vous, venez avec moi.

Suivi du soldat, il entra dans la maison, pria Marion de sortir et s'assit à table pour questionner Sophia. À chaque question, la vieille femme répétait qu'elle ne savait rien. Et elle finit par éclater en sanglots. Pour le militaire, c'était le signal de la fin de l'interrogatoire. Il recula sa chaise pour se lever, mais Carpenter ouvrit les mains et lui fit signe de rester à sa place. Il poursuivit :

— Chère madame, si vous continuez de le couvrir, vous contribuerez à le faire abattre...comme une bête. C'est votre fils. Vous voulez le voir mort...sur une route...dans la forêt ?

Il la tortura ainsi et si longtemps que la femme en eut bientôt le visage enflé et qu'elle ne savait plus que hocher la tête de désespérance. Son cœur était en proie à un si grand chagrin qu'elle adressait au Seigneur une prière fervente : qu'il vienne la chercher sur-le-champ.

Carpenter se lassa et finit par lui ordonner de sortir.

Murdo et Marion se précipitèrent auprès de la femme effondrée quand elle apparut sur le seuil de la porte.

— Mademoiselle McKinnon, héla Carpenter d'une voix traînante.

MacAuley eut un mouvement vers le galerie mais deux hommes l'empêchèrent de passer.

Malgré les menaces, les promesses et les changements de ton, Marion garda son sang-froid. La seule réponse qu'elle consentit à donner concernait ses rencontres avec le hors-la-loi depuis le vingt-deux juin.

— Je ne l'ai vu qu'une fois. C'était durant la trêve, affirma-t-elle.

— Ne vous a-t-il jamais écrit, fait porter des messages ?

— Quelquefois.

— Par qui ?

— Des amis.

— Lesquels ?

— Je ne me rappelle pas.

— Celui qui se trouve là dehors ?

— Il était dans l'Ouest.

— Alors qui ?

Elle ne répondit plus et il dut la laisser s'en aller.

Murdo fut convoqué. Il s'enferma dans un mutisme complet.

MacAuley eut son tour. Il croisa nonchalamment les jambes et répondit avec l'arrogance du cow-boy.

— Vous avez vécu avec lui pendant combien d'années ?

— Plusieurs.

— Combien ?

— Sept.

— À faire quoi ?

— Vacher.

— Et alors ?

— Quoi ?

— C'est quoi ça ?

— Garder les vaches, les rassembler, les marquer, les convoyer...

— Vous êtes allés aux États ?

— Deux fois par an.

— Fréquenté les saloons ?

— Des fois.
— Connu des hors-la-loi, des bandits ?
— Surtout des shérifs.
— Quels bandits ?
— Frank James, Belle Starr...
— Déjà tiré sur quelqu'un ?
— Lui, non ; moi, oui.
— Sur qui ?
— Des voleurs de bétail.
— Paraît que Morrison a été chassé de Cheyenne par le shérif de la ville.
— Ça se pourrait ?
— Oui ou non ?
— Faudrait le demander à Morrison.
— Où se cache-t-il ?
— Comment savoir ? Il est plutôt nomade.
— Pourquoi êtes-vous revenu dans l'Est ?
— Après huit ans là-bas, c'est normal.
— Vu Morrison ?
— Non, fit MacAuley avec un large sourire provocateur.
— Vous mentez.
— Si vous pensez...

Carpenter comprit qu'il perdait encore son temps. Puisque le coup de filet était raté, il valait mieux rentrer à Mégantic et faire rapport au juge.

Spanjaardt et Higgins acceptèrent l'invitation des Morrison et entrèrent prendre une tasse de thé. On parla de la fouille, des interrogatoires.

Le lundi, dix décembre, deux articles se partagaient la deuxième place dans le Star. L'un relatif ce qui s'était passé à Marsden et mettait en évidence l'inhumanité honteuse dont faisaient preuve les responsables de la chasse à l'homme payés par la ville de Montréal et le gouvernement du Québec. L'autre pouvait se lire :

« Wiliam Rhodes devient ministre de l'agriculture. Il est bien connu que le premier ministre Mercier cherche à amadouer la minorité anglaise qui a son rôle à jouer dans cette province. C'est pourquoi, vendredi le sept décembre, il a renoncé au portefeuille de l'Agriculture et l'a offert au colonel William Rhodes. Autrefois mal disposé à l'égard des Canadiens français, le colonel est un des rares Anglo-Canadiens qui aient blâmé l'exécution de Riel. C'est un vieillard encore vigoureux, au teint coloré, propriétaire d'une grosse entreprise agricole, et qui mêle, comme beaucoup d'autres, la politique et les affaires. Il a présidé la Compagnie de chemin de fer du nord avant son acquisition par la province ; il préside maintenant la compagnie formée en vue de la construction du pont de Québec. Mercier l'a déjà nommé membre de la Commission d'enquête sur les asiles. En l'appelant dans le cabinet, il espère se concilier les milieux d'affaires anglais et peut-être le Chronicle. On présentera le colonel Rhodes, qui n'est pas député, à l'élection partielle de Mégantic. ».

La bataille serait dure mais Rhodes devait l'emporter par quatre-vingt-dix-huit voix de majorité à l'élection qui eut lieu le vendredi quatorze décembre.

CHAPITRE 14

Le lendemain du scrutin vit la première tempête de l'hiver. Un ciel tourmenté harcela tout d'abord les montagnes puis s'abattit sur les terres basses qu'il enfouit en quelques heures sous plusieurs pouces de neige lourde.

Tout le long de la journée, Marion lorgna par la fenêtre. Mais chaque regard lui barbouillait les idées, jetait un peu plus de confusion dans son âme. Profondément bouleversée mais à retardement par les terribles heures passées chez les Morrison, elle en était venue à se demander s'il ne lui faudrait pas rompre ses relations avec Donald. Elle l'aimait assez fort pour prendre cette décision, la seule peut-être qui le déciderait à partir.

Comment savoir ? soupira-t-elle une fois de plus en plongeant ses yeux dans les blancs tourbillons qui vrillaient dans les vitres. Elle songeait que l'appui moral et même l'aide matérielle que recevait son fiancé de la part de nombreux habitants des cantons le conduiraient peut-être encore plus sûrement à sa perte que l'action des policiers ou des chasseurs de prime. Car plus le temps passait, moins Donald semblait enclin à partir. Comme s'il s'était senti le devoir de poursuivre son action jusqu'au bout. Comme s'il eût voulu éviter à ses supporteurs une défaite en s'exilant.

Marion ne trouvait pas les mots pour exprimer ces perceptions ; mais elle les sentait. En son cœur, l'imprécision enfantait l'indécision.

Saurait-il la réconforter, la rassurer une fois encore à leur prochain rendez-vous prévu pour l'après-midi du lendemain ? Pourrait-elle seulement le voir si la tempête se poursuivait ainsi jusqu'au dimanche ? Comprendrait-il qu'en restant, il condamnait ses parents à des souffrances bien pires qu'en reprenant la route de l'Ouest où il pourrait vivre libre et d'où il pourrait faire parvenir chez lui un peu d'argent chaque mois pour aider Murdo et Sophia à mieux assumer les exigences de leur quotidien ?

Il se trouvait en elle un désir plus puissant, plus immédiat et dont la satisfaction ne pouvait nuire à l'avènement pour eux d'un temps plus paisible et prospère que la navrante réalité de leur passé et de leur présent. Elle avait cette envie qu'elle trouvait merveilleuse et insensée de se pelotonner dans sa puissance, de sentir sa joyeuse moustache sur sa nuque, de lui laisser promener ses mains sur ses épaules, dans son dos, autour de sa taille.

Ils se cacheraient du monde, de la justice et du destin lui-même sous d'épaisses couvertures en peaux de chat sauvage au creux d'un lit chaud, mariés, fondus, l'espérance refaite, tout l'avenir ramené et résumé en des minutes d'infinie tendresse.

Ce matin-là, dans la petite église, pour la centième fois elle demanda pardon au Seigneur de vivre avec son fiancé la relation des époux sans que la bénédiction du pasteur n'ait sanctifié l'union.

Le soleil commençait à faire des trouées dans une couche nuageuse encore pressée lorsque Marion mit ses bottes pour partir. Son père et sa sœur s'habillèrent aussi. L'un irait vers le village et l'autre vers Scotstown pour surveiller la route et pouvoir la prévenir si une patrouille venait à se montrer dans le secteur. Depuis la fouille de la maison des Morrison, on avait redoublé de prudence car Spanjaardt les avait prévenus du danger que représentait Pete Leroyer.

Quand le Sauvage aperçut John McKinnon accoudé à

une pagée de clôture et fumant sa pipe, il comprit que l'homme faisait le guet et en déduisit que Morrison se trouvait chez lui avec sa fille. Un sourire vicieux prit naissance aux coins de ses yeux aux lueurs étranges de la bête qui veut survivre en égorgeant sa victime. Il s'habilla, prit sa carabine, salua les gens de la maison, leur dit qu'il se rendait au village de Marsden. Il prit donc la direction inverse du lieu où se trouvait McKinnon avec le dessein de s'éloigner, caché par les bâtisses de la vue du guetteur. Par un grand détour, il prendrait à revers la maison des McKinnon et s'y dirigerait directement depuis la lisière de la forêt.

Marion regardait ses pieds qui s'imprimaient en noir jusqu'à la terre mouillée sous le tapis dense. Une chaleur douce coulait dans sa substance de plus en plus vite à mesure qu'elle progressait vers l'érablière. Elle était reconnaissante envers son père et sa sœur de se faire si généreusement les complices de ses amours. Ils resteraient là, sur le chemin, plus d'une demi-heure, tant qu'ils ne seraient pas certains qu'elle ait disparu dans la forêt et qu'il ne se trouve aucun policier en vue ni chasseur de prime surtout, car si les premiers ne manifestaient pas grand zèle le dimanche, par contre les autres s'y faisaient particulièrement actifs.

Les grands érables ouatés l'enveloppèrent de leur majestueuse sécurité. Marion respira profondément. La fraîcheur était vivifiante. Quand la cabane commença à lui apparaître, elle pressa le pas. Et elle ne tarda pas à repérer la silhouette aimée qui se dessinait dans l'embrasure de la porte.

Qu'il manque de prudence ! se dit-elle en lui adressant un signe de la main. Elle se trompait. Il l'avait vue venir depuis belle lurette depuis la tour d'observation en laquelle il avait transformé le soupirail à vapeur au faîte de la cabane. Bien malin qui aurait pu le surprendre ! Il avait dormi là-bas, mais au lever, il s'était rendu compte que sa piste n'avait pas été entièrement effacée par la neige faiblarde de la nuit. Alors depuis le matin, il était resté sur ses gardes.

Quand il ne resta plus que cent pieds les séparant, les fiancés s'arrêtèrent pour se regarder et se parler par le silence et l'immobilité. Il appuya le canon de son arme à la porte et marcha vers elle. Marion fit quelques pas hésitants puis elle courut. Il la reçut dans ses bras comme si elle eût été une enfant fragile et sacrée.

Ainsi qu'elle le faisait toujours après avoir été longtemps sans le voir, la jeune fille coucha timidement sa tête sur sa poitrine. Il ferma les yeux, les promena dans ses boucles, laissa son cœur battre à se rassasier. Marion serrait et relâchait ses bras autour de lui pour dire et redire son bonheur et son amour.

La forêt leur parut indiscrète, le froid inconfortable, leurs manteaux de trop. Ils entrèrent.

— Bienvenue chez nous, dit-il en lui effleurant le front d'un lent baiser.

— Tu vas bien ? dit-elle en le suppliant du regard de la rassurer.

— Quand on est libre, tout va pour le mieux.

— Libre...de moi ?

— Libre de mon attachement à toi.

Il retourna chercher son arme, verrouilla la porte. Puis il prit sa fiancée par l'épaule et la conduisit à leur refuge.

— Merci pour les œufs et la viande. C'est toi qui les as mis dans l'armoire ?

— C'est papa.

— C'est un homme généreux !

John McKinnon se félicitait du bonheur que connaîtraient les fiancés cet après-midi-là. Il jeta un dernier regard sur la maison des voisins où vivait Leroyer. Il pensa que le Sauvage ne bougerait probablement pas ce jour-là et que, même s'il sortait, il ne pourrait deviner que Marion était partie retrouver Donald à la cabane. Il se disait que Leroyer n'aurait jamais l'audace d'affronter seul un aussi bon tireur que le jeune cow-boy.

À l'écoute des appréhensions de Spanjaardt transmises par Marion, McKinnon avait été sur le point d'aller avertir le fermier canadien-français qui n'aurait pas manqué de chasser le Sauvage de chez lui. À la réflexion, il avait pensé qu'il valait mieux garder Leroyer à vue, car il le considérait comme des plus dangereux pour Donald à cause de ses connaissances de la forêt et de ses talents de chasseur.

Il repartit vers sa demeure de son long pas solide, le regard satisfait et le cœur à la reconnaissance. Et il adressa une prière de remerciements à la mère de Marion dans l'au-delà.

Leroyer se pencha, examina les empreintes de pas. Geste superflu car au premier coup d'œil, il avait reconnu la piste fraîche de pieds féminins se dirigeant vers la forêt. Il hocha la tête à quelques reprises puis se releva en lançant un regard cruel dans la direction que prenait la piste. Il vérifia sa Winchester. Le magasin était chargé à pleine capacité, soit de dix-sept cartouches de type 44-40, les plus meurtrières, capables de faire éclater le crâne d'un orignal, y laissant sur son passage un trou gros comme le poing.

Il se remit en marche, s'éloigna de la piste sans la perdre de vue. Il fallait qu'il se comporte en chasseur au cas où Morrison l'aperçoive. Il savait que le hors-la-loi ne tirerait jamais sur quelqu'un à moins de se sentir traqué. Personne n'ignorait maintenant que Donald aurait pu, à maintes reprises, abattre des policiers.

Parfois, il s'était fait menaçant pour effrayer ses pourchasseurs ; mais de là à les abattre, il y avait une marge qu'un Écossais de bonne souche n'aurait jamais franchie.

Assis sur le lit, les amoureux s'étreignaient. D'un baiser qui paraissait devoir durer l'éternité. Et qui prit fin si vite. Car une autre forme d'étreinte se disputait le cœur de Donald : celle de l'angoisse et de l'inquiétude.

Il fit parler Marion sur la fouille. Car il en savait à peine plus que l'article de Spanjaardt. Elle chercha encore à le convaincre de partir. Il répondit évasivement, sans conviction. Il y repenserait. Ce n'était pas le temps. Il désirait passer les Fêtes auprès d'elle.

Pendant qu'ils se préparaient à l'expression de l'amour, le Sauvage arrivait à un point d'où il pouvait constater que la piste se dirigeait tout droit à la cabane à sucre. Une fumée bleuâtre, sortie d'un tuyau sur le côté de la bâtisse, lui fit déduire que Marion McKinnnon devait s'y trouver depuis un bon moment à y attendre son ami ou qu'à l'inverse, Morrison l'y avait précédée. Quoi qu'il en soit, il avait découvert leur lieu de rendez-vous. Il lui suffisait de s'embusquer. Et d'attendre. Auparavant, il voulut s'assurer que le hors-la-loi s'y trouvait bel et bien. Il décrivit un grand cercle, finit par croiser une piste d'homme qui lui dit qu'on était venu d'une autre direction plusieurs heures avant. Enfin il repéra un érable à deux troncs mais à même souche, mit sa carabine dans le Y, visa soigneusement en direction de la porte.

Une longue attente lui permit de réfléchir. Il se dit qu'il devrait disparaître des cantons après avoir abattu le hors-la-loi de peur qu'il ne lui arrivât quelque accident de chasse. La prime compenserait amplement pour l'inconvénient. Il irait exercer son métier dans un autre territoire.

Mais l'inquiétude augmentait en lui en même temps que grandissait l'impatience. Dix fois il se répéta le récit qu'on lui avait fait de la mort de Jack Warren. «Morrison peut toucher un homme entre les deux yeux à cinquante pas,» assurait-on partout. Mais le Sauvage se consolait et se rassurait à la pensée que la distance le séparant de la cabane le mettrait hors de portée des dangereux pistolets du hors-la-loi.

Il imagina ce qui pouvait arriver s'il le ratait à la première balle. Morrison se précipiterait à l'intérieur. Il finirait par le repérer. Et il utiliserait, lui aussi, sa carabine...

Alors il sentit un frisson lui parcourir l'échine. Les amoureux s'étaient rhabillés. Assis côte à côte sur des chaises de babiche, les pieds appuyés sur la bavette du pœle, main dans la main, ils s'échangeaient des propos désolants.

Marion parla de Leroyer. Peu enclin à croire qu'on puisse lui vouloir du mal, malgré Tom Horn, le major McAulay et les chasseurs de prime, Donald conclut, afin de satisfaire sa fiancée :

— Je vais m'arranger pour ne pas le rencontrer.

— Mais il pourrait tirer sur toi en pleine forêt !

Le Sauvage avait mal aux reins. Il avait les genoux gelés. Il regarda le ciel qui commençait à s'opacifier. Les chances de toucher Morrison du premier coup diminuaient à chaque minute. S'approcher ? Et risquer d'être vu ou entendu. Il se dit que le hors-la-loi était un gibier trop dangereux pour s'y frotter à la brunante ou à la noirceur. Alors il décida de se retirer...

Le lendemain, Donald croisa la piste de Leroyer. Il la suivit, comprit qu'un homme s'était embusqué derrière l'érable en Y. Alors il fit savoir à Marion qu'il ne pourrait plus la rencontrer à la cabane des McKinnon.

En ces heures-là, le Sauvage rendait visite aux autorités à l'American Hotel. Il proposa d'organiser un traquenard à la cabane à sucre, le dimanche suivant. Dugas et Carpenter l'écoutèrent avec scepticisme. Depuis des mois qu'ils faisaient courir inutilement leurs hommes et qu'eux-mêmes s'essoufflaient sur toutes sortes de fausses indications, ils n'avaient aucune envie de prendre un second avis de Leroyer alors qu'un premier leur avait valu tant de quolibets et ce grand titre dans le Star :

ON TRAQUE DEUX VIEILLARDS

Un jeune constable fraîchement arrivé de Montréal se trouvait dans la pièce. Six pieds, bilingue, souvent affecté à du service spécial rue Saint-Jacques, d'une affabilité qui plaisait à tous, il avait été délégué à Mégantic par le maire en personne.

Dugas remarqua le grand intérêt de ce nouveau venu pour les discours de Leroyer dont il avait un vif désir de se débarrasser. C'est pourquoi il les présenta l'un à l'autre.

— Monsieur Leroyer, connaissez James McMahon, un détective de Montréal dont on dit le plus grand bien.

— Et vous, connaissez Pete Leroyer, un chasseur qui connaît les forêts des cantons comme sa poche.

Un quart d'heure plus tard, au bar de l'hôtel, les deux hommes discutaient des façons de s'y prendre pour mettre le grappin sur le hors-la-loi.

Chacun comprit qu'ils pourraient former une équipe naturelle. Non éligible à la prime parce qu'à l'emploi de la ville de Montréal, McMahon pourrait partager sous la table avec Leroyer. Et le Sauvage, lui, secondé par un policier n'aurait plus aucune crainte à faire face à Morrison.

Au bout d'une longue conversation, ils s'entendirent pour travailler de concert. Et ils scellèrent leur contrat verbal en entrechoquant leurs verres.

— Je serai de retour vers le vingt janvier, dit McMahon, et la vraie chasse commencera alors.

— Et le gibier ne nous échappera pas, rétorqua Leroyer en esquissant un sourire vicieux.

McMahon conclut, disert :

— Il faudra considérer Morrison comme du gibier ordinaire. Il faudra le traquer sans répit, malgré l'ennui, malgré le froid, malgré la fatigue. S'il se nourrit de viande crue, de porc-épic ou de lièvre, on le fera. S'il manque d'eau, on s'en privera...

Quand ils se quittèrent, tout doute sur l'issue de leur entreprise avait disparu.

CHAPITRE 15

Dans la semaine suivante, celle qui précédait Noël, tous les étrangers participant à la chasse à l'homme disparurent de la région.

Les soldats furent les premiers à être rappelés. Bien qu'ils aient constitué le contingent le plus nombreux et le plus actif, ils n'avaient jamais représenté une menace réelle pour le fugitif. Depuis la venue de l'hiver, ils ne sortaient plus que par routine et beau temps.

Les policiers prirent le train à leur suite. En fin de compte, McMahon, Carpenter et le juge Dugas fermèrent le quartier-général et rentrèrent à Montréal.

Les derniers à quitter les lieux furent les chasseurs de prime. A regret. Mais faute de l'appui des représentants de la loi et parce qu'ils travaillaient en très petites équipes ou individuellement, ils ne se sentaient plus en sécurité dans les cantons. Ils s'évanouirent comme neige au soleil en se promettant de revenir à la prochaine occasion.

Donald apprit par ses amis que la racaille avait levé les voiles. Piège ? Plus probablement trêve-repos, pensa-t-on, et qui pourrait durer jusqu'après les Fêtes, et avec de la chance jusqu'au printemps.

Lors d'une réunion du comité pour sa défense et à laquelle Donald assista pour la première fois, il fut décidé d'une attitude à prendre eu égard à la nouvelle situation.

Le fugitif reviendrait à sa première cache chez les MacRitchie dont la maison était bien située par rapport à Mégantic et Marsden ; mais surtout parce que le boisé faisait une pointe se rapprochant du grand chemin et pouvait constituer une voie d'évasion en cas d'urgence.

Donald souligna sa grande peine de ne pas pouvoir aller à l'église comme tout le monde. Finir l'année sans assister aux offices religieux l'attristait par-dessus tout.

On le rassura. Un plan d'action fut établi de sorte qu'il puisse, lui aussi, faire ses dévotions.

À Montréal, chez le grand connétable Bissonnette, conféraient le juge Dugas, le chef Carpenter et le procureur général de la province.

On se rallia à l'opinion du juge :

— Quelques hommes pourront réussir là où des centaines ont échoué, fit-il valoir. Plus on nous expédie de soldats et de policiers, plus les Écossais se sentent menacés et plus ils se serrent les coudes autour de Morrisson. Moins il y aura de monde là-bas, moins on se sentira obligé de protéger le hors-la-loi. Et c'est avec quelques limiers au nez fin qu'on va finir par lui mettre la patte sur le corps.

— C'est précisément pour cette raison que nous avons envoyé McMahon, affirma Bissonnette. Quand ce gars-là a une affaire entre les mains, il agit comme un lévrier et ne rate jamais son coup.

Les derniers mots de la réunion officielle appartinrent à Arthur Turcotte :

— Le premier ministre veut que cette affaire soit réglée aux moindres coûts possible et incontinent. C'est pourquoi je me range de l'avis de mon ami le juge : le moins d'hommes qu'on pourra, une douzaine au maximum, mais des bons. Pour que les chasseurs de prime se sentent en sécurité. Quelqu'un finira bien par l'avoir. Ce n'est qu'une question de temps.

Le connétable leva l'assemblée.

On ne se quitta pas sur-le-champ. Tant qu'à jouir de la

présence d'un proche collaborateur du premier ministre, autant parler politique.

— C'est le nord qui intéresse Mercier de ce temps-ci, dit Turcotte. Le curé Labelle l'a convaincu que l'avenir de la province se trouve dans la colonisation.

Puis des préoccupations encore plus nobles firent l'objet de leur attention. On se dit comment on passerait la fête de Noël. De saines réjouissances familiales suivraient la sainte messe de minuit.

Il arriva à Dugas d'avoir le regard absent, perdu au loin, dans les cantons...

— Parions que vous êtes en train de penser à Morrison, lui dit Bissonnette.

— Bien deviné ! Je me demandais s'il va assister à la messe comme nous autres cette nuit.

— Ah, mais il n'est pas catholique, lui, comme nous, objecta Carpenter.

— C'est vrai : je n'y avais pas songé. Mais... n'ont-ils pas une messe de minuit comme nous ?

— Bonne question, dit Carpenter. Je l'ignore. Et vous, monsieur Turcotte, vous le savez ?

Le procureur général haussa les épaules, fit une moue qui voulait signifier son indifférence totale à la question. Lui, avait envie de discuter de choses sérieuses, importantes.

— Parlant de monseigneur Labelle, vous savez le dernière nouvelle ? Son évêque, monseigneur Fabre, malgré l'avis contraire du Saint-Siège, a donné l'ordre à notre cher curé sous-ministre d'abandonner sa fonction politique.

— Ça montre que Mercier est plus fort à Rome que monseigneur Fabre, commenta le juge.

CHAPITRE 16

Le soir du vingt-quatre décembre, Donald se rendit chez lui. Ses parents le reçurent en pleurant. Eux qui ne l'avaient pas vu depuis de nombreuses semaines vivaient dans l'insupportable hantise d'apprendre la nouvelle de sa mort... Et tout le chagrin accumulé, refoulé avec dignité, se déversa en larmes pendant toute l'heure que leur fils passa auprès d'eux.

Murdo resta dans la pénombre, près de la fenêtre, pour scruter l'obscurité dans la crainte qu'un détective ou un chasseur de prime ne s'approchât.

— Sont tous partis, tous, lui redit son fils à plusieurs reprises.

— Et Leroyer, il est toujours là, quelque part, rétorquait le père angoissé.

— Ah... tout ce qu'on dit de lui n'est peut-être pas l'absolue vérité.

— Un sauvage, c'est un sauvage.

— J'ai souvent vu des sauvages dans l'Ouest. Même que je me suis parfois retrouvé seul devant plusieurs d'entre eux. Ils ne sont pas jasants, c'est vrai ; mais ils ne sont pas des tueurs aux mains tachées de sang comme les journaux de l'Est le rapportent.

— Et Custer ? Et tous les blancs qui se sont fait massacrer ? Scalper ? Mensonges des journaux, tout ça ?

— Custer n'était ni un homme ni un soldat ; c'était un maniaque. Il considérait les Indiens comme du bétail à éliminer. Il y a eu bien moins de blancs massacrés par les Indiens que l'inverse. Et puis tout ça est terminé depuis un bon bout de temps.

— Tu devrais te méfier de Leroyer. Paraît qu'il se tient pas mal à l'American Hotel, soutint Sophia.

— C'est bien connu que les sauvages aiment la boisson.

— Voilà justement : la boisson, ça leur fait pas à ces gens-là.

— Les Écossais se méfient de lui parce qu'il n'est pas comme eux autres. Il parle français ; il est catholique... Ce qui veut dire que pour aujourd'hui et demain, du moins, il n'y a pas de danger de ce côté-là. C'est leur messe de minuit et demain ils fêtent Noël comme nous autres.

— Le Sauvage est un demi-sang qui n'a pas de patrie, pas de famille, pas d'heure, dit Murdo excédé. Il peut surgir de nulle part n'importe quand et tirer sur toi.

Donald discutait pour arriver à se convaincre de la netteté de l'horizon. Il cherchait bien davantage à faire disparaître sa crainte de Leroyer qu'à rassurer ses parents. Car trop d'éléments accusaient le Sauvage depuis le jour de la perquisition. Il lui arrivait même de se demander s'il ne devrait pas aller lui parler à cet homme, face à face. Il lirait bien dans son regard...

Il se prépara pour se rendre chez sa fiancée. Il y passerait la soirée avant de retourner chez les MacRitchie. Murdo réussit à le convaincre qu'il risquait gros à circuler sur une route par une nuit où tant de gens voyageaient.

Sophia l'invita à venir avec Marion partager leur repas du lendemain midi.

— Et faire mourir mon père d'inquiétude pendant toute une journée ? objecta Donald.

— Le jour, on peut voir venir quelqu'un de loin, dit Murdo.

Ils désiraient tant qu'il accepte que Donald sourit un peu,

faisant aussi comprendre à sa mère qu'elle pouvait compter sur eux à condition que Marion puisse se libérer de ses obligations.

— Surveille-toi en passant devant chez les Langlois. Leroyer pourrait…

— Il sera parti au village, coupa Donald avec une touche d'impatience dans la voix.

— Où vas-tu dormir ? s'enquit Sophia.

— Chez les McKinnon.

— Tu ne prends pas une lanterne ?

— Fait clair de lune.

— Prends garde, fit Murdo quand le jeune homme referma la porte.

— Prends garde, répéta Sophia comme en écho. Mais le son de sa voix se heurta au bois gris.

Une liberté qu'il trouvait grande comme la montagne, pure comme l'eau de l'étang, froide comme la glace du lac s'insinuait dans ses poumons. Il la respirait à pleines narines en accrochant les points d'or de ses yeux à la poussière d'étoile du ciel noir. Il fit à Dieu une longue prière de reconnaissance jusqu'au moment où apparurent nettement les contours de la maison des Langlois.

Il rendit grâce au Seigneur pour la vie qu'il répandait si généreusement dans les cantons, pour la terre fertile, pour les forêts giboyeuses, les lacs profonds bourrés de truites, pour avoir donné la vie à Marion…

Une lueur lui parvint soudain depuis la maison des Langlois. Elle avait dansé à une fenêtre puis s'était immobilisée. Pourquoi donc avait-on allumé alors qu'il s'approchait ? Car l'on pouvait certes discerner sa forme sombre sur le chemin pâle éclairé par les éclats de lune.

Donald perçut un léger tremblement dans sa main droite. Ce n'était pourtant pas le froid puisqu'il portait doubles mitaines.

« Quand ta main frémira, tiens-la prête, » lui avait souvent répété Bill Henry.

Il s'arrêta, mit sa carabine entre ses jambes. Il enleva les deux mitaines de sa main droite, les enfouit dans une poche. Puis, les yeux braqués sur la fenêtre inquiétante, il se remit à marcher à pas mesurés. Puis d'autres fenêtres, celles d'en avant, laissèrent à leur tour passer les lueurs suspectes. Mais le passant ne pouvait rien distinguer à l'intérieur, pas même une ombre chinoise.

Depuis une bonne minute, on le mettait en joue. Seul à l'intérieur, le Sauvage avait vu venir le hors-la-loi. Il n'avait eu aucun mal à le reconnaître malgré la nuit à cause de la silhouette de la carabine. Il s'était aussitôt imaginé que l'autre profitait de l'absence des Langlois pour venir lui régler son compte. En ses pensées coupables, il croyait que tous les Écossais, donc Morrison, connaissaient ses intentions.

Il avait donc commencé par allumer une lampe dans la cuisine pour attirer l'attention et la concentrer sur cet étage. Aussitôt, il était retourné en haut pour mettre le marcheur solitaire dans sa ligne de tir.

Les muscles de ses joues se contractaient et se relâchaient à chaque pas que Morrison faisait. Et de le voir enlever ses mitaines avait décuplé ses appréhensions. Malgré tout, il n'osait tirer. Et si Morrison ne faisait que passer par là pour aller voir sa fiancée ? Comment n'y avait-il pas songé plus tôt et s'était-il laissé envahir par la panique ? Quelle bourde il avait commise en allumant une lampe en bas ! Elle avait trahi sa présence. Pas trop reluisant pour un chasseur d'expérience, se dit-il.

Donald avançait toujours sans songer à regarder aux fenêtres des lucarnes tant il se méfiait de ce qui se tramait derrière celles d'en bas. Si ses yeux restaient fixes, sa tête, elle, bougeait sans arrêt. Cela aussi lui avait été enseigné dans l'Ouest... Les vieux routiers soutenaient que l'exercice comportait plus d'un avantage : en plus de garder le cerveau plus alerte, de rendre cette cible vitale plus mobile, le manège pouvait distraire l'attention de l'adversaire tant soit peu mais peut-être juste assez pour l'empêcher de tirer juste. « En cette matière, la vie et la mort se jouent sur des fractions de seconde et de pouce, » avait cent fois répété Bill Henry.

Le doigt fermement appuyé sur la gachette, l'instinct de chasseur bridé par celui de la prudence, Leroyer attendait. Tout à coup, il fut devant l'évidence : Morrison passait son chemin et n'était donc pas venu pour le surprendre. Et voilà que dans sa mire, ce n'était plus un attaquant dangereux mais bien plutôt un fugitif vulnérable. Alors son envie de tirer augmenta encore.

Leroyer n'aurait jamais eu l'idée de viser la tête. Le tronc offrait bien plus d'espace vital. Le foie, le cœur, les intestins, les artères, la colonne : autant de points qu'une balle de 44-40 pouvait faire éclater et réduire en charpie.

Les yeux mouillés de haine, la bouche remplie d'eau, il finit par abaisser son arme. D'abord parce que la vitre pouvait changer la trajectoire de la balle. Puis quand il s'était rendu compte jusqu'à quel point le hors-la-loi lui faisait peur. Il ravala tous ses sentiments. Un goût de cendre naquit dans sa bouche.

Donald accentua le pas. À la même vitesse que la maison des Langlois, s'éloignait une inquiétude poignante. C'est bientôt celle des McKinnon dont toutes les fenêtres jetaient dehors une lumière nette, qu'il commença à distinguer sur sa colline douce. Alors il renoua avec ses rêves. Il imaginait sa vie sans le major et sans Warren en ce moment même, dans la maison paternelle bien plus grande et plus chaude que cette cabane en bois rond où ses parents avaient été confinés par l'injustice des hommes.

Marion l'attendait. Elle reconnut ses trois coups discrets à la porte. Les yeux éclairés d'un sourire tendre, elle l'empêcherait de voir cette robe qu'elle s'était confectionnée avec toute l'adresse que Dieu avait mise dans ses doigts et une patience passionnée qu'elle avait abreuvée pendant des semaines à l'image de son fiancé la regardant et l'admirant quand elle étrennerait.

Un tourbillon d'air froid s'engouffra à l'intérieur en même temps que Donald. Mais il eut tôt fait de disparaître quand elle se sentit enveloppée de ses regards qu'il transportait de son visage à ses cheveux puis à sa robe. Le charme fut rompu par la voix de John s'écriant :

— Ça fait plaisir de te voir, Donald !

Le jeune homme fut surpris de cette attitude chaleureuse, lui qui avait toujours perçu McKinnon comme un être réservé.

— T'as presque gagné tes épaulettes ? On dit que tous les pisteurs de Montréal sont retournés chez eux ?

Marion se retira de quelques pas. Elle voulait que les

deux hommes communiquent plus directement sans son obstruction.

— Donne-moi ton manteau, fit-elle.

Il appuya sa carabine près de la porte et se déshabilla.

— Chargée ? s'enquit John en fronçant les sourcils.

— Toujours.

— T'en auras pas besoin cette nuit. Marion, mets-la dans le placard. Et toi, Donald, viens fumer une bonne pipée et me raconter tout ce qui t'est arrivé ces derniers mois.

Le jeune homme jeta un regard contrarié et inquiet vers sa fiancée. John, le devinant, dit :

— Ne prends pas d'inquiétude ; dans une heure on sera au lit et vous serez ensemble le temps que vous voudrez.

Les hommes s'assirent à un bout de la pièce ; Marion et ses sœurs à l'autre. Mais les fiancés n'avaient pas besoin de se parler pour rayonner. Chacun se sentait bien de la seule présence de l'autre.

A mesure qu'il relatait ses aventures, Donald se surprenait de constater que Marion n'avait rien raconté de ces choses à son père, elle à qui il confiait tout. On s'échangea ensuite des propos sur les chevaux, sur le marché central de Mégantic, sur une famille nouvellement arrivée à Marsden.

Avant de se retirer dans sa chambre, John dit avec un sourire paterne :

— On a quatre chambres en haut. Deux sont libres. Je vous laisse arranger ça entre vous deux...

— Ça ne sera pas de refus, fit Donald quelque peu embarrassé. Il fait bon ici.

— C'est Marion, la responsable. C'est elle, la vie de la maison depuis le départ de sa mère.

— J'ose vous demander de l'emmener avec moi chez mes vieux parents, demain midi.

— Elle est plus à toi qu'à moi, dit John avec un clin d'œil complice. Moi et les Écossais de tous les cantons, on vous considère comme un couple marié.

Donald sentit le besoin de justifier sa conduite :

— Dès que possible, on ira voir le pasteur.

John lui toucha l'épaule et dit :

— Si tu veux la jument et la carriole pour demain ?

Donald consulta Marion d'un regard. Elle acquiesça d'un sourire.

— Merci, dit-il à John.

Quand ils furent seuls dans la pièce, Marion éteignit deux des trois lampes. Il épia le moindre de ses gestes. Sa main gracieuse se plaçant au-dessus de son souffle. Les feux de la flamme folâtrant dans ses boucles. Ses lèvres s'arrondissant. Sa poitrine se gonflant. Une indicible émotion s'irradia en lui comme depuis une fontaine de tendresse éclatant au cœur de sa poitrine. Il but à se noyer à l'expression fragile que sa fiancée dégageait.

Quand elle retourna vers lui, vers la berçante qu'il avait approchée de la sienne pour elle, il se leva et la prit dans ses bras. Ils se murmurèrent de longs désirs, des espérances douces, et d'amoureux secrets.

Puis elle prit la lampe qui restait et monta dans l'escalier menant aux chambres. Il la suivait en vibrant à son appel silencieux. Il se demandait si elle l'inviterait à sa chambre, s'il serait convenable de... Elle se posait les mêmes questions.

Elle le conduisit à la chambre des visiteurs. Il avait sa réponse, un peu triste de constater qu'elle partirait. Elle espérait qu'il demandât à rester. En déposant la lampe sur une petite commode de bois gris, elle dit :

— Je te laisse un peu de lumière. Moi, je connais tous les airs de la maison.

Il lui mit les mains sur les hanches. Elle coucha sa tête sur sa poitrine.

— Je pensais... osa-t-il dire sans terminer.

Elle le questionna du regard.

— Ta robe, elle est très belle.

— Tu l'avais remarquée ?

— Ton père m'a enlevé à toi et je n'ai pas pu te le dire avant.

— C'est que papa t'aime beaucoup. Il avait hâte de te voir et de te parler.

— Jamais je n'aurais cru avoir autant d'amis dans les cantons!

— Tu es devenu leur symbole, dit-elle sans réfléchir.

Cette parole eut pour effet d'inquiéter Donald sur la fidélité de ses amis. Il se débarrassa de cette vaine idée. Ce n'était pas le temps de réfléchir. Un bonheur aveugle remplissait cette chambre, cette maison, cet univers ; il devait s'en gaver tandis que Dieu le permettait. Encore.

— Je pensais que nous passerions la nuit ensemble, lui souffla-t-il.

— Les enfants ?

— Ils doivent dormir ?

Elle fit un signe affirmatif. Elle n'avait nulle envie de se faire prier. Mais son rôle de mère lui fit proposer :

— Je vais rester une heure ou deux. Ensuite j'irai dans ma chambre.

Au matin, Donald aida John dans ses travaux à l'étable. Puis on déjeuna copieusement grâce aux bons soins de Marion. Il ne fut pas question des démêlés du hors-la-loi avec les gens de la justice.

Le frère de Marion multiplia les questions sur la vie dans l'Ouest. Une fois encore, Donald garda sous silence l'épisode concernant Kandy Cane.

Une heure passa. On s'apprêta à partir. John prêta à Donald un gros bonnet de fourrure orné d'une queue. Il fallait tromper Leroyer ou même des voyageurs qui auraient pu se vanter d'avoir rencontré le célèbre hors-la-loi.

Des frimousses noiraudes se collèrent aux vitres chez les Langlois quand passa le traîneau. Donald s'était reculé au fond du siège, caché par Marion qui conduisait la jument. Elle agita la main pour saluer les enfants. Ils sautillèrent de contentement.

Depuis une chambre du deuxième étage, des yeux fauve suivaient la progression de la voiture noire sur le chemin blanc.

— Tu n'as fait que mangeotter, dit Sophia à Marion à la fin du repas.

— On dirait que j'ai perdu l'appétit depuis quelque temps.

Le fils et sa mère s'échangèrent un coup d'œil qui en disait long sur leur pensée mais que Marion, perdue dans ses propres réflexions, ne put lire. Sophia la ramena à table en lui parlant de sa robe. A son tour, Donald devint songeur. S'il fallait que Marion tombe enceinte et que lui soit abattu ou emprisonné pour de longues années! Dans sa fuite éperdue, occupé tous les instants par son avenir immédiat, jamais il n'avait réfléchi à cette question. Elle et l'enfant ne seraient-ils pas marqués au front par la honte ?

Tout à coup, il pensa que Marion devait désirer de toutes ses forces avoir un enfant de lui, un enfant qui deviendrait un argument sans réplique pour soutenir l'idée qu'il devait s'exiler. Le sentiment qu'elle avait pour lui était-il donc aussi entier ? Pouvait-elle concevoir un dessein aussi généreux ?

C'est précisément pour cette raison qu'elle avait voulu l'épouser devant Dieu, risquant d'être honnie par toute la communauté écossaise. Elle n'avait pas eu de mal à garder son secret puisqu'elle ne se l'avouait pas à elle-même. Mais chaque mois, la grande espérance, inexorablement, s'écoulait de son ventre pour ne revenir l'habiter qu'après son prochain rendez-vous avec son fiancé.

Après un bref répit à l'heure du repas, Murdo retourna se poster près de la fenêtre pour surveiller la route. Et surtout du côté de Mégantic vers la maison des Langlois. Leroyer n'aurait qu'à bien se tenir s'il osait s'approcher. C'est lui-même qui le ferait fuir avec la carabine de Donald.

— Inquiet ? se désola son fils.

— Tant qu'à me bercer, pourquoi pas ici ? Comme ça, personne ne pourra te surprendre.

Donald se demanda comment répandre la paix dans toutes les âmes présentes dans cette pièce y compris dans la sienne. Il leva les yeux vers une grande croix noire pendue au mur, interrogea. En les abaissant, il obtint sa réponse. Accrochée en biais, sa guitare lui lança son invitation, une invitation à laquelle il n'avait jamais trop bien su résister depuis ce jour où Norman MacAuley la lui avait confiée.

Dehors, des traînées de poudre blanche s'élevaient parfois en tourbillons glacés.

— La poudrerie qui se lève, commenta Murdo entre deux chansons.

La maison eut tôt fait de se refroidir. Sophia n'avait donné aucun répit au poêle qui ronflait plus fort que la rafale. Pourtant de la glace se formait autour des châssis et au bas des portes. Il fallut que Marion demande à se revêtir de son manteau pour que la vieille femme se plaigne :

— Quand il vente, on a de la misère à tenir la maison au chaud.

Donald se sentait transi.

— Faut absolument poser un lambris sur les lambourdes! s'exclama-t-il. On a le bois qu'il faut dans la grange. Le père, le temps que les chasseurs de prime se reposent, on va en profiter pour travailler.

Murdo avait fait préparer les planches un jour de printemps. Mais les événements avaient sapé ses énergies. Le travail avait été remis de mois en mois. L'automne avait été doux... Marion s'objecta. Décision maintenue. Et elle dut retourner seule en fin d'après-midi. Le Sauvage la regarda jusqu'à ne plus la voir.

Le lendemain, Donald se rendit à Mégantic. Il acheta des clous. On le reconnut. Plusieurs furent estomaqués devant tant d'audace. Quelques heures plus tard, tout le village savait qu'il était allé au magasin général.

Effrayé, choqué, le major McAulay téléphona au juge Dugas. Le magistrat justifia son refus d'envoyer quelqu'un sur l'heure :

— Il saura avant même notre arrivée... Laissez-le dormir. Ou bien arrêtez-le vous-même et vous empocherez la prime.

Le major eut beau soutenir qu'il était un influent organisateur libéral dans les cantons, rien n'y fit et le juge coupa court à la conversation.

CHAPITRE 17

Marion avait laissé les cordeaux lâches sur le dos de la jument qui connaissait sa route et s'arrêta à côté de l'étable. Elle n'avait cessé de pleurer à la pensée que son fiancé s'enlisait de plus en plus dans une trappe de sables mouvants dont personne ne pourrait arriver à le sortir. Sauf lui-même.

Et il refusait de s'aider. Chaque jour voyait augmenter sa détermination de rester sur place et de forcer la justice à lui obéir : combat perdu d'avance et qu'il ne pourrait soutenir encore bien longtemps.

Quand la voiture fut immobilisée, la jeune fille y resta engourdie dans sa réflexion brûlante, enfouie sous la peau de carriole, comme prostrée, sans parvenir à contrôler ses sanglots.

John avait entendu les clochettes de l'attelage et cru que les amoureux étaient de retour. Il jeta un coup d'œil dehors et ne vit qu'une seule personne dans la voiture. Il ne pouvait la reconnaître à cause de la brunante.

Ça ne peut être que Marion! pensa-t-il. Donald sera resté chez lui bien qu'il avait prévu revenir avec Marion.

Des rides verticales quadrillèrent son front. Son souffle aspira, tira sur la pipe. Il ne lui vint en bouche qu'un goût cendreux. La pipe était morte. L'homme se rendit au pœle, souleva un rond, vida le tabac refroidi en se plaignant de sa bouffarde qui ne restait pas embrasée assez longtemps à son goût. A son retour près de la fenêtre, il fut inquiété de voir que l'occupant de la voiture n'avait pas bougé. L'esprit tourmenté par de nombreuses questions, il s'habilla en hâte et sortit. «Était-ce Marion qui avait pris du vin chez les Morrison et s'était endormie au retour dans la chaleur de ses emmitouflures ? » « Ou bien avait-on pris Donald ? Et Marion était-elle effondrée sous le poids de la douleur ? » «Et si quelque chasseur de prime avait tiré sur Marion, croyant qu'il s'agissait du hors-la-loi ? »

Tout ça n'avait aucun sens et il pressa le pas vers l'attelage. Il reconnut bientôt sa fille et lui cria :

— Donald n'est pas avec toi ?

Elle sortit de sa torpeur. Il souleva sa lanterne à hauteur de visage.

— Où est Donald ? répéta-t-il, bouleversé de voir les yeux enflés de Marion.

— Resté là-bas.

John fut soulagé de voir que rien de grave ne s'était produit. Elle se vidait de ses larmes et s'en trouverait mieux ensuite.

— Va à la maison ; je m'occupe de dételer.

Respectueux des chagrins intimes, l'homme n'aurait pas cherché à en connaître la cause exacte. Si sa fille désirait s'ouvrir le cœur, elle le ferait d'elle-même. Souvent il avait deviné la peine de Marion, elle qui avait été bousculée par la vie plus qu'à son tour. Mais toujours, elle s'en était sortie en silence.

Il fit avancer la jument jusque sous un appentis, détela, conduisit la bête dans l'étable et revint auprès de Marion qui n'avait toujours pas bougé.

— Tu attends de geler là-dedans ? Viens à la maison.

— Je n'ai pas froid.

— On a du thé chaud plein une théière qui nous attend sur le pœle. Viens...

Il lui prit un bras, l'aida à descendre. La neige dure attachait à leurs pas ses crissements plaintifs. Marion pensa qu'il lui fallait maintenant sécher ses larmes afin de paraître devant sa sœur et son frère comme la mère de famille qu'elle se devait d'être : mature et froide. Elle était déjà résignée à ne pas se vider de sa douleur par des mots qui libèrent. Qui, mieux que cet homme qui marchait auprès d'elle, eût pu la consoler ? Lui toujours si généreux et sensible !

Sur la galerie, avant que son père n'ouvre la porte, dans un des rares mouvements de révolte de sa vie provoqué par l'image du Sauvage tuant Donald, Marion osa dire en secouant la tête :

— Comment toute cette histoire va-t-elle se terminer ?

L'homme hocha la tête. Puis il retourna sa grosse masse sombre en disant :

— Ma pauvre enfant, seul Dieu qui nous gouverne le sait. C'est lui, le grand Maître.

— Il y a quelque chose de bien étrange dans tout ce qui arrive.

— Étrange ? questionna John en abaissant son bras qui tenait la lanterne. Se dessinèrent alors dans leurs visages des formes sombres.

— J'ai un sentiment de... de solitude face à tout cela. Comme si j'étais seule au monde à me battre pour sauver Donald.

— Je ne comprends pas.

— Je ne sais pas... C'est comme si j'étais la seule personne des cantons à désirer de toutes ses forces qu'il s'en aille... au loin... aux États.

— Tous ceux qui l'aident, le cachent, lui donnent de quoi se nourrir risquent de se faire prendre eux-mêmes.

— Il me semble qu'un homme, même lui, ne saurait compter autant d'amis. Ce n'est pas normal. Il ne s'appartient plus lui-même. Il est devenu comme... la créature des autres, de la communauté écossaise. Il m'a fallu du temps pour le comprendre, mais je crois voir clair maintenant. Plus longtemps on va le soustraire à la justice, plus éclatant sera son martyre !

— Tes paroles sont difficiles à saisir. Elles me font penser à la sainte Écriture.

— C'est justement en me rappelant l'histoire du Christ que j'ai le mieux compris ce qui arrive à Donald. A sa manière, le Seigneur a défié les lois de son époque aussi. Et la foule l'a adulé pour cela. Mais quand la soupe est devenue trop chaude, alors la ferveur des gens s'est transformée en haine et en mépris.

— Marion, tout de même, les Écossais ne sont pas des Juifs ! La décision de partir appartient à Donald et à lui seul. Ses amis ne peuvent rien faire d'autre que de le conseiller.

— Tout ce qu'il craint c'est de décevoir ses amis ou de les compromettre. Dans sa tête, tout tourne toujours autour de cette idée. Mais la foule, elle, va se mettre à en demander plus.

— Admettons qu'il y a peut-être des personnes qui pensent comme tu dis. Mais il y en a qui s'inquiètent pour de vrai et sincèrement. Norman MacAuley a laissé son travail dans l'Ouest pour venir l'aider.

— Dans un premier mouvement, les gens veulent vraiment l'aider. Mais vient vite un temps où, sans s'en rendre compte, c'est eux-mêmes qu'ils cherchent à aider... pas eux personellement, mais la communauté... On sait que tout le pays suit l'affaire par les journaux et on s'est laissé tenter par l'idée de faire de lui une sorte de Louis Riel écossais. Et il est en train de le devenir.

— Le vent se lève, je sens le froid me pénétrer. Rentrons.

John ouvrit. Une vapeur blanche les enveloppa. Marion referma. L'homme opina :

— La bataille de Riel était... politique tandis que celle de Donald est plutôt personnelle.

— En d'autres mots, Riel cherchait à sauver les autres alors que Donald cherche à se sauver lui-même ?

— On pourrait le dire comme ça.

— Ça soutient encore davantage ce que je disais : on aide Donald parce qu'il est devenu un symbole.

— J'espère bien ne pas l'aider pour cette raison, moi.

— M'auriez-vous permis que je le rencontre en cachette si vous n'étiez pas, vous aussi, solidaire de la grande cause écossaise ?

— Où vas-tu chercher tout ça ? C'est la peur de perdre

Donald qui te fait parler ainsi.

Il se fit un long silence, chacun ôta son manteau et le suspendit à un des crochets de bois dont une rangée s'allongeait depuis la porte jusqu'à l'escalier.

— Viens boire un bon thé bouillant.

John avait tout le mal du monde à suivre les raisonnements de sa fille. Elle venait de lui révéler un aspect d'elle-même qu'il ne connaissait pas. Elle avait parlé comme quelqu'un d'instruit : un pasteur, un journaliste, un avocat. Elle avait pourtant quitté l'école depuis des années et ne savait pas beaucoup plus que de lire et d'écrire.

Il se rendit chercher des tasses dans une armoire, les mit sur la table aux places coutumières. Puis il servit un thé bruyant, fort et fumant. Il se rappela alors que chaque jour, Marion lisait dans la Bible et que c'est cela qui devait la rendre capable de concevoir des pensées aussi profondes.

L'homme passa sa main sur sa tête, tâchant de ramener à la raison une grosse mèche rebelle. Il dit lentement en sapant pour atténuer dans sa bouche le brûlant d'une mouillure de thé :

— Le bon Dieu qui nous voit va tout arranger. Tu verras.

— Vous savez mieux que personne que le bon Dieu n'arrange pas toujours les choses comme on le voudrait.

John comprit l'allusion. Le souvenir de sa femme, aussi vivace et net qu'au lendemain de sa mort, mit en son regard de la nostalgie. Marion avait raison. Il se tut.

— Longtemps je me suis dit que si Donald ne m'était pas destiné, il ne serait pas revenu de l'Ouest. C'était de la superstition. La vie n'est pas comme ça. Le bon Dieu ne donne pas de signes sur ses vues de l'avenir. Il ne faut pas se laisser faire. Il faut se battre... Comme Donald, dans un sens... Mais il faut le faire avec discernement. Lui, il tente le diable. Imaginez donc qu'il est resté chez lui pour poser un lambris. Ça va se savoir. On va se dépêcher de courir pour l'arrêter.

— Mais non ! Ses pourchasseurs sont tous partis.

— Ils reviendront.

— Oui, mais pas avant la fin des Fêtes. Les catholiques, entre Noël et la fête des Rois, ne font pas grand-chose d'autre que de boire, manger, danser. Le tonnerre leur tomberait sur la tête qu'ils ne changeraient pas leurs habitudes. Tu n'as pas à t'inquiéter avant le sept janvier.

— Et le Sauvage, il est toujours là, lui. Je sens qu'il attend dans l'ombre. Je voudrais mourir chaque fois que je passe devant la maison des Langlois.

Marion plongea son regard dans le thé, le fit tournoyer, marmonna:

— Moi, je n'aurai jamais ce que je veux...

— Beaucoup de femmes sur la terre rêvent de souffrances exaltantes, glorieuses. Malgré tout l'amour que j'avais pour ta mère, je pense qu'elle était un de ces femmes. N'en sois pas une! Vis à plein les deux belles semaines que tu as devant toi. Vis-les avec lui. Va l'aider à poser son lambris: ça va réchauffer la maison des Morrison mais aussi ton coeur. Et le sien aussi. Et le sept janvier, on verra bien.

Le silence se fit. Marion se rendit compte que son frère n'était pas là. Ralph était parti faire la levée de ses pièges et n'était pas encore rentré. Elle s'en inquiéta. Elle se souvint que ses sœurs avaient parlé d'une promenade en traîneau. Les trois seraient de retour bientôt. Elle soupira. Il fallait commencer à préparer le souper.

Le cœur ému, l'âme remplie de souvenirs, John se dit à lui-même: « Comment un Dieu d'amour peut-il semer dans le cœur de ses enfants les graines d'un sentiment aussi profond et permettre ensuite que les racines de l'arbre naissant en soient arrachées et séparées à tout jamais? »

CHAPITRE 18

Marion avait parlé à son fiancé quand il s'était rendu à Mégantic. Elle se préparait et à son retour, elle l'accompagnerait jusque chez lui. Cet après-midi-là et le jour suivant, ils passèrent plusieurs heures ensemble à enfoncer des clous, à rire et à chanter. Leur avenir, les policiers, la justice : tout cela était laissé dehors avec la bise hivernale.

En l'après-midi du second jour, Norman MacAuley vint rendre visite à son vieux copain. Sophia l'invita à partager leur repas du soir.

On se mit devant une table généreuse et la conversation roula bon ton grâce aux interventions de Marion qui, lorsque l'affaire de Donald était mise sur le tapis, faisait dévier le sujet sur la vie dans l'Ouest. Et elle écoutait ces longs récits que les deux cow-boys embellissaient et qu'avant eux, d'autres avaient modifiés jusqu'à en faire des légendes: l'assassinat de Jesse James, le règlement de comptes à O.K. Corral, le pardon accordé par le président Cleveland au fils de Belle Starr.

— Tout ça se passe aux États répétait souvent Norman. En Alberta, c'est beaucoup plus calme.

A plusieurs reprises, Donald remarqua le vif intérêt que son ami portait à sa fiancée. Cela ne créait en lui aucune sorte de ressentiment. Il ne doutait pas plus de la fidélité de l'un que de celle de l'autre.

Il fut proposé d'aller pêcher sur la glace de la baie Victoria après le repas. On décida d'attendre au lendemain et de faire une vraie belle excursion d'une journée complète à la petite cabane que possédait Norman sur le lac près de chez lui. Il viendrait chercher le couple et on passerait de nombreuses heures là-bas.

Norman arriva à Marsden en bacagnole sur le coup de midi. Il se présenta d'abord chez les McKinnon, n'eut pas le temps d'atteindre la maison que Marion paraissait sur la galerie. Elle sourit de le voir lui passer un examen visuel approfondi de la tête aux pieds.

— J'ai mis des vêtements de papa. S'il faut passer plusieurs heures au grand froid...

— On va se faire un petit feu dans la cabane.

— Tu veux que j'aille me remettre une robe ?

— Mais non ! Je te regarde parce que tu me rappelles une fille que j'ai connue dans l'Ouest. Elle s'habillait toujours en homme et portait un surnom pour ça...

— Qui était ?

— Calamity Jane. Je n'ai jamais su son vrai nom.

Ils marchèrent jusqu'à la voiture restée sur le chemin.

— Tu fais confiance à ton cheval de le laisser comme ça sans attache.

— Pouah, c'est une ganache !

On aperçut venir un attelage à quelque distance. Une sleigh plate tirée par deux chevaux fougueux. Son conducteur se tenait debout, jambes écartées. Il avait fait de ses cordeaux un fouet avec lequel il claquait sur la croupe de ses bêtes pour les faire courir à fine épouvante.

L'homme avait la tête enfouie dans un capuchon à gros rebord de fourrure et il tenait sa grosse mitaine rouge devant sa bouche et son nez. Marion eut beau ne lui apercevoir que les yeux, elle le reconnut.

— Il s'en va au feu, celui-là, commenta Norman.

— C'est le Sauvage, jeta Marion avec mépris.

On se rendit chez les Morrison. La jeune femme resta

dans la voiture pendant que Norman allait chercher Donald. Quand elle les vit revenir, elle essaya de les imaginer chevauchant dans la prairie, cernant les bêtes, dirigeant leur monture dans l'eau d'une rivière pour y entraîner à leur suite tout un convoi.

Soudain Donald s'arrêta. Il rebroussa chemin disant qu'il avait oublié de prendre le foie d'orignal qu'il avait mis à dégeler la veille et qui servirait à appâter les hameçons. Il salua son amie de la main avant de retourner à la maison.

Norman et Marion bavardaient quand Donald revint. À peine l'entendirent-ils mettre le nécessaire à pêche sur la fonçure de la voiture.

— J'espère que je ne coupe pas votre grande conversation, taquina-t-il pour manifester sa présence.

— Devine de quoi on parle ?

— De l'Ouest.

— Bien deviné. Encore et toujours de l'Ouest.

— Si ça continue, Marion, tu vas en savoir plus que moi sur le sujet, fit Donald en lui jetant un regard bienveillant.

Il longea la voiture, s'arrêta soudain pour dire en portant alternativement ses yeux sur l'un et sur l'autre :

— Vous feriez un beau couple, vous deux.

A son expression singulière, Marion s'interrogea. S'agissait-il d'une blague anodine ? Elle fit une moue joyeuse qui marqua ses joues de fossettes légères.

Donald sauta sur la plate-forme, ramassa les cordeaux.

— Je conduis. Comment il s'appelle, ton cheval ?

— Picouille.

— Pas l'air si mauvais !

— Il serait capable de rester les pattes prises dans six pouces de neige folle.

— Le chemin est tapé dur.

Donald clappa. La bête garda la tête basse.

— Tu vois bien, constata Norman.

Il prit l'insuccès de l'autre comme prétexte pour reprendre les guides. Car il se sentait mal à l'aise d'être ainsi laissé avec Marion tandis que Donald restait seul sur le devant de la plate-forme.

— Donne, je vais lui montrer à se bouger.

— Va t'asseoir, protesta Donald. Je veux conduire et je

n'ai pas trop l'occasion de le faire ces temps-ci.

— Si tu veux ! fit Norman en haussant les épaules.

Donald fit claquer le bout des cordeaux sur la croupe de la rosse qui, surprise, tira d'un coup sec. Norman perdit l'équilibre, tomba et roula jusqu'à Marion qui le reçut en riant.

— Tu vas nous faire tuer, cria-t-elle à son fiancé.

— Vous seriez les troisième et quatrième à mourir à cause de moi, dit-il sur un ton qui ôtait toute gravité à la révélation.

Marion interrogea Norman du regard. Il courba la tête. Jamais il ne révélerait à qui que ce soit, même à elle, surtout à elle, ce qui s'était passé dans le bar de Cheyenne huit ans auparavant.

Avant d'arriver à hauteur de la maison des voisins, on rencontra un homme qui passait une grosse gratte lourde et large sur le chemin pour l'aplanir. Donald fit immobiliser sa voiture le plus à droite qu'il put. L'autre s'arrêta pour jaser. Il dit en gaélique :

— En vous voyant venir, j'ai pensé que vous étiez Donald Morrison.

Donald ne connaissait pas cet homme. Il fronça les sourcils. Mais la langue utilisée le rassura.

— Moi, je suis James McIntyre de Marsden.

— Je suis Donald Morrison.

— Je savais bien que je finirais par vous rencontrer. C'est un grand plaisir pour moi. Si vous avez besoin d'un endroit où vous cacher, ma maison vous sera ouverte. Ma femme et mes enfants aimeraient bien vous connaître.

— Soyez-en remercié.

Il dit où il restait, répéta son invitation et repartit en parlant de l'honneur que Donald leur ferait en les visitant ou en trouvant refuge chez eux.

Le mot fit s'assombrir le visage de Marion. Un autre qui pensait partager la célébrité s'attachant au nom de son fiancé. Elle chassa cette pensée pour se concentrer sur la minute à vivre. Mais on ne lui en donnerait pas encore l'occasion. Revenait de son court voyage ce personnage qu'elle excécrait le plus au monde : Pete Leroyer.

À cent pieds, le Sauvage entreprit de fouetter ses chevaux

ainsi qu'il l'avait fait auparavant en rencontrant le même attelage. Encore planté sur ses deux jambes tel un conquistador suffisant et arrogant il garda les yeux fixes et froids

Donald avait semblable posture, pieds bien plaqués sur la fonçure, cordeaux enroulés autour des mitaines. Il reconnut le Sauvage par son angora, pantalon de fourrure noire, et par une veste en peau d'ours dont Leroyer ne se départissait jamais.

À nouveau, Marion sentit un désagréable frisson lui parcourir la nuque. Elle ne put s'empêcher de suivre du regard cette bête humaine sanguinaire et féroce.

Il fallut presque deux heures pour parvenir chez les MacAuley, près de la baie Victoria.

— Tiens, je te remets ta ganache, fit Donald. C'est vrai qu'on avait des bêtes un brin plus nerveuses là-bas.

Norman dételа et conduisit le cheval à l'étable.

— Combien as-tu apporté de lignes, s'enquit-il en revenant.

— Dix.

— J'en prends dix aussi. Et on fait une gageure.

— Quoi ?

— Décide.

— Marion : décide, toi.

— Le gagnant m'emmène dans l'Ouest, dit-elle après avoir fait mine de réfléchir.

— Ça marche pour moi, fit Donald.

— Aussi, dit Norman.

Il y avait des dizaines de cabanes sur la baie. Chacune pouvait loger cinq ou six pêcheurs. On s'y protégeait du vent tout en surveillant les lignes par les interstices entre les planches des cloisons. Au repas du midi, on faisait cuire les truites dans une poêle sur le feu d'une petite truie de fortune faite d'un baril d'acier ouvert à une extrémité.

Aux quatre coins de la baie, des yeux se rivèrent aux murs afin de voir les cow-boys et Marion. C'est le hors-la-loi qu'on voulait voir. Certains dirent :

— Si la bagarre venait à prendre avec les policiers.

On leur répondait :

— Sont tous partis.

D'autres affirmaient :

— Je vais aller lui serrer la main, à Donald Morrison, moi.

Le soleil était petit, lointain mais scintillant. Le ciel offrait son éclatant contraste bleu à l'uniformité plane et blanche du lac gelé. Au loin à l'est, Mégantic fumait paisiblement.

Le trio passa entre les brimbales, marcha jusqu'à la cabane. Chacun avait les bras chargés. Marion transportait une chaudière contenant des biscuits, du pain, du sirop d'érable et le foie d'orignal. Norman portait une grosse brassée de bûchettes. Donald avait les lignes, sa carabine et une lanterne qui servirait vers le soir.

— J'espère bien qu'on ne s'est pas fait voler nos brimbales, fit Norman avant de les apercevoir sous les bancs.

Alors il mit son paquet sur la glace près du pœle.

— Je m'occupe du feu, proposa Marion.

— Et nous, on va aller percer la glace, dit Norman.

Il chercha dans les bouts de bois mais sans réussir à trouver.

— Les brimbales sont toutes là mais ils sont partis avec la pince de fer, maugréa-t-il. Va falloir en emprunter une.

Il se remit debout, demanda à Marion :

— Où est donc passé Donald ?

Elle le voyait par la porte entrebâillée.

— Il admire la nature, dit-elle.

Ce que faisait précisément le jeune homme. Tout ce qui s'offrait à sa vue se superposait dans son cerveau. Il regardait une chose et en voyait plusieurs autres comme quelqu'un qui est atteint de diplopie. Mariage de couleurs et de formes douces enrobées d'hiver et de liberté. Ses yeux brillaient aux souvenances. Il se revoyait courant sur la glace avec son chien pour tirer sur une ligne au bout de laquelle, selon ce qu'indiquait le mouvement de la brimbale, se trouvait quelque grosse truite ou perchaude. Il lui arrivait d'étendre vingt lignes et de ramener à sa mère des dizaines de poissons qu'elle rendait si bons ensuite…

Norman interrompit sa réflexion :

— Ma pince est disparue. Va falloir en trouver une.

— Je m'en occupe. Prends les lignes et va planter les piquets.

Et Donald confia à son ami ce qu'il tenait. Il ne garda que sa carabine, se dirigea vers une cabane occupée par deux jeunes Canadiens français qui ne se firent pas prier et prêtèrent leur pince.

Un peu plus tard alors que les deux amis travaillaient à percer la glace et à monter les brimbales, un homme petit, les yeux penauds vint se confesser de peur d'être dénoncé et d'avoir affaire à Donald. Sans oser regarder le hors-la-loi, il s'adressa à Norman :

— J'ai emprunté ta pince hier. Tu me l'aurais prêtée, je le sais bien. Je connais bien ton père et ton oncle Charles.

— Vous ne me la rapportez pas ? questionna Norman en jetant un coup d'œil dans la direction où devait se trouver la cabane de l'autre.

— C'est que...sans le faire exprès, tu comprends, je l'ai emportée à la maison hier soir. Elle était perdue à travers mes piquets. Moi-même, il a fallu que je m'en trouve une pour faire mes trous tantôt. Mais je te la rapporte demain, pas plus tard. Je ne suis pas un bandit, moi...

Le mot n'était pas sitôt lâché qu'il voulut le rattraper :

— Je veux dire que je n'ai pas voulu la voler. Tout le monde peut se tromper, hein ?

— Vous la remettrez dans la cabane, là où elle était.

Heureux qu'on lui pardonne aussi facilement, l'homme fit des pas de reculons en rassurant Norman :

— Garanti : je la rapporterai demain sans faute.

— Attention au trou ! avertit Donald.

L'homme adressa un signe de tête craintif au hors-la-loi, fit demi-tour et retourna à sa cabane.

Une demi-heure plus tard, les vingt lignes avaient été installées tout autour. Quand les jeunes gens réintégrèrent la cabane, le pœle ronronnait déjà grâce aux bons soins de Marion.

Elle les regarda tour à tour, émue par les yeux de l'un, amusée par le nez camus de l'autre. Ainsi vêtus de capots de poil, ils remplissaient un large espace au milieu de la cabane sombre que n'éclairaient, outre les raies de lumière s'infiltrant entre les planches, que de minuscules vitres placées à hauteur des yeux sur chacun des murs. Ils ôtèrent leurs mitaines et allèrent se réchauffer les mains au-dessus de la truie en se parlant de pêche.

— C'est moins bon qu'il y a dix ans sur la baie, se désola Norman.

— Il y a trop de pêcheurs, aujourd'hui.

— Si ça continue, en 1900 pas plus tard, le lac sera vidé.

— Donald, ça mord de ton côté, dit Marion qui venait d'apercevoir une brimbale dont la canne s'était penchée en avant.

Il courut lever sa ligne. A l'hameçon, une truite arc-en-ciel se battait de toutes ses forces pour sa liberté et sa vie. Il la souleva à bout de bras pour la montrer à Marion et Norman.

— Elle paraît vigoureuse, commenta la jeune femme.

— Ça annonce qu'on va faire une grosse pêche, se réjouit Norman.

— Un à zéro, dit Donald en entrant.

Il jeta le poisson devant le pœle. La bouche ensanglantée s'ouvrait et se refermait désespérément. La queue s'agita à deux reprises. L'œil devint vitreux.

— Elle a bien douze pouces, évalua Norman.

— Ça bouge dans ton coin, lui dit Marion.

A son tour, l'autre courut lever sa ligne. Sa truite se montrait plus vivante que celle de Donald mais plus petite aussi.

Le même manège se répéta à maintes reprises dans l'heure qui suivit. Norman prit une avance de deux. Alors il s'arrangea pour rejeter quelques prises à l'eau sans risquer d'être vu, cachant sa manœuvre avec son corps. Et de plus, heureusement qu'en son absence, on s'embrassait dans la cabane.

Marion prépara et servit le repas du midi. Les hommes aidèrent. Norman éviscéra les poissons. Donald surveilla la cuisson. Elle fit le reste.

Depuis un bon moment déjà, Donald avait perdu le compte de ses prises. Il se fiait à son ami. Norman avoua qu'il n'en savait trop rien non plus. Il mentait. Et parce que ses lignes étaient immanquablement plus chanceuses, il lui était arrivé, à l'insu des fiancés partis en tournée du champ de pêche, de transférer quelques truites depuis son tas à celui de Donald.

A la brunante, on fit le décompte final. Pour perdre,

Norman avait triché à trois reprises. Et pourtant, à sa grande surprise il gagna.

Donald le félicita, lui serra la main.

— Tu prendras bien soin de Marion en Alberta, fit-il en souriant narquoisement.

Ils rirent tous, Norman se dit qu'on avait dû faire comme lui. Des truites attrapées par Donald avaient dû mystérieusement se retrouver de son côté. Qui donc avait fait le coup ? Donald seul ? Où Marion seule ? Il pensa que finalement, ce petit match amical avait pris une signification dans l'esprit de chacun.

Le dimanche suivant, Marion et son fiancé se rendirent à l'église où ils furent le point de mire de toute l'assemblée. Le pasteur parla longuement de Jésus, souligna l'abandon des siens, la trahison de Judas, le reniement de Pierre.

Marion sentit résonner ces paroles jusqu'au plus profond de son âme ; et son père, quelques rangées plus loin, encore davantage.

A leur sortie, ils furent entourés par des dizaines de personnes qui voulaient voir Donald de près, lui parler, lui serrer la main. On lui donnait des tapes sur les épaules. On l'encourageait. On lui promettait assistance. Il distribua sourires, salutations, signes de la main comme un vieux routier de la politique.

Deux hommes armés, Norman MacAuley et Norman MacRitchie, délégués par le comité de défense du hors-la-loi se tenaient aux coins de la bâtisse. Ils étaient restés dehors durant l'office pour surveiller les environs pour le cas improbable où un détachement de policiers se serait montré.

On se parla de la promenade en traîneau qui aurait lieu en après-midi. Un tour complet du lac, sur la glace, depuis la baie Victoria jusqu'à la rivière Arnold à l'extrémité sud pour l'aller puis retour jusqu'au village de Mégantic.

— Dix-huit milles en tout, dit Norman MacAuley.

— Marion et Donald, vous venez à la promenade ? cria MacRitchie.

Le couple s'approcha. Donald interrogea ses amis. Il sut qu'ils n'avaient pas assisté à l'office et cela le chagrina. On en faisait trop pour lui.

— Vous venez au sleigh-ride ? s'enquit à nouveau MacRitchie.

Donald questionna sa fiancée du regard. Elle acquiesça d'un large sourire.

— Il y aura une quinzaine de sleighs en tout. Jamais de ta vie tu n'auras été plus en sécurité, fit MacAuley.

On discuta du point et de l'heure du départ.

Puis chacun des deux Norman invita l'une des soeurs de Marion à l'accompagner à la promenade. Mary et Lucy demandèrent la permission à leur aînée qui, en guise de réponse, les gratifia d'un sourire espiègle.

La plus jeune irait avec Norman MacAuley qui conduirait une sleigh à deux banquettes où prendraient place aussi Marion et son fiancé. Le départ : vers deux heures.

Des sleighs tournaient sur place, traînées par des juments nerveuses. Plus loin, une ligne se formait. Des participants emmitouflés se parlaient d'une voiture à l'autre. Donald se sentait bien. Marion était ravie. On se tenait la main sous la peau de carriole. Devant eux, Lucy et Norman s'échangeaient des banalités.

— Un coup ? dit un passant guilleret en montrant un flacon d'alcool. Ça va vous tenir au chaud.

Norman accepta, essuya sa bouche, but une rasade. Il passa la bouteille à Lucy qui la prit plus par timidité que par désir de goûter.

— Non, non, fit Marion, elle est bien trop jeune et c'est une fille...

Lucy remit le contenant à Norman qui le tendit à Marion.

— Non, dit-elle fermement.

Donald l'imita. Et Norman remit son flacon au passant, le remerciant avec une moue désolée.

Donald remarqua que la cabane de pêche de son ami paraissait occupée.

— C'est mon frère, dit Norman.

— Il ne vient pas avec nous autres ?

— Pas l'air.

On décida d'aller le visiter. Norman fit avancer le cheval jusqu'aux abords de l'aire de pêche. Le jeune MacAuley sortit de la cabane. Il s'approcha en boîtant.

Donald désigna une longue sleigh qui prenait la tête du

défilé et dit au garçon :

— Regarde, il y a de la place dans la voiture de Peter McIver. Viens faire un tour.

L'adolescent regarda Lucy. Puis il courba la tête en disant :

— J'aime mieux pêcher. Toutes mes lignes sont étendues.

— Ça mord justement là-bas, dit Norman.

Willy se rendit à la brimbale qui avait bougé.

Norman fit repartir le cheval en disant :

— Celui-là, il ne veut jamais se mêler aux autres. Il est beau, il est fort comme un boeuf, mais il n'aime pas le monde.

— Prisonnier de sa jambe comme il est, soupira Donald.

Lucy tourna la tête toutes les minutes vers le champ de pêche dans l'espoir d'un regard de Willie. En vain. Le jeune infirme gardait toute son attention à ses lignes qu'il faisait bouger l'une après l'autre pour mieux attirer les poissons.

Les collines boisées se succédaient depuis une bonne demi-heure. Donald pensa à son harmonica, proposa à Marion de lui faire entendre un peu de musique.

— Tu vas te geler les doigts.

— J'ai des gants dans mes mitaines ; je vais les garder pour jouer.

Bientôt les notes s'égrenèrent, longues, douces, justes. Marion les emprisonnait au fond d'elle-même. Parfois les chants joyeux des occupants de la voiture de tête venaient mêler leurs accents aux plaintes de l'instrument.

Norman MacAuley réfléchissait à son avenir. Plus il restait dans l'Est, plus il avait envie de s'y établir à demeure. L'exil n'exerçait plus le même attrait sur lui.

Lucy avait les yeux qui cillaient. Elle se protégeait de l'éblouissement réfléchi par la surface glacée. Dans son imagination, elle tournait la tête, apercevait l'adolescent blond aux yeux bleus comme le ciel et qui courait d'une sleigh à l'autre jusqu'à rattraper la leur.

A l'extrémité du lac, à l'embouchure de l'Arnold, la voiture de tête à grande plate-forme remplie d'une jeunesse bruyante s'immobilisa. Les suivantes l'entourèrent.

Une voix se fit entendre :

— On danse la bastringue.

Des cris approbateurs fusèrent de toutes les directions. Les passagers quittèrent la plate-forme sauf le conducteur qui obtint le silence par des signes de ses mains ouvertes.

Roupie à la pointe d'un nez vermeil, il dit d'une voix à ébranler les solitudes américaines qui, à cet endroit, commencent au bout du regard par une barrière de montagnes :

— Les amis, il est aussi connu que le premier ministre, mais certainement plus courageux ; il connaît aussi bien les prairies de l'Ouest que les bois des cantons ; il peut se battre tout seul contre douze hommes armés. Vous l'avez reconnu : je ne le nomme pas. Ce que vous ne saviez peut-être pas, c'est qu'il joue du brise-gueule mieux que personne dans le pays. Bon, ça fait qu'on va lui demander de venir ici, de s'asseoir sur ma chaise, là, et d'accompagner les danseurs de bastringue. Les amis, il est là : c'est Donald… Outlaw… Morrison.

De ne pouvoir applaudir à cause de leurs mitaines fit se décupler les cris des assistants, les rires et les bravos. Donald se mit debout dans la voiture, leva son harmonica à bout de bras. Les cris redoublèrent d'intensité et de joie. Avec ses mains, McIver réussit à faire taire le groupe tapageur. Il dit :

— Donald, fais-nous un discours.

Une rumeur d'approbation se mélangea aux sonneries des grelots des harnais et menoires. Le hors-la-loi eut l'air de réfléchir en jetant un regard panoramique sur la solitude glacée des montagnes américaines. Puis il dit avec une ostentation voulue :

— Les amis, je suis content d'être parmi vous…

Il fut interrompu par l'expression turbulente d'une joie collective.

— Je dois vous dire que même quand je suis tout seul dans la forêt, je ne suis jamais seul. J'ai votre image dans ma tête, celle de tous mes amis, celle de ma fiancée…

Une douce rumeur remplit sa pause.

— Mais aussi, j'ai toujours avec moi deux compagnes. Oui, deux. L'une est là, dans ma poche et c'est ma ruine-babines…

Rires.

— Et ma deuxième meilleure amie, c'est ma...c'est ma Winchester.

Et il montra sa carabine qu'il avait mise à ses pieds dans la voiture.

Un assentiment s'exprima par des onomatopées venues de partout. Un frisson ondula sur ces jeunes habités par des rêves d'aventure mais habillés d'étoffes et de fourrure sécurisantes.

— Ça fait qu'à vous autres, je vais jouer une toune d'harmonica. Et aux policiers du juge Dugas, je vais jouer une toune...de Winchester.

On éclata d'une joyeuse fierté triomphante. Donald sauta sur la glace. On lui fit une haie d'honneur jusqu'à la plate-forme. Il monta, s'assit sur la chaise carrée du conducteur.

Parfois Marion avait souri. Souvent elle avait fait des yeux mélancoliques en regardant la carabine à ses pieds.

McIver obtint encore la parole :

— Marion, Marion McKinnon, tu es la seule encore assise dans ta sleigh. Viens ici à côté de Donald. Ta place est là. Viens.

On l'ovationna. Elle fut aussi accompagnée par la haie d'honneur, se rendit s'asseoir sur la fonçure aux pieds de son homme.

— Deux danseurs, ordonna McIver. La bastringue va commencer.

Il avait tout juste terminé sa phrase que l'air se remplissait de notes endiablées. Un couple sauta sur la plate-forme et se mit à pivoter sur le rythme de la musique. Les mitaines disparurent et les mains se mirent à battre en cadence.

Le surlendemain, Jour de l'An, Donald prit son repas du midi chez Marion. On s'échangea des cadeaux. Elle lui offrit des bas de laine tricotés de sa main. Il lui tendit un paquet enveloppé de papier fin blanc, enrubanné d'une bande de satin bleu. Excitée par la curiosité et l'émotion, Marion entreprit de déballer. Elle trouva un joli coffret blanc, incrusté de pierres rouges et de fioritures métalliques argentées.

Il dit :

— Ouvre.

Elle obéit. Une cascade de note cristallines envahit la pièce.

— Quelle beauté ! s'écria Marion qui riait comme une enfant devant la boîte à musique.

CHAPITRE 19

Début janvier, Donald dut retourner à la clandestinité. Plusieurs détectives rôdaient dans Mégantic. Et les chasseurs de prime, tels des hyènes affamées, hantaient les routes, les places publiques. Au fond de lui-même, le hors-la-loi sentait que la fin de la chasse à l'homme aurait lieu quelque part en cette année 1889. Comment ? Grâce à Dieu, il n'en savait rien.

Accaparé à Montréal par l'exercice de ses fonctions, le juge Dugas délégua ses pouvoirs à Carpenter qui resta lui-même en ville sur ordre de l'administration municipale. Car les Montréalais exerçaient des pressions de plus en plus fermes sur le maire et les conseillers municipaux afin que cesse une chasse à l'homme qui leur coûtait les yeux de la tête. Renseignés par la presse, les citoyens contrariés se demandaient avec une insistance grandissante pourquoi ils devaient, eux, faire les frais d'une affaire se passant loin de leur ville et relevant des gouvernements.

Malgré tout, James McMahon fut envoyé une seconde fois à Mégantic aux frais des citadins. Et à leur insu. Car, se disait le maire, il ne fallait pas risquer que certains octrois à la ville soient coupés par défaut de se conformer aux demandes des autorités de la province.

Comme tous le politiciens avertis, le maire Grenier savait que le premier ministre en avait plein les bras et qu'il n'avait pas le temps de s'occuper personnellement de la déplaisante affaire Morrison.

Mercier portait alors son attention à un jugement rendu dans la contestation électorale du comté de Laprairie. Les juges ont formellement constaté le vote des morts. Ils ont annulé l'élection du député et condamné son organisateur en chef à quatre cents dollars d'amende.

D'autres soucis harcèlent le chef. De gros noms, de Boucherville et le juge Routhier démissionnent du Conseil de l'Instruction publique et doivent être remplacés.

De plus, il doit préparer la session qui s'ouvrira le neuf.

Il vit à y faire affirmer sa doctrine consistant en deux phrases. « La source des pouvoirs ne va pas du Canada aux provinces, mais bien des provinces au Canada. Elles sont constituantes ; il est constitué. »

Puis la question des frontières septentrionales de la province préoccupera le premier ministre comme jamais. Il écrit lettre sur lettre à ce sujet. Le provincial cherche à discuter avec le fédéral des frontières devant séparer le Québec nordique de l'Ontario et du Labrador. Sir John A. MacDonald, premier ministre du Canada, traite l'affaire à la légère, prend des voies pour éviter de la régler, la noie dans des questions plus importantes et dans l'alcool.

Il devint notoire que Leroyer et McMahon travaillaient de concert. A maintes reprises, on les avait aperçus ensemble en patrouille ou attablés au bar de l'American Hotel.

Le Sauvage avait dû prendre la décision de travailler ouvertement. Après avoir empoché sa part de la prime, il quitterait le territoire.

Séduisant, McMahon put recueillir toutes sortes de renseignements sur les récents agissements du hors-la-loi. Leroyer aussi avait glané de l'information pour avoir gardé les oreilles à l'affût dans les lieux publics et chez les Langlois durant la période des Fêtes.

Les deux hommes en vinrent à la conclusion qu'il faudrait frapper sans sommation, jamais au même endroit, s'aider par la ruse et donc opérer à la vitesse de l'éclair.

Des buveurs, ceux-là même qui avaient provoqué Jack Warren, s'amusaient à tourner les policiers en dérision. Ils tombaient facilement dans l'exagération, soutenaient que le hors-la-loi déguisé de multiples façons, leur passait au nez et à la barbe sept fois par jour. C'est pourquoi McMahon et son associé en vinrent à suspecter toute personne qu'il ne voyaient pas de face.

Un soir, un badaud accoudé au bar et qui cherchait à se faire valoir, dit à McMahon :

— J'ai vu Morrison au village pas plus tard qu'aujourd'hui. Au magasin. S'est acheté de la ligne à pêche. Faisait semblant de boîter. A frôlé trois policiers au moins.

McMahon ridiculisa son interlocuteur :

— C'est justement à cette heure-là qu'il se trouvait aussi à North Hill, à Stornoway, à Lingwick et à Whitton.

Puis à voix basse, il confia à Leroyer :

— C'est peut-être vrai, ce qu'il dit.

— Comment ?

— On dit que Morrison est allé pêcher deux, trois fois durant le temps des Fêtes.

— Sur le lac Mégantic ?

— En effet. Sur la baie Victoria.

— Trop de monde là-bas...

— Pas mal plus aisé pour un homme de se cacher quand ça grouille de monde autour de lui.

Le lendemain, MaMahon chercha à en savoir plus sur la question. Il apprit que Morrison s'était bel et bien rendu à la pêche avec son ami Norman MacAuley à la cabane de ce dernier. Alors il se rendit à l'hôtel pour s'y adjoindre le Sauvage qui n'habitait plus chez les Langlois. Ces braves gens avaient chassé Leroyer sans lui donner de motif quand ils avaient su qu'il était un chasseur de prime.

Pour tromper tout le monde, les deux hommes prirent la direction opposée à celle menant à la baie Victoria c'est-à-dire qu'ils longèrent le lac du côté est. Quelques milles plus loin, après avoir perdu de vue le village et la baie, ils traversèrent carrément le lac, suivirent les collines pour arriver en vue de l'aire de pêche qu'ils observèrent longuement, eux-mêmes à l'abri des regards grâce à un monticule boisé formant presqu'île à l'entrée de la baie.

Il leur fut donné de voir deux individus à une cabane. L'un claudiquait. Il portait une canadienne avec capuchon et, même à cent pas, n'aurait pas pu être identifié. Pas moyen de voir s'il portait moustache. Probable qu'ils en auraient vu une tant ils étaient convaincus maintenant que l'homme était bien leur homme.

— Qui est avec lui ? demanda McMahon.

— Certainement Norman MacAuley, répondit le Sauvage en plissant le front. À Noël, je les ai vus dans la même voiture ; ils devaient s'en venir ici.

— Faire front à deux cow-boys, et surtout ceux-là, pourrait être une entreprise plutôt dangereuse, réfléchit tout haut McMahon.

— Attendons que l'oiseau soit tout seul.

— Ça pourrait prendre une éternité... Mais c'est ce qu'on va faire. Chaque jour, on va venir ici le surveiller. On finira bien par le surprendre.

— Allons chercher du renfort.

— Jamais de la vie ! Et partager avec trois, quatre autres ?

Devoir verser la prime à la ville de Montréal ? Non ! On va l'avoir à deux. Ça prendra le temps que ça prendra. Quinze cents dollars parlent et nous disent de bien préparer notre coup.

Le lendemain, retour au même endroit. Peu de pêcheurs. Personne à la cabane de MacAuley. Le jour d'après, samedi, vingt-six janvier, leur patience fut récompensée. Le pêcheur boîteux était visiblement seul à la cabane. Peu de monde dans l'aire de pêche : une douzaine de personnes. Quand le hors-la-loi ramasserait ses lignes, il faudrait frapper.

On établit un plan d'attaque. Sans perdre une seconde, on dirigerait l'attelage droit sur la cabane de MacAuley alors que la proie se trouverait à l'intérieur. On fouetterait les chevaux pour qu'ils courent au maximum de leurs capacités et à cinquante pas de l'objectif, on se jetterait dans la neige, chacun pointant sa carabine vers la cabane en attendant que le cow-boy en sorte.

Celui qu'on prenait pour Donald surveillait ses lignes. Il pensait à cette jeune fille si belle qu'il avait observée parfois à la dérobée alors qu'ils se trouvaient à l'église ou au magasin. Il avait eu mal de voir Norman l'accompagner à la promenade en traîneau. Son cœur s'était figé, plus dur que le rocher de la gelée, quand il s'était retrouvé tout près de l'adolescente, ce jour-là. Et une fois encore, il avait eu honte de son infirmité. Il s'était réfugié dans la cabane pour vivre son angoisse et sa tristesse.

Norman avait alors deviné l'intérêt de Lucy pour son jeune frère. Le lendemain, il avait confié à Willie que Lucy ne s'était pas bien amusée à la promenade et qu'elle eût préféré rester à la pêche.

— Elle ne cessait pas de reluquer de ton côté, avait-il appris au jeune infirme.

Alors des rêves insensés étaient venus remplir le cœur et l'imagination de Willie. Faisant partie d'un réseau de patrouilleurs organisé pour la protection de Morrison, il s'arrangeait pour aller du côté de Marsden. Et Norman, muet complice, lui donnait toujours quelque message à l'intention de Marion. Il les portait, refusait de s'asseoir, repartait sans avoir osé lever les yeux sur Lucy.

Comment pourrait-elle s'intéresser à un infirme ? En âge de se marier bientôt. Dix-huit ans... Lucy McKinnon en avait dix-sept. Quelqu'un l'approcherait, la fréquenterait, l'épouserait.

Et maintenant que Norman était revenu de l'Ouest, ne serait-ce pas lui qui reprendrait la terre paternelle ? Confierait-on une ferme à quelqu'un qui ne pouvait même pas monter dans une échelle, incapable de se tenir debout et marcher sur une surface molle comme un voyage ou une tasserie de foin, inapte à attraper une bête nerveuse... Norman avait beau affirmer qu'il partirait dès que Donald se déciderait à s'en aller, il manifestait de plus en plus son intention de rester.

Le Sauvage et McMahon finirent de fixer à leur voiture un appareil de leur invention. C'était une perche de la fonçure attachée à un bonhome et arc-boutée à l'autre. On avait utilisé une grosse corde emportée pour ficeler le prisonnier. La partie dépassant la sleigh frapperait la cabane, la jetterait par terre ou peut-être la démolirait tout à fait. Car la petite bâtisse n'était pas ancrée ; car l'engin serait porté par une voiture lancée à toute vitesse. La surprise serait donc totale.

La pêche a été bonne, pensait Willie en ajoutant un poisson sur son tas près du poêle qui s'éteignait doucement. Il jeta un coup d'œil par la porte mi-ouverte, vit l'horizon montant à la rencontre de la brunante. Il était temps de partir.

Pour McMahon, le moment était venu. Avec des chevaux lancés à vive allure, il faudrait cinq minutes pour arriver sur place. On monta sur la plate-forme. Leroyer prit les guides ; McMahon les carabines, de vieilles mais très efficaces Henry .44 à levier d'armement dont le magasin pouvait contenir douze cartouches. Chacun portait des gaines à bretelles dissimulant deux pistolets et de plus comptait sur une ceinture conventionnelle avec Colts. Leur arsenal se voulait à la mesure de la réputation de celui qu'ils pourchassaient.

Il fallait se faire le plus silencieux possible afin de ne pas alerter la proie. C'est pourquoi Leroyer se contenta de coups de guides sur les chevaux et retint ce cri hideux qui aurait pu servir à énerver les bêtes encore davantage. Quatre pouces de neige assourdissaient le bruit des sabots. La lance improvisée pointait, menaçante. Elle risquait de se casser au premier choc ; mais un seul coup suffirait à dérouter l'adversaire et peut-être à l'assommer. Il ne resterait qu'à le cueillir et le ficeler comme un jambon.

L'attelage s'engagea dans le champ de pêche. Le Sauvage guidait adroitement les bêtes entre les brimbales. Fauchées par la gaule, quelques-unes volèrent en éclats. Des pêcheurs hébétés regardaient passer le véhicule destructeur. Son conducteur le dirigea sur la cabane visée. D'autres brimbales se démantelèrent.

Willie achevait de compter ses truites. Il se dit qu'il devrait en apporter chez les McKinnon le lendemain. Son cœur lui répondit affirmativement par une douce vibration ; mais il perçut une autre sorte de frémissement sous ses pieds, entendit comme des craquements...

Le Sauvage fouettait maintenant les chevaux avec rage. Il jeta son cri, sorte de hurlement rauque sorti des tréfonds de la bête, de ces vociférations caverneuses qu'il expulsait de sa poitrine quand il avait pris quelques verres d'eau-de-feu.

McMahon se laissa glisser derrière la sleigh. Et il tira une balle en l'air afin d'ajouter encore à la pagaille générale. A vingt pas du but, Leroyer se débarrassa des cordeaux et sauta du côté opposé à la gaule.

Willie redressait l'échine quand l'univers se mit à tournoyer. Un bruit mat se répercutait dans sa tête comme en écho. Un souffle géant s'abattit sur lui, le transporta en le bousculant.

Les chevaux avaient frôlé la cabane que la perche avait ensuite heurtée avec grande violence et projetée à plusieurs pieds.

Le Sauvage courait maintenant vers son compagnon. Son pied s'enfonça dans un trou, entraîna son corps au sol. Il ressentit un choc bizarre dans sa jambe. Lorsqu'il voulut se relever, il se rendit compte qu'elle était brisée.

Le heurt fit se tordre la voiture. Il se répercuta dans les attelles, créa un contrecoup dans les harnais et, s'accompagnant aux bruits insolites et à la terreur crée par les coups de fouet, rendit folles les bêtes qui, lorsque le madrier fut dégagé du poids de la cabane, décrivirent un cercle et firent ainsi demi-tour.

Leroyer se traînait misérablement sur la glace. Un danger mortel courait vers lui. Il le sentit, se retourna. Les chevaux l'évitèrent. Il voulut sauter pour éviter la gaule. La jambe brisée ne suivit pas assez vite et elle fut frappée et cassée une seconde fois. L'homme bascula, tomba à la renverse. Sa tête heurta la glace. Il perdit conscience.

McMahon évita la voiture, laissa tomber ses carabines, accourut.

Willie sentir une douleur atroce à la main gauche. Un tison sorti du pœle renversé le brûlait cruellement. De la fumée lui remplissait la gorge et les poumons. La cabane avait pivoté trois fois sur elle-même en position debout, s'était tordue pour s'immobiliser, penchée en avant sur sa porte à demi-écrasée.

L'ouverture sous le mur arrière aussi bien que celle de la porte était trop étroite pour laisser passer un homme. Willie était prisonnier. Il empoigna alors le morceau de soutien d'un mur, souleva la cabane d'une seule main, la renversa sur son autre face. Et il se remit sur ses jambes, cherchant à comprendre ce qui s'était passé.

Les chevaux poursuivaient leur course folle, saccageant tout sur leur passage. Le sombre attelage paraissait dirigé par quelque diable invisible...

L'adolescent aperçut les deux hommes sur la glace. Il crut alors qu'il s'agissait d'un accident, que les chevaux avaient dû prendre le mors aux dents, qu'un homme était visiblement blessé. Il marcha dans sa direction.

McMahon le vit venir. Il jeta un coup d'œil vers sa carabine. Le hors-la-loi pourrait le tuer vingt fois avant qu'il ne puisse la toucher. Prendre un pistolet sous ses vêtements ? Manœuvre encore plus dangereuse. Restait la fuite. Morrison ne lui tirerait pas dans le dos. Il trouverait un refuge dans une cabane, auprès de quelque pêcheur. Et au diable le Sauvage ! Il courut jusqu'auprès d'un vieil homme estomaqué de voir autant de grabuge.

— C'est Morrison, c'est Donald Morrison, fit le détective paniqué en désignant Willie.

— Qui l'a descendu ? s'enquit l'autre qui confondait Leroyer avec Donald.

— Personne. L'homme qui est tombé, c'est Pete Leroyer.

— Où est Morrison ?

— Le boîteux, là...

— C'est Willie MacAuley, pas Morrison ! Vous voulez bien m'expliquer ce qui se passe ici ? A qui appartiennent ces chevaux ?

A la dernière cabane, le morceau de bois se rompit. L'attelage quitta l'aire de pêche et s'arrêta à quelques centaines de pas. L'énormité de la bourde sauta à l'esprit du détective en même temps que ses yeux embrassaient l'image du saccage. Il fallait se rattraper.

— C'est que...nous étions à poursuivre Donald Morrison et nos chevaux se sont emballés. C'est un accident...

Il retourna auprès de Leroyer en répétant à ceux qui accouraient qu'il s'agissait d'un accident.

— Une belle affaire, hein ? On a échappé nos chevaux,

dit-il à Willie qui était penché sur le Sauvage afin de lui prêter secours.

— Il n'est pas mort, fit l'adolescent. Mais faudrait faire quelque chose, autrement il va geler tout rond.

— Si je peux rattraper les chevaux, je vais l'emmener à Mégantic, dit McMahon.

Il demanda l'aide d'un pêcheur pour ramener l'attelage. A son retour, un attroupement s'était formé autour de Leroyer qui n'avait pas encore repris conscience. Willie avait recouvert le blessé de sa canadienne. Il aida l'autre à le porter sur la plate-forme. McMahon prétexta l'urgence de la situation et s'empressa de partir, heureux de se sortir à si bon compte de ce merdier.

La nuit tombait. Et la lumière se faisait de plus en plus nette dans l'esprit des pêcheurs. Un officier de police et un chasseur de prime à la poursuite de Morrison avaient tout simplement mis à sac leur petit monde et ils avaient filé sans payer les pots cassés. Qui le ferait ?

En fait, les dommages étaient minimes. Chacun pourrait les réparer en quelques heures. Mais on résolut de donner une leçon aux forces policières et le soir même, deux porte-parole furent envoyés à l'American Hotel afin de déposer une réclamation au nom de tous. On exigeait cent dollars par cabane endommagée. A défaut de réparation dans les dix jours, action en justice serait prise contre les responsables.

Le mardi suivant, sous la plume de Spanjaardt, le Star titrait : SACCAGE À LA BAIE VICTORIA. L'administration de la ville de Montréal était sur le point de plonger dans l'eau bouillante.

Pendant l'action braque menée par McMahon et Leroyer, Donald Morrison, lui, se trouvait à vingt milles de là, chez un cousin de Marion qui le cachait pour quelques jours.

Après tout ce bonheur fait d'amour et de liberté vécu au temps des Fêtes, il se sentait maintenant en proie à une bien profonde solitude. Seul, il l'était cet après-midi-là dans son petit réduit sombre, assis sur le bord d'un lit étroit, se remémorant avec émotion et tendresse les heures exquises passées avec sa fiancée.

Sur une table bancale faite de bois équarri, se trouvait un grand verre contenant du lait de beurre. Il en avala une gorgée, grimaça. Il avait en horreur ce lait ribot mais il devait le boire pour plaire à ses hôtes. Puis il posa un long regard chagrin sur la brunante extérieure qui venait ajouter à son malaise.

Il remit le verre sur la table, sortit son harmonica et se mit à jouer une mélodie aux notes remplies de mélancolie et de nostalgie.

CHAPITRE 20

Debout près d'une immense table en u, brillamment éclairée, couverte de vaisselle étincelante, et rutilante verrerie et argenterie, une cantatrice levait son verre en égrenant de sa voix cristalline les notes de LIBIAMO de LA TRAVIATA.

A gauche, le premier ministre Mercier, animé d'une immense satisfaction, souriait comme deux ans auparavant, à trois journée près, alors qu'après la démission de Taillon-défait à une récente élection mais accroché au pouvoir-le lieutenant-gouverneur l'avait chargé, lui, le chef libéral de former un cabinet.

Cette même table réunissait le gratin de l'élite québécoise : des ministres, le curé Labelle, un jeune avocat du nom de Thomas Chapais, un poète, Louis Fréchette.

Mercier donnait un dîner.

Amoureux du faste, mégalomane, le premier ministre aurait sacrifié bien des votes pour associer son nom à celui d'une si brillante étoile du monde des arts.

Artiste canadienne-française de renommée internationale, vivant à Londres depuis sept ans, Albani Lajeunesse avait connu un immense succès au Québec avant son départ pour l'Europe en 1882. Venue au pays pour donner trois concerts, elle avait triomphé dans une salle montréalaise les vingt-six et vingt-neuf.

Cédulée à Québec en soirée du trente et un, elle avait voyagé d'une ville à l'autre dans un wagon spécial mis à sa disposition par les autorités du Pacifique. Mercier lui-même flanqué du maire Langelier de Québec s'était rendu à la gare pour l'accueillir et la conduire au plus somptueux hôtel de la capitale.

En fin d'après-midi, elle avait assisté, dans un fauteuil spécial près du fauteuil du président, à une partie de la séance de la Chambre. Il y avait été question, mais brièvement, de l'affaire Morrison. Le procureur général avait promis à l'opposition de faire le point sur le sujet le jour suivant. Cela avait aiguisé la curiosité du premier ministre, peu au fait du dossier ces derniers temps. Il n'avait pas eu l'occasion de demander au procureur la raison qui lui avait fait repousser la question au lendemain. Car Albani avait requis toute son attention jusqu'à leur arrivée dans cette pièce où un vin d'honneur avait été servi. Tandis que la cantatrice et Fréchette devisaient en se flattant mutuellement, Mercier tourna la tête, fit signe à Turcotte de s'approcher, questionna :

— Quoi de nouveau dans l'affaire Morrison ?

— Petit problème au pays des Écossais.

— Quoi ?

— Un saccage...

— Je le sais, j'ai lu dans le Star. Et après ?

— Quatre ou cinq vieilles cabanes tournées à l'envers. Des planches cassées...

— Où est le problème ?

— Ils sont une douzaine à réclamer cent dollars chacun.

— Et après ?

— Ils veulent prendre des procédures contre la ville de Montréal et le gouvernement. Le maire Grenier est furieux ; il veut rappeler tous ses hommes

— Christ ! jura le premier ministre.

Puis il lissa sa moustache, plissa les yeux en murmurant :

— Faut absolument régler ça en dehors de la cour,

Arthur. Que la province paye pour les cabanes ! Qu'on évite de se frotter aux Écossais et surtout aux maudits journaux anglophones !

Le procureur fit un signe de la tête.

— Hors...cour..., répéta Mercier. Compris ?

Après l'extrait de LA TRAVIATA, quand le banquet fut commencé, la diva dit à son voisin :

— Cher monsieur Mercier, vous ne buvez pas beaucoup à ce que je vois.

— Ça m'est défendu, répondit-il avec un regard oblique sur la coupe que la femme portait à ses lèvres rouges.

— Ah ? fit-elle juste avant de boire.

— Diabète... Oh, rien de grave ! Rien d'avancé. On dit qu'il vaut mieux se montrer prudent.

— Dites-moi, qui est donc ce Donald Morrison dont on parle sans en parler ? Y aurait-il des secrets à garder ? demanda la cantatrice en faisant tournoyer le liquide blond devant ses yeux.

— Un fou dangereux qui a du vif-argent dans la tête en attendant d'avoir du plomb dans l'aile. Un bandit écossais que nos forces policières ne parviennent pas à attraper.

— Étonnant !

— Il est protégé par un groupe de concitoyens qui se moquent de la justice et...

— Et ce Riel dont on a tant parlé dans les journaux de Londres il y a quelques années, qui était-il ?

— Riel ? Un martyr. Une victime des Orangistes. Oh madame, que je pourrais vous en raconter sur cette histoire !...

Le ton montait. La voix devenait politique, électorale.

CHAPITRE 21

La vie errante pesait de plus en plus sur Donald. Accablante solitude. Inquiétude constante pour ses amis. Tristesse de penser à la pauvre Marion. Il avait été choqué et frappé par ce qu'on avait fait à Willie MacAuley.

Issue de tous ces soucis, quelque insondable, inavouable motivation le poussa, en février et mars, à s'enhardir. A plusieurs reprises, il frôla le danger comme à dessein.

Il donna rendez-vous à deux reprises à John Leonard en des lieux peu sûrs. Une première fois dans l'entrepôt d'un magasin de Mégantic. La seconde, dans un hôtel de Scotstown, en plein bar. Mais ses amis veillaient.

Ces rencontres avaient rebâti quelque peu l'image de la justice dans l'esprit du hors-la-loi. Leonard lui avait inspiré une grande confiance bien que leurs vues fussent différentes. Car l'avocat avait tenté vainement de convaincre Donald de se rendre. Et Donald avait compris que Leonard était sincère et ne recherchait, tout comme Spanjaardt, que son bien.

Au lendemain d'une tempête qui avait barré les chemins de grosses lames de neige durcie, par un après-midi de grande froidure, Norman MacRitchie reconduisait le fugitif à un village voisin lorsqu'il aperçut venir une voiture suspecte.

— Ça ressemble à un détachement de police, dit-il à Donald. Prends ma place et les guides et mets ton capuchon.

MacRitchie resta debout et put se rendre compte qu'il s'agissait bien de policiers avant même que les voitures ne se croisent. Il en fit part à son compagnon puis sauta sur la route et marcha vers les arrivants en leur faisant des signes des bras.

— Je vais vous aider à passer, cria-t-il.

Il prit leur cheval par la bride et le conduisit pour que leur voiture ne risque pas de se renverser à cause des lames pointues.

Quand ils passèrent, Donald leur dit, sans les envisager directement :

— Le chemin n'est pas trop passable, hein ? Faudrait plusieurs bons roulages.

Les hommes acquiescèrent sans penser à qui ils pouvaient avoir affaire. Puis ils remercièrent MacRitchie de sa courtoisie.

Quelques jours plus tard, une fouille eut lieu là même où se cachait le hors-la-loi. Il ne put échapper à la vigilance des limiers qu'en se dissimulant derrière une lambourde dans l'entre-toit.

Il fallait changer de refuge une fois encore. Et même de secteur. Il se rendit à Scotstown où une famille MacLeod lui donna abri.

Un après-midi, il accompagna le fils de la maison au magasin général. S'y trouvait un voyageur de commerce fraîchement arrivé de Montréal et qui se réchauffait près du poêle au milieu de la pièce en jacassant au sujet de l'affaire Morrison. Des habitués écoutaient paternellement les opinions remplies de vanité de l'homme dont les paupières nerveuses ne cessaient de clignoter.

— C'est impensable de voir qu'un homme puisse défier la loi pendant des mois dans un pays civilisé comme le nôtre, disait-il pendant que les jeunes gens faisaient des achats.

— Ils ont sa description, son portrait ; ils l'ont vu...et ils sont incapables de le reconnaître. Quels bons à rien que ces policiers ! Et dire qu'on paye pour ça !

Un vieil homme sec à barbiche blanche demanda :

— Tu pourrais le reconnaître et l'arrêter, toi, si tu le rencontrais ?

— Pas besoin d'un génie ! On a vu sa face au hors-la-loi, dans tous les journaux de la province.

Il arriva à Donald de venir se placer juste à côté de l'étranger pour se réchauffer les mains. Il garda le silence, écoutant les palabres de l'autre. Puis avec son compagnon, il quitta les lieux.

Le vieil homme adressa au marchand un clin d'œil malicieux et demanda :

— Tu les connais, ces gars-là ?

— L'un, c'est Angus MacLeod de North Hill et l'autre, c'est Donald Morrison, le hors-la-loi.

Le visage du voyageur se vida de toute couleur. Ses mains se mirent à trembler. Il réussit à bredouiller quelques paroles :

— Fait froid, c'est terrible. Moi, je pense que je vais retourner à l'hôtel.

Il salua, sortit et rasa les murs jusqu'à l'endroit où il logeait.

Enhardi, Donald l'était certes, mais pas au point de rencontrer sa fiancée. On l'aurait coffré sur l'heure. L'absence de Marion l'attristait au plus haut point. Ils avaient beau s'échanger de nombreuses lettres, leur cœur et leur chair avaient de l'autre une soif bien plus profonde et intense.

Norman MacAuley agissait comme courrier. Donald préférait que ce soit lui plus que tout autre. Pour plusieurs raisons. Norman était fiable, fidèle, armé, capable de semer un poursuivant. A cela s'ajoutait une autre raison que Donald lui-même aurait été bien en peine de définir.

Marion ressentait une grande émotion chaque fois que Norman se présentait chez elle. Il lui apportait toujours un mot de la part de son fiancé. Lettres douloureuses mais si belles.

L'une la fit pleurer pendant des heures. Dix fois, elle s'enferma dans sa chambre pour la relire. On entendait ses sanglots depuis la cuisine. Alors John s'effaçait, s'en allait dehors. Lucy se renfermait aussi dans sa propre chambre pour y boire en silence à une grande coupe de tristesse remplie des souvenirs de sa mère, de son sentiment naissant pour l'infirme et de toute cette affliction qui noyait littéralement sa seconde mère : Marion.

Mary soupirait, désolée. Toutes ces affaires de cœur lui paraissaient inutilement compliquées.

C'est de plus en plus ému que Norman MacAuley se rendait chez Marion. Il partageait son désarroi, cherchait des moyens pour l'amoindrir. Il savait que la meilleure façon était de lui faire rencontrer son fiancé. C'est pourquoi, le troisième samedi de février, il organisa une soirée chez John Hammond, un fermier de Spring Hill qui hébergeait le hors-la-loi ces jours-là.

Norman y conduirait Marion. Personne ne saurait à l'avance que Donald s'y trouverait si ce n'est Marion elle-même. Les policiers pourraient toujours intercepter les voitures se rendant à la ferme, mais ils n'oseraient pas se présenter à la veillée, jugea Norman. De la sorte, les fiancés pourraient passer ensemble et en compagnie de nombreux amis des heures agréables.

Pour tenir les chasseurs de prime à distance, Norman avait voulu que deux gardes armés dont lui-même restent à la porte toute la soirée.

— Et gâter leur veillée ? Jamais ! avait protesté Donald.

Néanmoins, Norman ne se prêta guère aux danses, inquiet qu'il était de savoir qu'aucune voiture se rendant à la fête n'avait été interceptée et même que nulle patrouille n'avait été aperçue.

Mis au courant de cette soirée et désireux de donner le change, McMahon avait chargé deux hommes de s'y rendre afin de perquisitionner. A deux seulement, on ne risquait pas d'attraper le hors-la-loi. Car c'est lui et son associé qui le feraient en temps et lieu. Et Leroyer en avait pour au moins trois autres semaines à porter une attelle de bois sur son membre brisé.

Mais c'était sans compter sur le zèle des hommes. Ils laissèrent leur voiture chez le voisin des Hammond et firent à pied le reste du chemin à la faveur du seul éclairage de la lune, gardant éteinte leur lanterne pour ne pas donner l'alerte.

Donald dansait un quadrille lorsque Norman vint lui dire précipitamment :

— Des policiers... Ils frappent à la porte...

Cloué sur place, Donald cherchait une réaction. Il ne pouvait prendre ses armes et risquer la vie de quelqu'un à cause d'une fusillade. A quoi bon se cacher dans cette maison : on finirait bien par le trouver. Marion regardait dans toutes les directions afin de trouver une solution. Elle aperçut le long du mur le banc de bois où des jeunes prenaient place entre les danses. En le désignant, elle tira Donald par le bras et dit :

— Couche-toi sous le banc, là...

Il obéit. Vive comme l'éclair, Marion fit un signe au violoneux pour qu'il arrête la musique, entraîna deux jeunes filles à sa suite et s'assit sur le banc. Les longues robes larges cachèrent parfaitement le fugitif.

A peine quelques secondes s'étaient-elles écoulées que les policiers, armes au poing, émergèrent de l'obscurité de l'autre pièce dans celle de la danse éclairée par six grosses lampes à l'huile et deux lanternes. Tous les danseurs s'étaient assis. Ils accueillirent les policiers avec des paroles railleuses allant des onomatopées méprisantes aux phrases d'étonnement.

— On vient nous arrêter parce qu'on a dansé, cria Norman.

Intimidés, les officiers s'arrêtèrent et firent une inspection visuelle. Puis l'un s'approcha du violoneux et lui demanda s'il connaissait Morrison. L'autre, un rouquin aux yeux pleins de malice, lui répondit en gaélique.

Le second policier se rendit questionner les jeunes femmes cachant Donald. Elles répondirent aussi en gaélique puis se parlèrent entre elles en ayant l'air de se moquer. L'homme ordonna alors qu'on fasse venir le propriétaire de la ferme.

— Partis, dit MacAuley. A Mégantic. Ils vont revenir très tard.

— On va fouiller les chambres, dit l'homme en s'apprêtant à prendre une lampe.

— Tut, tut, tut, non, non, non, fit Norman en souriant. Vous pouvez fouiller si vous voulez, mais vous n'avez pas le droit d'utiliser cette lampe : elle ne vous appartient pas.

L'autre hésita puis il commanda à son compagnon d'aller quérir leur lanterne restée sur la galerie.

— Va faire l'inspection des chambres, ordonna le chef quand le policier fut de retour.

— Seul ? s'inquiéta le petit homme timoré et terriblement mal à l'aise de se sentir tourné en dérision par des jeunes filles.

— Tu as peur ou quoi ?

— N...non...

Pendant son absence, les assistants, dirigés par un boute-en-train, chantèrent en gaélique une chanson à répondre endiablée qui s'accompagna d'applaudissements nourris au retour du policier.

Norman leva les mains pour faire s'atténuer le tapage.

— Nous croyez-vous assez fous pour cacher Morrison ici ? demanda-t-il.

— Et pourquoi pas ?

— Vous ne pensez pas que nous aurions fait surveiller les environs ?

Le petit policier en convint d'un signe de la tête et des épaules.

— Si vous voulez vous asseoir, la danse va bientôt recommencer, dit encore MacAuley.

Son interlocuteur l'examina d'un œil suspect. Puis il regarda tous les assistants, appuya sur Marion et ses compagnes.

— On s'en va, jeta-t-il.

Son compagnon le suivit vers la sortie.

Des mains voulurent applaudir. Norman fit comprendre par gestes qu'il ne fallait plus les provoquer. Il se mit à une fenêtre et regarda s'éloigner leur lanterne dans la nuit.

Donald se libéra de sa singulière prison et retrouva sa fiancée sur le banc.

— Les amoureux doivent s'embrasser, cria une voix.

Des oui fusèrent. On cria jusqu'à obtenir satisfaction :

— S'em-brassent...s'em-brassent...s'em-brassent...

Ils étaient encore enlacés quand Norman revint dans la

pièce. Il sourit. C'était bien de les voir réunis ainsi pour au moins un peu de temps.

Le danger était passé pour ce soir-là. Il ne faisait aucun doute que l'histoire s'ébruiterait. Il valait mieux que Donald s'en aille de cette ferme. Le lendemain matin, il se rendit à une maison du voisinage où une vieille dame lui offrit l'hospitalité.

Comme tout Mégantic et les environs, McMahon sut toute la vérité au sujet de la soirée chez les Hammond. Au début de la semaine, il envoya un détachement dans le secteur. On avait ordre de fouiller d'abord les maisons voisines de sorte que par cette action, le hors-la-loi soit mis en alerte et qu'il puisse s'enfuir. Jamais pareil ordre n'aurait été donné si seulement il avait pu se douter que Donald avait trouvé refuge chez la veuve Campbell.

Les policiers arrivaient dans sa cour lorsque la courageuse vieille dame les aperçut. En vitesse, elle fit cacher son hôte sous un lit dans une pièce non fermée près de la cuisine. Elle ouvrait aux policiers quand elle vit les pieds du hors-la-loi qui dépassaient du bout du lit. Elle boucha la vue des policiers avec sa personne et dit très fort :

— Cache tes pieds, cache tes pieds sinon on va te trouver.

Non seulement c'était en gaélique, mais en plus elle avait jargonné. L'officier demanda :

— Vous ne parlez pas anglais, madame ?

— Tire tes pieds lentement, lentement, dit-elle en souriant largement aux arrivants.

— Je ne comprends pas ce charabia, dit le policier impatient.

Il entra, promena un regard inquisiteur sur les environs. Puis il s'approcha du lit, passa le canon de son fusil dessous mais pas assez loin pour toucher le fugitif.

Il repartit dehors, dit à ses hommes :

— Y'a rien qu'une vieille guenon là-dedans et qui ne dit pas un traître mot d'anglais.

La tristesse et l'angoisse qui se lisaient chaque semaine de plus en plus sur le visage de Marion, une baisse dans l'enthousiasme général à soutenir la cause du hors-la-loi, incitaient Norman à exercer plus de pression encore sur son ami pour qu'il se décide à partir avec lui.

Il organisa une promenade à dos de cheval pour lui remettre au cœur et à l'esprit le souvenir des belles chevauchées qu'ils avaient faites ensemble dans les grandes plaines.

Ils allaient dans un chemin étroit traversant les collines, s'entretenant des convois qu'ils avaient accompagnés, des bars qu'ils avaient fréquentés, des moments difficiles partagés. Il leur arriva de croiser une voiture occupée par deux personnages dont l'un fut reconnu par le hors-la-loi.

— C'est le major McAulay, l'homme qui a volé mon bien.

On décida de lui montrer ce que des cow-boys pouvaient faire, même sur une route enneigée.

— Je les rattrape. Je me fais aconnaître. Puis on leur paye un de ces voyages.

Donald fit faire demi-tour à sa monture et la dirigea au galop vers la voiture qu'il dépassa. Puis il fit arrêter son cheval de façon à barrer la route.

— Major, on ne reconnaît pas son monde ? cria-t-il.

L'homme jeta un bref coup d'œil sur le cavalier, le reconnut, dit d'une voix pleurnicharde :

— Je ne suis pas McAulay...

— Ah non ? fit Donald menaçant.

Quand il vit l'autre mettre la main sous sa canadienne, le major en déduisit qu'il s'apprêtait à tirer son arme. Il chercha une idée. Désespérément. N'importe quoi qui ait les apparences du bon sens. Comme une manière de négocier. Pas une absurdité pour éviter de fâcher le hors-la-loi, mais quelque chose de plausible.

— Je...je suis son frère, put-il bredouiller.

Donald éclata d'un long rire sonore que le vent emporta vers le mont Mégantic, froid témoin de ce duel entre le désir de sauver sa peau chez l'un et la soif de vengeance chez l'autre. Norman s'approcha à son tour. Chez les occupants de la voiture, la nervosité augmenta d'un autre cran.

— Tu as entendu, Norman, fit Donald. Le major n'est pas le major ; il est son frère.

Et il s'esclaffa une autre fois avant de poursuivre :

— Et moi, je ne suis pas Donald Morrison le bon garçon...je suis Donald Morrison...le tueur.

S'accrochant à sa bouée percée, le major insista en braquant ses yeux dans ceux de son agresseur :

— C'est mon frère qui vous a pris votre terre. Demandez à James, dit-il en désignant le conducteur, un homme au visage émacié, malheureux comme les pierres de se voir mêlé à une histoire qui ne le regardait aucunement.

— Et je suppose que vous n'êtes pas le gardien de votre frère ? fit Donald en se penchant en avant sur sa selle.

— Comme vous le dites ! fit le major.

— Et moi, je dis que si vous êtes votre frère, alors vous êtes aussi coupable que lui.

Donald fit bouger sa monture pour laisser passer la voiture. Il dit :

— Je vous donne une avance... Jusqu'à la prochaine côte, là. Quand vous serez sur le dessus, vous ferez une cible parfaite. Mais je pourrais vous rater. Le froid... Les doigts gourds...

Le conducteur ne se fit pas tordre les bras. Il fouetta son cheval sans arrêt jusqu'à la colline. Pour éviter les balles, le major se cala au fond de la voiture. Lorsqu'ils furent à mi-côte, Donald tira en l'air. Paniqué, le conducteur se jeta sur le chemin et se mit à courir en se servant du cheval comme écran. Le major, cria, invectiva son compagnon tant qu'on ne fut pas hors de danger.

— J'aurais dû le descendre, maugréa Donald quand les deux amis eurent repris leur route.

— Tu ne seras jamais un tueur, commenta Norman.

— C'est du même crottin que Warren.

Ce coup du sort venu mettre du sel sur les plaies convainquit Norman que leur chevauchée n'inciterait pas Donald à partir. La promenade se termina par une discussion où Norman fit comprendre à son ami que la chaleur des Écossais pour sa cause risquait de s'atténuer et qu'un jour ou l'autre, quelqu'un se laisserait bien tenter par la prime.

•

Mercier, lui, apprenait d'une manière encore plus brutale que sa popularité diminuait. On parlait de plus en plus, bien qu'à mots couverts, de scandales dans lesquels des amis du premier ministre seraient compromis. Puis les accusations virent le grand jour.

Un propriétaire de mines avait obtenu une indemnité du gouvernement grâce à un avocat tout-puissant auprès de Mercier et de ses ministres. Des grands journaux s'indignaient. Thomas Chapais, un prestigieux libéral, se fâcha.

Ce fut ensuite l'affaire du Table Rock. On dit que le gouvernement aurait vendu à des amis politiques pour trois mille dollars, une propriété évaluée dix fois plus cher. Dans cette histoire, on met en cause un ami et associé de Mercier, Cléophas Beausoleil qui aurait profité de l'influence du premier ministre.

A la prorogation de la session, le vingt et un mars, l'atmosphère politique vira à l'orage. Le Courrier du Canada publia une liste d'honoraires versés par le gouvernement à des avocats-politiciens pour services juridiques. Mgr Fabre songea et parla à ses proches de rappeler le curé Labelle à sa cure pour ainsi couper ses attaches politiques.

Étourdi par l'encens, Mercier devint impérieux, autoritaire. Des courtisans se chargeaient d'entretenir cet état d'esprit. Il y avait les amis politiques, les chefs d'élection, les agents de presse, les courtiers, les entrepreneurs, les purs, les vaniteux, les obséquieux, les collants. Tireurs de ficelle, mouches du coche, combinards s'agglutinèrent, se tassèrent par des ragots et des tripotages.

Au début d'avril, une lettre écrite par un rouge, président du Club National, courut sous le manteau. Elle contenait de graves reproches adressés au gouvernement. Elle aboutit au bureau du premier ministre qui en prit connaissance tout juste après avoir lu un article de La Presse sur l'affaire Morrison et qui adressait un sévère blâme à l'État pour on incapacité chronique.

Mercier convoqua ses ministres un à un pour les sermonner. Il ne put rencontrer son procureur qu'en troisième lieu. Il fulminait quand Turcotte fit son apparition.

Le ministre s'assit, fut mis au courant de l'existence de la lettre que Mercier tenait à bout de bras en lissant rageusement sa moustache de l'autre main.

— Arthur, je ne te lirai que quelques-uns des passages de cette cochonnerie puante. Tu verras ce qu'on s'apprête à publier dans les journaux...

« Ici, on accuse le gouvernement Mercier d'être composé

d'incapables, d'ignorants et de tête de linottes ; tout le monde s'accorde là-dessus : unanimité unanime ! Et l'on ajoute qu'il n'y a pas de gouvernement mais qu'il n'y a que Mercier. L'on trouve que Mercier et toi menez un vie de faste scandaleux ; on trouve que Mercier qui était pauvre, est devenu trop vite riche et que son salaire ne lui permettait pas de s'enrichir aussi vite que cela ; on en dit à peu près autant de toi et de ceux qui entourent Mercier ; et ce sont vos meilleurs amis personnels et politiques qui parlent ainsi, et tout haut ; tu serais surpris si je te disais les noms.

On dit tout haut que cette administration est la plus corrompue qui ait souillé les lambris du palais législatif : que tout s'y vend ; qu'il n'y a pas de principes, pas d'honnêteté, pas de parole, pas d'honneur.

Vous entourez seuls le premier ministre, et tant et si fort que vous l'étouffez. Vous le conseillez mal ; vous lui faites dire des bêtises, vous le compromettez et vous le rendez odieux.

Il faut que monsieur Mercier se débarrasse de l'étreinte de boa des castors et qu'il se montre plus libéral. Le jour où il nous plaira de le faire descendre de son piédestal, il en descendra plus rapidement qu'il n'y est monté.

Au besoin, nous irons jusqu'à faire des alliances qui seraient moins monstrueuses que celle qui a produit ce joli groupe de ministres.

Si les honneurs et les richesses ne t'ont pas rendu sourd, écoute les grondements d'indignation et de colère qui vont toujours grossissant autour de toi et de Mercier, et tâche de réfléchir et de devenir sage. »

— Je te fais grâce du reste, Arthur. Et c'est signé Calixte Lebœuf, président du Club National.

— Vous avez de bons appuis au Club ; faites-le taire ou jeter dehors, dit Turcotte.

— Et accréditer ce qu'il soutient ?

— Quoi d'autre ?

— Premièrement, il ne faudrait pas prêter le flanc à la critique.

— L'opposition critique : c'est son lot...et son devoir.

Mercier se leva, cria :

— Je ne parle pas de l'opposition mais des journaux. Et

pas des journaux qui soutiennent l'opposition encore. Mais de ceux qui se disent neutres.

Il prit un exemplaire de La Presse et le jeta sur son bureau devant le procureur.

— Tu as vu, Arthur ? Chaque jour on nous fait des reproches. Aujourd'hui, c'est d'avoir voulu acheter les Écossais dans cette histoire de la baie Victoria...

— Je vous ferai remarquer que c'était votre décision, ce règlement hors cour, monsieur Mercier.

— Et après ? Il faut quelqu'un pour décider quelque chose dans cette affaire : ça traîne depuis un an. Bande d'incapables. Des soldats, des détectives, des policiers... Deux cents hommes contre un seul. Et il leur passe à la barbe trois fois par semaine.

— Il y avait là-bas des gens qui ont fait leurs preuves : le juge Dugas, le chef Carpenter de Montré...

Mercier coupa d'une voix plus coléreuse encore :

— Arthur, je veux voir ce Morrison en prison avant la fin du mois. Sinon des têtes tomberont. Entendu ? Passe le mot à tous les échelons jusqu'au moindre policier en poste à Mégantic. Je ne veux plus entendre parler des jérémiades de ce hors-la-loi du diable avant qu'il ne soit écroué.

Quelques années et même quelques mois auparavant, Turcotte aurait rajouté quelque chose à la décharge de ceux qui menaient les recherches. Cela n'était plus possible. Sa propre tête aurait sauté. Son chef était devenu trop exigeant et sûr de lui pour accepter qu'on prolongeât une discussion que, par le ton et le geste, il venait de clore.

A une fenêtre, le premier ministre regardait quelque part dans son passé de journaliste, plongé dans un mutisme furieux.

Avant de quitter, le procureur dit à mi-voix :

— On va la régler, l'affaire Morrison !

CHAPITRE 22

Le jour suivant, l'ordre de Mercier devenu ordre du gouvernement, fut acheminé à Montréal au connétable Bissonnette qui, une fois de plus, réunit le juge Dugas et le chef Carpenter. Des décisions furent prises. On les tiendrait secrètes à tout jamais. Le soir même, les trois personnages prirent le train pour Mégantic. Trente policiers les accompagnaient.

Les ordres sont formels. Il faudrait fouiller systématiquement les cantons, bousculer les gens, les intimider, créer un tel climat de tension qu'on en vienne à se dire que les problèmes posés par la protection du hors-la-loi sont devenus bien lourds à porter.

Une fois encore, Dugas choisit d'établir ses quartiers hors de Mégantic, à une vingtaine de milles vers l'ouest, dans le village de Gould, sur le chemin vicinal. Il y créa un tribunal devant lequel comparaîtront les supporteurs du hors-la-loi. Et il fit arrêter ceux qu'on soupçonnait d'être les principaux complices du cow-boy. Les accusations pleuvèrent. On fit de la détention préventive.

En même temps, on organisait des battues. Toutes les pistes étaient explorées. On passa au peigne fin bois et futaies. Dans les granges et les cabanes, on fouina jusque sous les combles. Les détachements de police s'érigèrent en petits tribunaux d'inquisition devant lesquels furent traduits les personnes les plus compromises.

Le jour suivant son arrivée, le juge Dugas entra en contact avec la Société Calédonienne. Il en vint à une entente. La Société incitera Morrison à se rendre. Si elle y parvient, la prime de trois mille dollars lui sera versée et pourra être utilisée à la défense du hors-la-loi.

Donald refusa. Il se rendra seulement quand la ferme sera rendue à son père après quoi il acceptera toute décision d'une cour à son sujet.

Informé de tout le remue-ménage agitant les cantons, Spanjaardt descendit à Mégantic le dimanche, sept avril. Et tôt le jour suivant, accompagné de son ami Higgins du journal local, il se mit en route pour Gould.

Le chemin est dans les pires conditions : le cheval s'enfonce jusqu'aux jarrets. D'énormes flaques d'eau boueuse se disputent la voie avec des lames de neige en sel. En maints endroits, des rigoles ont été creusées par l'eau courante. Les deux hommes sentent et disent que l'affaire Morrison est sur le point de connaître son dénouement. Ils craignent pour Donald, s'entendent pour que l'un ou l'autre reste toujours le plus près possible du centre des opérations. Chacun prendra donc la relève à Gould tandis que l'autre remplira ses obligations à Mégantic.

Ce même jour, à l'American Hotel, deux autres hommes s'inquiétaient aussi, mais à leur façon. Attablés, MaMahon et Leroyer s'entretenaient à voix basse.

Ils craignent de se faire damer le pion. Depuis deux semaines, alors que le Sauvage a retrouvé l'usage de sa jambe, ils ont recommencé à travailler de concert. L'arrivée de Dugas et compagnie, la détermination qui anime le quartier-général ont convaincu les partenaires que leurs chances de capturer Morrison fondent comme la neige. Il faut trouver quelque chose. Et vite.

Les événements se bousculent, s'entremêlent en se précipitant. Malentendus. Imbroglios. La course au gros gibier fait surgir de drôles de projets. La chasse à l'homme a perdu sa franchise. Des rumeurs circulent. On ne sait plus qui croire. Une odeur de trahison flotte dans l'air des cantons.

Un article du Star souligne le nationalisme de Morrison qui refuse de franchir les frontières pourtant toutes proches parce qu'il est trop attaché à son pays natal et préfère mourir plutôt que de s'expatrier une fois encore et pour toujours.

Mal chaussés pour courir les bois par des chemins aussi mauvais, policiers et détectives se sont plaints. Le mardi neuf avril, un chargement de bottes arrive à Mégantic.

Dans les jours précédents, Dugas a réussi un coup de maître. Il a convaincu des Écossais de participer aux recherches. La nouvelle s'est répandue mais plusieurs la croient non fondée.

On a téléphoné à La Patrie et à La Presse. Deux jours plus tard, ces journaux titrent : MORRISON SE REND. Dans les articles, on soutient que des Écossais et même des proches du hors-la-loi se sont retournés contre lui.

Le mercredi, McMahon rend visite au juge. Il sort souriant. Puis il rencontre un journaliste de La Presse fraîchement arrivé à Gould ainsi que Spanjaardt à qui il déclare qu'une trêve sera décrétée. Elle prendra effet le jour de Pâques, vingt et un avril et permettra une rencontre avec le hors-la-loi. « Car, soutient le détective, le gouvernement est prêt à se rendre aux conditions de Morrison. »

Pressentant quelque manœuvre douteuse, Spanjaardt insiste pour obtenir une entrevue avec le juge. Peine perdue. On ne le recevra pas. Même résultat avec Carpenter et Bissonnette.

Donald est caché dans une cabane de Marsden à moins de deux milles de celle des McKinnon. C'est la saison des sucres. Les érablières sont envahies de récolteurs de sève. Le hors-la-loi peut donc circuler plus librement et voir plus souvent Marion.

La jeune femme est désespérée par la nouvelle de la défection de certains Écossais. Elle l'avait pourtant prévu et prédit. Mais ce fait nouveau décuple le danger couru par son fiancé.

Donald est ébranlé, abasourdi, frappé au cœur. Ses amis

refusent de croire que des gens de sa race l'aient abandonné. Lui aussi. Mais la certitude de Marion jette une douloureuse confusion dans son esprit.

La nouvelle de la trêve parvient au hors-la-loi via le réseau d'intermédiaires. Marion et Norman n'en démordent pas. Plus que jamais, ils conseillent à Donald de partir. Et ils finissent par le convaincre. Mais lui veut mettre toutes les chances de son côté. Il partira seulement après les pourparlers et s'ils ont achoppé. Il fait parvenir un message au juge. Il accepte de le rencontrer en un lieu situé près de la rivière au Saumon, à mi-chemin entre Marsden et Gould.

Dugas reçoit la lettre le mardi seize avril. Il ne l'ouvre pas, la donne à McMahon et scelle ainsi à la manière de Ponce-Pilate le sort du fugitif.

Le samedi soir, Donald s'en va à la cabane des McKinnon pour y passer la nuit. Il s'entretient avec le père de Marion, lui confie deux lettres.

La première est pour Marion et ne contient que trois lignes : « Je t'aime. Irai rencontrer le juge lundi. Viens demain si tu veux. Serai ici jusqu'à midi. Ensuite, irai voir mes parents. »

Il avait tracé les grandes lignes des événements prochains. Après avoir vu sa fiancée et ses parents, il se mettrait en route pour le lieu de rendez-vous. La route étant impraticable, il emprunterait la voie ferrée, à pied.

L'autre lettre était adressée aux MacRitchie. Il demandait qu'on mît, une dernière fois, son réseau de défenseurs en alerte. Il savait, sans même avoir besoin de le spécifier, qu'une dizaine d'hommes prendraient le train pour Scotstown le lundi matin et qu'ils iraient se poster au voisinage du lieu de la rencontre.

•

Marion se mit à la fenêtre pour regarder les étoiles pardelà les collines sombres en direction de l'érablière. Les yeux démesurément grands, constellés de lueurs implorantes, elle adressa au Seigneur une prière fervente.

Puis elle se coucha et tomba dans un sommeil insupportable. Une vision d'horreur harcela son inconscient jusqu'au matin. La maison de Murdo Morrison était entourée de policiers parmi lesquels la démoniaque face du Sauvage.

Une tempête d'épouvante, de pluie battante, de tonnerre à faire craquer les rochers, étendait sa rage à tout le canton. Les visages hideux apparaissaient aux fenêtres. A toutes les fenêtres. Mais son esprit parvenait à s'échapper et à se transporter au-dessus de la cabane. La porte s'ouvrait. Donald sortait. Elle cherchait à l'avertir du danger mais sans y parvenir. Ses cris se perdaient dans le vent déchaîné. Elle se désâmait toujours lorsque les policiers commencèrent à tirer sur son fiancé. Elle le voyait se tordre dans l'agonie tandis que le Sauvage dansait autour du corps brisé.

Le réveil n'en fut pas moins pénible. Aux premières lueurs du jour, elle partit pour la cabane par un froid soleil sans promesses. Le cœur plein d'angoisse, les yeux entourés de larges cernes, boursouflés, elle marchait comme par habitude. Le Morne aussi semblait tuméfié dans son lointain fumeux.

En ce moment même, Donald achevait aussi une nuit agitée. Au seuil de l'éveil, son esprit cherchait à s'échapper d'une scène angoissante.

Au milieu d'une prairie verdoyante, dans une jolie maison blanche entourée de fleurs, bat la vie. Marion regarde un enfant blond qui découvre son enfance. Derrière la montagne lointaine, près du ruisseau qui a vu mourir Custer, des cavaliers multicolores chevauchent vers le Canada. La magie du rêve les transporte sur des ailes d'or et d'argent.

Lorsque les chevaux se posent sur le sol de la prairie, le ciel s'assombrit, rougit, prend couleur de sang. Une traînée de feu suit leur course infernale. Soldats blancs déguisés en Indiens pour cacher leur forfait, ils viennent ravager.

La maison se transforme en brasier. Marion court à l'intérieur avec le petit. Un faux Indien hurlant se rue dans les flammes, couteau prêt à tuer. Il rattrape Marion, lui taillade le cuir chevelu puis arrache par lambeaux ses cheveux aux boucles souillées de sang noir.

Lorsque la force du destin, qui a empêché Donald de bouger jusque là, lui permet d'intervenir, il est trop tard, déjà. Marion et leur enfant ont disparu à tout jamais dans un effroyable jardin de cendres. Alors les montures ailées s'envolent à nouveau vers les montagnes et vers le champ des morts du général Custer.

On frappe à la porte. Donald se réveille en sursaut. Il prend un revolver. Puis il trouve sa montre dans sa veste laissée sur une petite chaise. Sept heures seulement. La trêve ne commence qu'à dix. Alors c'est sûrement Marion. Mais peut-être pas... On crie. C'est une voix de femme. C'est elle. Il répond qu'il vient, s'habille, va ouvrir.

Elle se jette dans ses bras. Il sent la nuit, le lit. Elle aime cela. Il referme, barricade la porte avec un solide morceau de bois. On marche sans rien dire sur des planches terreuses entre les pannes où l'eau d'érable encore chaude sommeille en attendant l'attisée qui remuera à nouveau son essence. On va s'asseoir sur le lit. Elle s'abandonne à l'effusion sur sa poitrine nue, chaude. Longtemps.

Lorsque ce rêve, plus doux que les plus beaux, est terminé, que vient le temps de s'inquiéter sur les embûches du jour, de prendre les moins pires décisions sur des réalités complexes, alors elle dit :

— Donald, n'y va pas à ce rendez-vous.

— Et pourquoi pas ?

Soupir. Silence. Il reprend :

— Je n'ai rien à perdre.

— S'il te prennent.

— Mes amis seront sur la route. Et puis j'ai leur parole.

— Leur parole...

— Ils l'ont respectée une fois déjà. Ils seraient haïs par tous à tout jamais s'ils la trahissaient.

— Un homme n'est jamais haï ou aimé bien longtemps par tous.

— Nous deux, on s'aime depuis dix ans, non ?

Long silence puis question de Marion :

— Crois-tu que les rêves d'hier peuvent devenir réalité aujourd'hui ?

— Les vrais rêves de la nuit ?

— Les vrais, oui...

— Bah ! plus ou moins. Les rêves n'ont ni queue ni tête ; tiens : écoute.

Et il lui raconta comment elle s'était fait scalper par un faux Indien dans ce rêve tardif que Marion, bien vivante et diablement loin de l'Ouest, avait interrompu.

— Moi, je pense que c'est la peur qui nous fait rêver. Et puis c'est la peur aussi qui nous fait agir en plein jour. Quand chacun contrôlera la peur en lui-même, finis les crimes, la guerre et tout. Ça c'est une vérité qu'il m'a été donné d'apprendre dans ma fuite solitaire.

— Moi, la nuit dernière, je t'ai vu te faire abattre par le Sauvage.

— C'est ce que je disais... Tu as peur du Sauvage. Pas de raison : il est éclopé.

— Il ne l'est plus.

Donald se mit à rire.

— S'il se présente devant ma face, il va se faire estropier pour deux autres mois.

— Si tu avais vu comme c'était terrible, fit Marion en grimaçant. Je sens qu'il va arriver quelque chose. C'est un avertissement que nous avons eu tous les deux. Ils vont essayer de tricher. Ils vont te tuer.

— Mais non, voyons ! La seule chose que je crains, c'est qu'ils posent quelque condition que je ne pourrais remplir.

— Et s'ils le font ?

— Alors je partirai pour l'Ouest comme je l'ai promis.

Rien ne pouvait effacer la tristesse profonde inscrite dans le regard de la jeune femme. Elle voulut graver dans sa mémoire et dans son amour le moindre de ses gestes quand il se rasa, finit de s'habiller, prépara ses affaires.

John McKinnon arriva. Il eut un entretien avec Donald, approuva ses décisions. Le jeune homme se sentit plus sûr de lui. Il regarda sa montre pour la première fois depuis le matin. Son visage s'éclaira. La trêve était en vigueur depuis plus d'une heure.

Avant de quitter les lieux, il respira à pleines narines les vapeurs sucrées, s'échappant des gros bouillons blancs dans les pannes de l'évaporateur. Il salua John, lui serra la main. Marion le suivit dehors.

De la terre mouillée, brune, couverte d'humus en décomposition exhalait une odeur de crème sûre. De longues langues de neige en sel, sale et scintillante, couraient en se croisant dans une fantasmagorie éphémère.

Marion sentait la fin plus prochaine que jamais.

Il se tourna vers elle, la prit par l'arrondi des épaules, dit laconiquement :

— A bientôt !

Un coup de vent frais agita le faîte des érables, tomba doucement dans la chevelure de Marion. Torturés, implorants, ses yeux se posèrent sur le visage aimé. Elle dit à mi-voix, sachant bien qu'elle parlait en vain :

— N'y va pas. Ils vont te tuer.

— Ma pauvre Marion, douce petite amie, tes nerfs sont à vif. Prends courage, la fin est toute proche.

Ils s'embrassèrent. D'un baiser bref.

Quand il eut fait cent pas, elle cria en gaélique :

— À bientôt !

Les mots tombèrent dans une rigole d'eau noire.

Il salua de la main. Un geste esquissé, indécis.

Elle resta debout, immobile. Entre ses yeux et l'image adorée, les érables se croisèrent, se multiplièrent. Il ne fut bientôt qu'un point sombre...ou bien n'était-ce qu'une tache de terre nue se déformant dans ses pupilles ?

A l'orée du bois, il se retourna. N'étaient visibles encore que deux ou trois lignes de la forme de la cabane, entrecoupées par des troncs d'arbres et souvent noyées dans un nuage de vapeur blanche.

Dans toutes les églises des cantons et chez toutes les dénominations religieuses, on parla de la trêve en ce jour de Résurrection qui sonnait à toute volée son renouveau au-dessus des hameaux par monts et collines, lacs et boisés. Des pasteurs firent prier leurs fidèles pour qu'on en arrive à une entente. Au sortir des offices, le sujet de conversation général était ce moratoire qui laissait entrevoir, en même temps que le dénouement de l'affaire, la fin des malheurs du pauvre fils de Murdo Morrison.

CHAPITRE 23

Chemin faisant, Donald doit souvent faire des détours à plusieurs pieds de la route afin d'éviter les fondrières et de larges flaques inondant les dépressions. Cela ne lui déplaît point car si d'aventure quelque chasseur de prime eût voulu passer outre aux directives des autorités, il aurait été forcé de le pourchasser sur une route impossible qui ne deviendrait pas carrossable avant plusieurs jours lorsque le gros des neiges se serait écoulé et que les ruisseaux de circonstance s'assécheraient.

Au loin, des nuages lourds s'amoncellent, roulent sur le mont Mégantic. Le hors-la-loi ferme le pan d'un long manteau gris pour bloquer le passage à une bise de printemps qui mord désagréablement.

Lui qui, contrairement à Norman MacAuley, n'a jamais été adepte du poker, sent qu'il va jouer dans les jours qui viennent la partie la plus importante de sa vie. Il détient de bonnes cartes et le sait : sa réputation, l'appui de plusieurs journalistes, le soutien des Écossais et par-dessus tout l'amour de Marion.

Et il pense également aux prières de sa mère quand il

aperçoit au détour du chemin l'humble cabane de billes autour de laquelle l'essouchage n'a même pas été complété. Il enjambe une clôture, contourne une souche énorme, arrive à la maison. Sophia l'accueille, oscillant depuis la douleur pathétique jusqu'à la joie enfantine.

Deux jours auparavant, Dugas est parti pour Montréal. Il va célébrer Pâques dans sa famille. Bissonnette visite des amis à Sherbrooke. Carpenter prend le repas du midi chez des connaissances à Winslow. Spanjaardt s'ennuie à Mégantic à l'hôtel Graham. Et le premier ministre festoie parmi les siens dans sa résidence cossue de Montréal.

Tôt le matin, McMahon et Leroyer, tous deux catholiques, sont allés à la messe. Et communier. Leroyer va rarement à l'église. A cause de son métier et de sa race, un prêtre lui a laissé le soin d'appliquer à sa manière la loi de l'Église sur le dimanche. McMahon est un fervent chrétien. Il a prié pour que la chasse à l'homme soit bonne.

Après la messe, les deux hommes se sont rendus chez le major McAulay. Depuis le jour où le cow-boy l'a attaqué, l'homme met gratuitement à la disposition des chasseurs de prime tout ce qu'il possède de chevaux et voitures.

Le Sauvage a choisi une voiture massive à grosses roues bandées de fer, à fonçure en étroits madriers et à laquelle on peut atteler en double. Deux juments percheronnes noires pairées devant ont fait dire au major avant que les associés ne se mettent en route :

— Faudrait surtout pas casser une patte à l'une d'elles. Pas facile à trouver, deux belles bêtes aussi semblables.

— C'est le cow-boy qui va se faire casser une patte, dit Leroyer le visage impassible.

La route est passable sur les six premiers milles. Mais sur les suivants, elle est terrible. Les chevaux se barbouillent les jarrets jusqu'au ventre. Les roues calent parfois jusqu'aux essieux.

Chez les McKinnon, on n'a pas vu passer les pourchasseurs : tous sont à la cabane à sucre. Même chose chez les Langlois. On a compté sans leur présence et c'est pourquoi on est parti à midi seulement.

Caché par la grange, les hommes ont pris le risque de s'approcher le plus possible des bâtisses de Murdo. Puis on a caché l'attelage dans une entrée de sucrerie, celle du lot des Morrison. On ne l'utilise pas car les érables sont entaillés par les Langlois qui se servent de leur propre chemin.

Tout s'enclenche, baigne dans l'huile : tout adonne contre Donald. Fussent-ils arrivés une demi-heure avant qu'il les aurait aperçus puisqu'il se trouvait alors lui-même à l'extérieur. Et il aurait pu disparaître comme il l'avait fait si souvent ces derniers mois. Et même s'ils avaient attaqué à vue, il est certain qu'il aurait eu le meilleur.

Pour venir à bout d'un homme d'aussi bonne trempe que la sienne, il fallait sans aucun doute que s'unissent un sort défavorable et la trahison, l'ignomigneuse machination proposée par McMahon, cautionnée par le silence du juge et de ses adjoints, provoquée de loin par les calculs politiques d'un premier ministre intransigeant.

Pour mener à bien leur expédition, les complices ont pensé à tout. Les harnais ont été dépouillés de leurs clochettes et les morceaux de métal brillant recouverts de boue. On a apporté du foin, de l'avoine pour nourrir les chevaux et des couvertures pour les protéger de la fraîcheur du temps. Car les bêtes devront rester plusieurs heures immobiles, attachées à un arbre. Sur la fonçure voisinent les carabines, un sac à victuailles, des bouts de corde, deux cruches de scotch et deux lanternes.

Vers deux heures, on a fait un grand détour par la forêt pour arriver à quelques centaines de pas de la maison. Derrière. On s'embusque entre les arbres à l'abri d'un tronc couché..

Donald a jasé avec ses parents. Il s'est lavé, changé de vêtements. Il a mis son bel habit d'été que sa mère a repassé dix fois depuis l'automne, juste pour lui ôter les plis du cintre. Il mettra son manteau d'hiver par dessus pour marcher jusqu'à Scotstown. Et s'il sera chaussé de bottines pour faire la route, il apportera des souliers fins dans un baluchon pour paraître au mieux devant les autorités.

Sophia lui donne à manger : des patates, des œufs, des tireliches.

— Au souper, je te ferai un bon gros steak d'orignal, lui dit-elle alors qu'il sort de table l'estomac à moitié vide.

Selon son habitude quand son fils est là, Murdo se tient

près d'une fenêtre pour surveiller le chemin dans les deux directions.

— Il reste encore de la viande d'orignal ? questionne Donald, surpris.

— S'il en reste ! J'en ai donné à Marion, aux Langlois. On en a même vendu à monsieur Graham de l'hôtel à Mégantic.

— Et à monsieur Higgins du journal, ajoute Murdo.

— C'était une bien belle bête, dit Donald qui se rappelait les difficultés qu'il avait eues à trimbaler la carcasse après qu'il eut abattu l'animal l'automne précédent.

En milieu d'après-midi, deux jeunes gens à cheval apparaissent sur la route. Murdo les reconnaît alors qu'ils se trouvent encore à bonne distance.

— Norman MacRitchie et Norman MacAuley s'en viennent, crie-t-il à Donald.

Par réflexe, le hors-la-loi saute sur ses jambes et dégaine l'un des revolvers qu'il porte sous son veston. Son père n'a plus le coup d'œil d'antan ; il pourrait se tromper. Donald se rend à la fenêtre pour vérifier lui-même. Et il reconnaît à son tour ses deux amis.

Il sort pour aller à leur rencontre, marche jusqu'au chemin en leur adressant des signes de la main.

En apercevant les cavaliers, McMahon et Leroyer se sont félicités d'avoir si bien camouflé leur voiture et encore davantage du silence de leurs bêtes. Un hennissement malencontreux et c'aurait pu en être fait de leur expédition. Leur joie décuple lorsque le hors-la-loi entre dans leur champ de vision entre la maison et la grange.

— Il est là, dit joyeusement McMahon en claquant son compagnon dans le dos.

— Ça vaut un coup, fait Leroyer en portant une cruche de scotch à sa bouche.

— Pas trop, dit McMahon. Faudra bon œil tout à l'heure.

Sophia sert du vin aux jeunes gens qui discutent, attablés. On expose à Donald le plan établi pour le protéger. MacAuley parle souvent de l'Ouest. Pour tisonner la décision de son ami en cas d'échec des négociations. Murdo brasse les braises avant de jeter trois bûchettes dans le poêle. Il dit :

— Le vent se lève. On va avoir de la neige.

— Les érables vont recommencer à couler, commente Donald.

— J'ai fait plusieurs cabanes ces jours-ci ; c'était plutôt sec dans les chaudières.

McMahon s'inquiète :

— S'il faut que ces deux-là restent avec lui ! Faudrait rentrer à Mégantic encore une fois avec notre petit bonheur.

— En les prenant par surprise...

McMahon hausse les épaules.

— Premièrement, on ne peut pas tirer sur ces gars-là sans essayer de les arrêter d'abord donc sans les avertir. Et si à ce moment-là, la bagarre éclate, toi et moi contre deux cow-boys et un troisième homme sans compter le père Morrison, on est cuits, faits comme des lapins.

— Quoi faire ?

— On va en profiter pour aller manger et soigner les chevaux.

Une heure plus tard, ils sont de retour. Les amis de Morrison sont toujours dans la maison comme le disent les bêtes attachées à une perche près de la grange. Une autre heure passe. Ils s'en vont. Une neige drue poussée par un vent glacial les accompagne en tourbillonnant.

Le jour commence à décliner. Donald s'est assis à cheval sur une chaise près de la table. Il buvote du lait. Sophia dessert. Son angoisse fait place à un certain contentement d'avoir pu remplir l'estomac de son fils avec la viande promise.

Murdo fume.

— Faudrait s'approcher et le tirer par la fenêtre, propose le Sauvage.

— On ne bouge pas avant de voir une lampe allumée dans la maison. Alors ils ne pourront pas nous voir.

Sophia charge une pipe qu'elle apporte à Donald. Elle frotte une allumette, la colle au tabac. Il aspire les bouffées, la regarde. Leurs yeux se rencontrent. Elle est heureuse, a peur et souffre : mixture sentimentale que seule une mère peut concocter. Et ses pupilles le disent intensément. Tant, que Donald a besoin de la rassurer.

— Cette nuit, je vais dormir chez les MacLeod à Scotstown. Parfaite sécurité là-bas. Et demain, quand j'irai rencontrer le juge, mes amis seront au poste.

Rien ne saurait convaincre la vieille dame dont le front porte tant de signes de douleur retenue. Comme la mère des frères James, elle se ferait couper un bras ou bien les deux pour défendre son fils. Mais elle se sent d'un impuissance totale.

Quand la flamme de l'allumette s'éteint, elle se rend compte qu'il fait bien sombre dans la maison. Alors elle fait du feu dans une lampe qu'elle dépose sur la table devant Donald.

Pour McMahon, c'est le signal attendu. Les deux hommes marchent jusqu'à être cachés par la grange. Alors ils quittent la forêt, courent lentement, à pas retenus comme seuls les fauves savent le faire. L'un s'assure que la plus haute perche d'une clôture est solide ; il y pose la main et saute. Le Sauvage lui refile les armes puis saute aussi. Bientôt, on s'adosse au mur de la grange, les pieds dans une lame de neige. On attend. Histoire de se reprendre un peu les nerfs en main. On contourne ensuite la bâtisse pour aller s'embusquer de l'autre côté, celui du chemin.

Ainsi tapi, l'on attend. Les ombres disparaissent, noircissent. La nuit efface la brunante. La neige tournoie toujours. Par intermittence.

— Il est temps pour moi de partir, déclare Donald.

— Couche ici. Tu partiras à la barre du jour, propose Murdo.

— Certain, renchérit Sophia.

— Non, faut pas que je prenne des risques inutiles.

— Mais avec le vent, la neige, le froid... Tu vas périr dehors.

— Y'a sept milles à faire pour aller à Scotstown.

— Tu ne verras pas à quinze pieds devant toi...

Donald les rassure :

— En suivant la voie ferrée avec un fanal : aucun problème.

On n'insiste plus. Depuis son retour de l'Ouest, c'est toujours lui qui a pris les décisions. Sa volonté domine. Il sait ce qu'il veut. Parfois les conseils le font se buter.

Il boit une dernière gorgée de lait, se lève, ajuste la ceinture de ses revolvers sous le regard mélancolique de ses parents. Puis il s'en va à la porte, décroche son manteau, l'enfile. La lanterne est dans la première marche de l'escalier. Murdo l'a remplie de pétrole lampant. Le verre a été décrassé.

— Si je ne peux pas revenir demain ou mardi, je vous enverrai un message par Norman MacAuley.

— Sois d'arrangement avec le juge, fait Sophia sur le ton d'un tendre reproche.

— Et n'oublie pas que la justice est orgueilleuse, c'est bien connu, ajoute Murdo.

— D'une façon ou de l'autre, demain soir, il y aura eu de gros changements.

Donald ouvre la porte, reste un moment sur le seuil, dit un dernier mot :

— Bon, à bientôt !

Sophia court jusqu'à lui, le serre dans ses bras comme à son retour de l'Ouest. Il pense à Marion.

McMahon prononce tout bas :

— C'est lui. Il sort.

Donald referme, fait une dizaine de pas. Il s'arrête, sent quelque chose...

— Haut-les-mains ! crie McMahon.

Donald doit prendre une décision. Il n'a qu'une fraction de seconde pour le faire. Plus d'échappatoire. A quoi bon s'enfuir puisqu'il y a trêve. Et il lève les bras. Mais une balle siffle à ses oreilles. Il laisse tomber la lanterne et détale. Suivent d'autres coups de feu. C'est Leroyer qui tire sans arrêt. La carabine de McMahon s'est enrayée. Il la rejette, sort son Colt, tire au hasard. Sa deuxième balle atteint Donald à la hanche alors même qu'il enjambe une clôture basse. Il tombe, se relève, franchit quelques pieds, tombe encore, se remet tant bien que mal sur ses jambes. Après une dizaine de pas, il s'écroule près d'une grosse souche, face contre terre.

Les chasseurs courent en zigzaguant jusqu'à la clôture. Ils attendent. Écoutent. Murdo et Sophia sont sortis, mais ils n'aperçoivent devant eux qu'une nuit désespérante. Une petite flamme, celle de la lanterne tombée, brille encore.

C'est une lueur de désespoir. Pourtant c'est vers elle qu'ils se mettent en marche.

Une fois de plus, Sophia, sans le savoir, vient aider le destin contre son fils. Elle prend la lanterne, avance... Donald se retourne, cherche à prendre son revolver. Il voit ses parents éclairés par le fanal, décide de ne pas se défendre. Il se met sur le côté pour tâcher d'atténuer l'insupportable douleur que lui fait subir son os iliaque gauche.

Les Morrison arrivent près des chasseurs. McMahon les regarde, les met en joue. Mollement. Il comprend qu'ils ne sont d'aucun danger. Mieux, ils pourront servir si le hors-la-loi est resté à l'affut dans les environs.

— Je suis représentant de la loi. Restez à l'écart, leur dit-il.

Puis il crie :

— Morrison, rends-toi !

Il écoute. Silence.

— T'es cerné, bluffe-t-il.

Murdo prend la lanterne, la soulève à hauteur de ses yeux, crie à son tour :

— Donald, rends-toi !

Mais l'homme espère de toutes ses forces que son fils soit déjà loin.

Une voix à la fois lointaine et rapprochée leur parvient :

— Oui... Par ici...

— Approche les mains en l'air. Et ne tire pas, crie McMahon.

— Je ne peux pas...

— Pourquoi ?

— Je suis blessé...

— Un piège, ça ?

— Non.

McMahon recharge son Colt. Il prend la lanterne, la tient à bout de bras, passe la clôture. Mi-courbé, il marche au pas de course en ligne brisée jusqu'à se heurter à la souche derrière laquelle git le blessé.

— Morrison, crie-t-il.

— Par ici, fait Donald.

McMahon est sidéré. La voix a beau être faible, elle est dangereusement proche. Il met la lanterne sur la souche en se disant que le hors-la-loi, s'il a l'intention de tirer, ne manquera pas de le faire.

Alors il aperçoit le corps étendu. Dos et derrière de tête sont visibles. Il lève son Colt, vise puis l'abaisse. Morrison n'est pas assez fou pour s'être ainsi couché à découvert. Ce n'est donc pas un piège. Il est vraiment blessé.

Le policier s'approche, appuie le canon de son arme sur la tempe de sa victime. Leurs regards se croisent, se comprennent. Chacun sait maintenant qu'il y a un vainqueur et un vaincu. Et qui est qui...

— Je l'ai, crie McMahon.

Leroyer pousse son hurlement sauvage et court vers la lanterne presque en dansant.

Sophia s'est effondrée. Murdo la prend par un bras, la conduit dans la maison, lui disant :

— Reste à la maison, maman. Attise le feu. Je vais chercher Donald. Je vais le ramenr ici...

La vieille femme sanglote, se laisse guider comme une enfant. Elle rentre, tombe dans l'escalier. Murdo retourne.

McMahon a soulevé un pan du manteau du blessé. Sa main cherche les pistolets. Elle touche une région mouillée, se retire. Leroyer arrive.

— Prends le fanal et viens ici, ordonne McMahon.

De la lumière tombe sur la main ensanglantée. McMahon grimace, s'essuie sur sa culotte. L'œil du Sauvage brille de méchanceté à la vue du sang.

— Aide-moi. On l'emmène.

Chacun prend Donald par un bras. On le met sur ses jambes et on le traîne jusqu'à la clôture où on le fait s'asseoir par terre. Le blessé reste muet même s'il souffre le martyre. Il se couche pour atténuer le mal.

Murdo arrive. McMahon passe la clôture, le repousse, lui ordonne de retourner à la maison. Le vieil homme s'entête.

— Pas question ! tranche McMahon.

— C'est mon fils... Il va peut-être mourir, dit Murdo les yeux embués, la voix suppliante.

— Pas question ! répète le détective. Retournez. Je ne vous laisserai pas vous approcher.

Murdo recule un peu, dit doucement, l'air effaré :

— Je ne suis qu'un vieillard...

McMahon ne l'écoute pas, crie à son associé.

— Attache-le... Les mains derrière le dos. Attache les jambes aussi. Et serré...

Puis il menace Murdo du doigt levé et de la voix :

— Ça sera mieux pour lui si vous retournez chez vous.

Le vieil homme penche la tête, fait demi-tour, espace des pas hésitants vers la cabane.

McMahon rejoint Leroyer qui a ficelé le prisonnier avec des bouts de corde accrochés à sa ceinture.

— Attache-le à la clôture. Et va chercher la voiture.

Le fier hors-la-loi est devenu un cow-boy stoïque. Il n'a rien à dire. A personne. Il a froid. Ses muscles peauciers frémissent. Il ne nourrit aucune pensée. Il n'est plus qu'une bête blessée qui se laisse trimbaler et n'attend rien. Un curieux désir le harcèle pourtant : il voudrait jouer de l'harmonica. Mais ses liens l'empêchent de la prendre.

Chez les Langlois, on est de retour de la cabane. On a entendu le bruit de la fusillade. Et on a deviné. Le père accourt chez les Morrison alors qu'une adolescente se rend chez les McKinnon. D'autres voisins se pressent, arrivent chez Murdo en même temps que le Sauvage. On entoure Donald. Des lanternes l'éclairent. Il regarde tous ces gens qu'il aime, leur sourit faiblement. Des phrases tombent. Le ton monte :

— Pourquoi l'attacher comme une bête sauvage ?

— Cet homme est blessé.

— Qui a tiré sur lui ?

— Qui a rompu la trêve ?

McMahon veut calmer les esprits, se justifier. Il élève la voix à son tour :

— Cet homme a tiré sur nous...

— Sales chasseurs de prime, crie un jeune homme.

— Je suis policier, s'insurge McMahon. J'ai voulu arrêter cet homme au nom de la loi mais il nous a tiré dessus.

Donald retrouve un peu de force pour s'écrier :

— Qu'on me tue sur l'heure si j'ai tiré une seule balle ! J'aurais pu. Mais je ne l'ai pas fait. J'ai mes revolvers. Ils sont chargés. Qu'on vérifie !

Ses dernières paroles n'ont pas été entendues. McMahon

les a noyées. Il joue d'astuce comme il l'a fait à la baie Victoria :

— Cette homme a besoin d'un docteur. Qu'on nous aide à le mettre dans la voiture ! On va le conduire à Mégantic. Il perd du sang. Il peut mourir.

Touchés par ces paroles et n'écoutant que leur cœur, les assistants obéissent.

Pour montrer à tous sa grandeur d'âme, McMahon recouvre soigneusement la prisonnier des couvertures à chevaux. Et au moment où la voiture conduite par le Sauvage se met en branle, il dit aux gens attristés avec un trémolo dans la voix :

— Je n'ai fait que mon devoir de policier. Nous prendrons bien soin de lui.

Et il va devant l'attelage pour le guider dans la nuit.

A Lucy McKinnon, la fille Langlois parle de la fusillade entendue et de ce que pense son père. Lucy hésite. Elle veut courir à la cabane à sucre, avertir Marion, les autres. Mais ce n'est pas sûr. Il faut savoir. Elle enfile des bottes, un manteau, sort avec Alma Langlois.

Les voisines se connaissent de vue mais ne sont pas des amies. Leur langue les sépare. En des moments de pareille angoisse, elles ne peuvent que se comprendre.

Quand elles arrivent près de la maison des Langlois, la voiture transportant le hors-la-loi passe en cahotant. Le Sauvage reconnaît Alma. Aidé par de nombreuses rasades de scotch, il ne peut s'empêcher de hurler sa joie.

— On l'a eu, Morrison, on l'a eu, répète-t-il.

Sous l'éclairage de la lanterne que tient McMahon, la forme du corps se devine sous les couvertures. Lucy est clouée sur place. Alma demande en anglais :

— Est-il mort ?

— Pas mort mais pas fort, crie Leroyer en français.

— Salaud de Sauvage ! Que le diable t'emporte au fond de l'enfer, vocifère Alma qui n'a jamais eu froid aux yeux et qui a toujours eu cet homme en horreur.

Le Sauvage éclate d'un rire puissant à secouer la terre entière, à plonger dans le cœur de Marion comme un lame pointue, à faire évacuer des gaz de l'estomac du premier ministre qui a trop mangé au souper, à faire se retourner dans leur tombe les cadavres de Custer et de Riel.

La voiture s'efface dans la nuit, derrière les tourbillons de neige. Le père d'Alma revient. On reconduit Lucy chez elle et on y attend le retour des McKinnon

Quand elle entre, Marion devine qu'il a dû se passer quelque chose de grave pour que le voisin canadien-français leur rende visite et surtout pour que Lucy affiche ce visage décomposé.

La nouvelle semble ne pas l'atteindre. Chacun sait pourtant qu'elle peut craquer d'un moment à l'autre. L'homme la rassure. Donald n'est que légèrement blessé. Il s'en tirera. On fera un procès. Dans deux ans au plus il reviendra.

Elle s'en va dans sa chambre, se couche dans le noir. Lucy la suit avec une lampe, la déchausse...

La route est affreuse pour Donald. Son corps se heurte sans cesse à la fonçure. Le Sauvage ne veut pas perdre une minute. Il faut livrer le hors-la-loi. McMahon aussi est pressé d'arriver à Mégantic. Il sait la gloire, tribut des courageux, qui les attend. Et ça l'émeut.

Avant d'atteindre le village, il fait arrêter la voiture. Une pensée lui a traversé l'esprit. Il avait bien entendu Morrison parler de ses armes, mais l'urgence de la situation avait attiré son attention vers autre chose. Ce n'est pas le danger qui le tracasse car le prisonnier a pieds et poings liés. Il soulève les couvertures, fouille le blessé, lui ôte ses pistolets qu'il met à l'écart après avoir enlevé deux cartouches à l'un d'eux.

Donald est soulagé. Ses armes ajoutaient à ses souffrances. Et puis la route est bien meilleure maintenant.

Au même endroit où, dix mois plus tôt, un coup de feu a retenti et mis fin aux jours d'un policier de fortune mu par l'appât du gain, à mi-chemin en biais entre l'American Hotel et l'hôtel Graham, un coup de carabine réveille ceux qui dorment et fait sursauter les autres en ce cœur de village partagé depuis le début de l'affaire entre divers sentiments de peur et de tristesse, mais jamais envahi par la haine.

C'est Leroyer qui a tiré. Il l'a déjà fait au retour d'une chasse particulièrement fructueuse alors qu'il avait servi de guide à un politicien dont il ne se souvenait que le nom sonnant comme chapeau.

Spanjaardt arrive l'un des premiers sur les lieux. Il aperçoit aussitôt le visage de Donald resté découvert. Le hors-la-loi le reconnaît, parle le premier :

— Monsieur Spanjaardt, vous aurez un bel article demain.

Le journaliste est ému aux larmes. Il se rappelle du fier gaillard qu'il a rencontré deux saisons plus tôt. De le revoir ainsi brisé, cloué dans une voiture, les yeux tristes comme ceux d'un enfant malade remue en lui tous les sentiments humains. Il ignore que Donald est gravement blessé et ne le saura que plus tard. Il demande ce qui s'est passé.

— Rien de particulier, répond Donald. Ils ont juste trahi leur parole.

— Pourquoi n'avez-vous pas respecté la trêve ? demande le journaliste à McMahon.

— Quelle trêve ?

— Quelle trêve ? Mais la trêve ! s'écrie Spanjaardt.

— Qui a entendu parler de trêve ? Toi, le Sauvage ?

Leroyer hausse les épaules.

Les gens affluent. On veut savoir. McMahon raconte à certains en anglais. Leroyer à d'autres en français. C'est alors que Spanjaardt apprend que le prisonnier est blessé.

— Une éraflure, soutient Donald qui refuse de laisser voir sa blessure.

McMahon donne ses ordres. On se rend à la gare. Pour téléphoner. Il est onze heures du soir. Le prisonnier reste dehors sous la garde de Leroyer.

— Pourquoi l'amener ici ? demande le journaliste.

— Un train va venir de Sherbrooke le prendre, répond McMahon.

— Comment ça ? En plein lundi de Pâques ? s'enquiert Spanjaardt suspicieux.

— Mon cher monsieur, la justice n'a pas d'heure. Elle est comme le bon Dieu, s'exclame le détective montréalais.

Et il pénètre dans la gare suivi de Spanjaardt qui veut aussi envoyer des télégrammes.

Le prisonnier tremble de froid. La douleur le mord jusqu'au cœur. Il sent qu'il a un os brisé, égrené. Chaque mouvement fait se frotter les uns contre les autres les fragments d'os.

Un quart d'heure plus tard, McMahon reçoit une dépêche. On lui annonce qu'un train spécial se met en voie et partira pour Mégantic dans les minutes suivantes. Il montre la nouvelle à Spanjaardt avec un air de dire : vous voyez ? Il ne fait plus de doute dans l'esprit du journaliste que l'arrestation de Morrison est un coup monté basé sur une ignoble trahison.

Quand les deux hommes sortent, il y a un attroupement autour de la voiture. Le détective s'indigne :

— Que personne ne s'approche du prisonnier !

Les gens reculent.

Le journaliste va parler à Morrison. Il le trouve claquant des dents.

— Tu veux qu'on fasse venir le docteur ? demande-t-il.

Cette idée fait sursauter McMahon. Risquer d'échapper l'oiseau. Non. Il faut le livrer la nuit même.

— Monsieur Spanjaardt, fait-il péremptoirement, vous n'êtes pas plus autorisé que les autres à vous approcher de Morrison.

— Vous le laissez mourir de froid. Faites-le entrer dans la gare au moins.

— Pas question qu'il bouge de là ! Et prenez vos distances.

— Minute ! proteste le journaliste. Laissez-moi lui mettre mon manteau.

— Il a déjà une épaisse couverte à cheval.

Spanjaardt enlève son manteau de bison, va l'étendre par-dessus la couverture. Donald est comme endormi. Il tressaute. Spanjaardt l'a touché à la hanche. Il tente de murmurer une parole de reconnaissance, mais déjà son bienfaiteur doit reculer, entraîné par le détective.

Le télégraphe ne dérougit pas. La Presse, La Patrie, Le Monde, Le Star, Le Whitness, tous les journaux du pays et plusieurs des États-Unis apprennent la nouvelle qui arrive à point pour l'édition du mardi. On va titrer en substance : le plus grand hors-la-loi du Canada est coffré.

A une heure et demie du matin, le train entre en gare. Spanjaardt se voit refuser l'autorisation de monter avec le prisonnier. Au moment de reprendre son manteau, alors que McMahon et Leroyer et un policier du train transportent le prisonnier, il se rend compte de la gravité de la blessure. Il proteste avec véhémence, menace. On lui jette son manteau au visage.

À quatre heures, le train s'arrête à Sherbrooke. On conduit le blessé à la prison. Il faudra l'intervention de John Leonard au matin pour qu'un médecin soit enfin appelé à son chevet.

CHAPITRE 24

Le lendemain, un journal américain disait que venait de prendre fin la plus grande chasse à l'homme de l'histoire de l'Amérique. « Ni Jesse James pas plus que Billy le Kid, ni Clay Allison pas plus que Bill Longley, ni John Wesley Hardin pas plus que Cole Younger n'ont fait l'objet de recherches plus intensives, plus systématiquement organisées, plus longues que celles qui ont précédé l'arrestation de Donald Morrison, un homme qui a appris à tuer quelque part dans l'Ouest, dans les bars de Cheyenne ou de Dodge... »

Malgré une certaine sympathie pour le prisonnier, La Presse et La Patrie accusaient Le Monde d'avoir fait de Morrison un héros.

Dans le Star, Spanjaardt qualifia les autorités de traîtres. Il dénonça McMahon et Leroyer pour l'inhumanité qu'ils avaient témoignée en laissant le blessé sans soins.

Dugas, Bissonnette et Carpenter nièrent avoir jamais annoncé une trêve. Et ils enjoignirent quiconque de prouver le contraire.

Alors que tout le pays ne parlait que de l'arrestation,

qu'on se questionnait sur les héros du jour, McMahon et Leroyer, plusieurs personnes des cantons arrivaient par le même train à Sherbrooke : Marion McKinnon, Murdo Morrison, Norman MacAuley, les fils MacRitchie, Higgins le journaliste.

Aucun, pas même Murdo, ne reçut l'autorisation de voir le prisonnier. Il fallait d'abord qu'on le soigne, qu'il reprenne des forces, qu'il se désigne officiellement un avocat.

John Leonard fut aussitôt demandé. En l'attendant, les proches de Donald se réunirent dans la salle d'attente du Palais de Justice. Quelques-uns se firent menaçants.

— On va lever une petite armée dans les cantons et on va leur abattre, leur prison, dit MacAuley.

De telles actions étaient courantes à l'époque dans l'Ouest. En ces jours d'indignation, il fallut des têtes froides pour ramener le calme dans l'esprit des Écossais. Leonard fut de ceux-là. Il prit les choses en mains, garantit aux amis de Donald qu'il pourraient le voir dans moins de trois jours si son état de santé le permettait et, via Higgins, prit contact avec la Société Calédonienne.

Un comité de défense-officiel celui-là fut mit sur pied avec l'appui de la Société. Grâce à son journal, Higgins contribua à la cueillette de fonds et une somme de deux mille dollars fut mise à la disposition de Leonard pour organiser la défense du hors-la-loi. Gagné par l'humanité de cette cause, l'avocat promit que ses propres honoraires ne seraient que symboliques. Et il retint les services au nom de Donald, de deux autres hommes de loi, J.N. Greenshields et F. Xavier Lemieux qui avaient défendu Louis Riel quatre ans auparavant.

Pour la couronne, face à ses anciens associés dans l'affaire Riel, se retrouvera un autre défenseur du métis : Charles Fitzpatrick. Cette envergure nationale des avocats de la défense et de la couronne contribua pour beaucoup à passionner le grand public pour un procès qui aurait lieu vraisemblablement en automne.

•

Quand il a appris la nouvelle de l'arrestation, le premier ministre a convoqué son procureur général. Il l'a félicité, s'est enquis de l'identité de ceux qui ont réussi le coup de filet.

— Peut-être faudra-t-il faire frapper une médaille à l'effigie de ce McMahon, a-t-il fait à la blague.

Mais l'attribution de la récompense devait exiger une réflexion plus approfondie. Car combinards et charognards se disputent les trois mille dollars.

Dugas, qui veut par là démontrer qu'il n'a pas déclaré une trêve ni trahi sa parole, demande que la récompense soit partagée entre tous ceux qui ont participé aux recherches au cours du mois d'avril.

L'administration municipale de Montréal soutient que McMahon étant payé par les Montréalais, il n'est que juste que la prime soit versée dans les coffres de la ville.

Le Sauvage réclame l'argent pour lui seul. McMahon assermenta une déclaration voulant que Leroyer ait attrapé seul et ficelé le hors-la-loi.

— Comment régler la question ? avait dit Turcotte à son chef.

Car le procureur sait alors que le premier ministre doit donner son avis d'abord.

— La meilleure manière, c'est de répondre à chaque lettre par des phrases assez claires pour que chacun espère mais assez vagues pour n'engager le gouvernement envers quiconque. La prime sera versée, mais dans six mois seulement.

— Et à qui ?

— Ça...seul Mercier le sait, avait répondu le premier ministre avec un sourire satisfait.

•

Quelques jours après l'arrestation, grâce aux bons offices de John Leonard, il fut possible à Marion de voir son fiancé. Elle se rendit à Sherbrooke en compagnie de Norman MacAuley.

La jeune femme fut horrifiée par l'aspect de l'intérieur d'une prison. Car Donald ne pouvant guère se déplacer lui-même, les visiteurs obtinrent la permission exceptionnelle de le voir à sa cellule même. Tout comme les parents de Donald, la veille.

Ces murs de ciment gris et froids, les barrières métalliques au bruit sourd, les couloirs où l'on n'apercevait ni une issue ni l'autre parce que recourbés, ces petites fenêtres grillagées laissant passer de maigres rayons pâlots : chaque image s'imprimait pour l'éternité dans l'esprit de Marion. Elle marchait quand même avec assurance. Il lui appartenait d'être courageuse pour communiquer sa force à son fiancé. Et s'il fallait qu'elle doive venir à la prison chaque semaine pendant deux, trois, dix ans, elle le ferait. Elle serait la lumière au bout du tunnel...

Norman avait été fouillé, désarmé. Deux gardes accompagnaient les visiteurs. L'un devant, l'autre derrière : des moustachus au visage impassible. On arriva enfin à la cellule du prisonnier : une pièce carrée, exiguë, à murs de ciment.

Deux chaises avaient été adossées la veille au mur de l'autre côté du couloir. On invita les visiteurs à y prendre place. C'est de là et pas plus près du grillage qu'ils devraient parler au prisonnier.

— Quinze minutes, leur jeta un garde.

— Morrison... Morrison, tu as de la visite, dit l'autre gardien à Donald qui dormait au fond de sa cellule, allongé sur son grabat.

Les deux hommes se retirèrent. Ils se mirent à l'écart plus loin dans le couloir, sans perdre de vue les visiteurs et le grillage.

Donald tourna la tête. Lentement. Ses yeux cernés s'ouvrirent. Il ne sourit pas, esquissa un geste de la main.

— Comment ça va vieux cow-boy ? demanda MacAuley.

— Un peu faible. Paraît que j'ai perdu pas mal de sang. C'est ce que dit le docteur.

Marion sentit une poussée de larmes lui monter aux yeux. Elle ferma les paupières et serra pour les retenir. Puis elle prit une longue respiration et se reprit :

— Est-ce que tu es bien traité ici, au moins ? demanda-t-elle en posant ses yeux tout autour.

— C'est mieux que de coucher à la belle étoile.

Donald bougea, laissa retomber doucement son bassin pour que son corps soit étendu sur le dos sur toute sa longueur. Il grimaça puis sourit.

— Vous m'excuserez si je ne me lève pas : paraît qu'il ne faut pas.

Pâle, le visage défait, il frissonna. Et il remonta jusqu'à ses épaules une couverture de laine qui paraissait bien mince et fit dire à Marion :

— Ils ne vous en laissent pas épais sur le dos. C'est de même pour tous les prisonniers ?

Prisonnier : le mot tournoya dans l'esprit du jeune homme, s'enroula comme des barbelés sur son cœur, le compressa douloureusement, le déchira. Mais il répondit aux observations de sa fiancée :

— Je n'ai pas trop à me plaindre. Les gardiens ne sont pas méchants.

— C'est mieux, fit Norman en adressant aux deux hommes un regard menaçant.

Mais ils s'entretenaient et ne jetaient plus que de rares coups d'œil en direction des visiteurs.

— Et les autres prisonniers ? s'enquit Marion.

— Vu personne. Je suis toujours seul. On m'apporte mes repas... Sa voix recelait de la résignation et comme une habitude déjà.

— C'est peut-être le meilleur endroit pour reprendre des forces après tout.

On parla de Murdo et Sophia. Donald déclara tristement :

— Ils sont plus prisonniers que moi, eux, les pauvres. Prisonniers de leur passé...et de cette vieille cabane en bois rond...

Marion saisit l'occasion pour l'aiguillonner :

— Ils seraient prêts à souffrir mille morts pour te voir libre.

Donald scruta le regard de sa fiancée, eut l'air de réfléchir, tourna les yeux vers le plafond pour dire :

— Depuis deux ans, ils les ont endurées, leur mille morts, à cause de moi.

Au ton, Marion comprit que son fiancé était plus abattu moralement encore que physiquement.

— Ce n'est pas le temps de te blâmer toi-même, mais celui de continuer à te battre...

— Comme un cow-boy, renchérit MacAuley.

Donald esquissa un sourire désabusé. Il voulut montrer ce qu'on avait fait de son corps. A l'aide de ses avant-bras, il s'arc-bouta sur sa couche, glissa ses jambes hors du lit et mit ses pieds au sol. Puis il se releva sur son séant, s'arrêta pour retrouver ses énergies et chasser l'étourdissement avant de poursuivre son effort pour se mettre sur ses jambes.

Marion s'inquiéta, l'interrogea des yeux puis d'une question contenant du reproche :

— Qu'est-ce que tu fais ?

Il ne répondit pas. Le corps rejeté sur une seule jambe, s'accrochant tant bien que mal aux aspérités du mur, le front en sueur et à grande misère, il progressa jusqu'à la porte.

Incapable de se retenir plus longtemps, Marion se précipita en avant jusqu'au grillage. Elle passa sa main entre les barreaux pour lui prêter assistance, pour qu'il s'appuie... Il le fit brièvement.

Les gardiens se retournèrent pour ne rien voir et continuèrent à se parler à voix basse. Pour eux, Donald n'avait rien d'un bandit dangereux; il était simplement le prisonnier le plus aimable et le plus docile qui soit.

Marion se raidit, concentra ses énergies dans les muscles de son bras. Mais déjà, il ne la touchait plus. Il s'agrippa aux barreaux. Elle dut faire de même.

Il portait une chemise grise qu'elle ne connaissait pas. Et un pantalon d'étoffe noire, effiloché au bas des jambes, sur des chaussettes de laine sans couleur.

Elle se sentait la gorge noueuse. Être si proche de lui et si loin. Sous l'empire d'une profonde angoisse, elle eut un mouvement vers lui, pour le serrer dans ses bras malgré cet acier qui s'érigeait avec une si grande brutalité entre leurs corps.

Pourtant les propos échangés par la suite furent banals, tournèrent autour des nécessités de l'heure : les avocats à connaître, les représentants du comité de défense à recevoir, le repos imposé par le médecin à prendre.

Ce fut vite l'heure du départ pour les visiteurs. Un gardien en donna le signal en claquant des doigts.

— Le temps est écoulé, fit-il avec une moue condescendante.

Donald tourna la tête, se remit à sa pénible marche vers son lit. Marion ravala son désir, la main restée ouverte, tendue vers lui.

Quand il fut rassis, Donald demanda à son ami :

— C'est pour quand le retour dans l'Ouest ? Les grands convois doivent te manquer ?

— Je suis venu pour te chercher et je ne repartirai qu'avec toi, répondit Norman en regardant alternativement chacun des fiancés.

Ces mots réconfortèrent quelque peu le prisonnier. Lui aussi regarda tour à tour ses visiteurs en disant :

— Allez maintenant ! Votre vieil ami va devoir obéir à son docteur s'il veut marcher droit à son procès.

Il jeta à sa fiancée un dernier regard tendre. Puis, silencieux, il entreprit péniblement de se recoucher. Sa blessure lui dardait le cerveau. La cellule tanguait. Il perdit conscience comme cela s'était produit à maintes reprises depuis le soir de sa capture.

Ses visiteurs le saluèrent. Puis ils s'éloignèrent en silence. Un silence parfois brisé par le lourd écho d'une porte se refermant ou des éclats de voix venus de nulle part.

•

La convalescence traîna en longueur. À chacune de ses visites, le plus souvent le dimanche accompagnée de Norman MacAuley, Marion cherchait des signes de progrès. Donald ne donnait pas l'air de quelqu'un qui s'aide et veut guérir.

En fait, ses forces lui revenaient mais avec une extrême lenteur. La blessure restait douloureuse et l'homme apprivoisait la souffrance. Pas une seule fois il ne se plaignit de ses gardiens qui avaient pour lui un profond respect.

Pendant cinq mois, il attendit que s'ouvre son procès. Plus que jamais, l'affaire passionnait le public et remplissait de pleines pages de journaux.

— Des avocats qui n'ont pas réussi à sauver la tête de Riel ne réussiront pas mieux avec celle de Morrison, soutenaient les uns.

— Ce sont les meilleurs avocats du pays, rétorquaient les

autres. Et les charges retenues contre Morrison ont bien moins de poids judiciaire et politique.

Les pour et les contre étaient comptés, pesés dans toutes les discussions animant quelque groupe de citoyens aux quatre coins de la province et du pays. Ce sont les jurés et le juge Brooks qui auraient pour tâche de trancher la question.

Les soirs d'été, le prisonnier rêvait en écoutant le bruit d'une cascade proche formée par les eaux de la rivière Magog. Et il remuait ses souvenirs en égrenant sur son harmonica les notes d'une complainte ou d'une autre.

C'est grâce à John Leonard qu'il avait pu retrouver son instrument de musique et à travers lui, il revivait les grands moments de bonheur de sa vie.

Parfois il voyageait jusqu'auprès du bruyant ruisseau de Custer près duquel il avait dormi deux fois en rêvant aux fantômes qui hantaient ces lieux depuis 1876.

D'autres fois, il se transportait au rocher de la gelée en imaginant la souffrance de Régina Graham et le bien-être qu'elle avait dû ressentir à l'approche du moment de la délivrance.

Il arrivait aussi, mais de moins en moins souvent, que son esprit rejoignît Marion dans leur réduit de la cabane à sucre. Alors la musique s'arrêtait. Et Donald Morrison fermait les yeux...

CHAPITRE 25

Au matin du premier octobre 1889, avocats, témoins assignés à comparaître et jurés se présentèrent au Palais de Justice de Sherbrooke.

Jamais pareille affluence n'avait été signalée dans cette ville pour assister à un procès. Venus de partout, par centaines ils attendaient au voisinage de la bâtisse dans l'espoir de jeter un coup d'œil sur cet homme plus fort que deux cents policiers et que seule la traîtrise avait permis d'arrêter.

En très grand nombre, les Écossais étaient là pour manifester leur appui à leur compatriote. Des journaux locaux avaient exprimé des craintes pour la paix dans le district. Car s'il y avait les partisans farouches de Morrison, s'y trouvaient également bien des personnes qui, influencées par certains journaux, pensaient que l'homme était un bandit dangereux responsable d'incendiat et de meurtre.

Le juge Brooks était assisté par le juge Wurtele.

Dans l'assistance se trouvaient Marion McKinnon et Norman MacAuley de même que les frères de Donald, Murdoch et Norman Morrison.

Sophia et Murdo, quant à eux, avaient dû rester à Marsden. Ils ne disposaient pas de l'argent requis pour faire un séjour prolongé à Sherbrooke. D'assister à un long procès aurait été une épreuve trop lourde à faire subir à des gens de cet âge; c'est pourquoi Donald les avait suppliés par son avocat et des messages transmis par Marion de rester à la maison.

A dix heures et quinze minutes, le prisonnier fit son apparition dans le prétoire, conduit par le directeur de la prison lui-même et encadré par deux constables armés. Les gens de la prison ne craignaient pas une tentative d'évasion car ils savaient Donald un homme docile, vidé de ses énergies et par surcroît handicapé. Mais il pouvait se trouver dans l'assistance quelque tête brûlée pour tenter de le délivrer. Par dessus-tout, il fallait entourer d'un certain décorum le prisonnier le plus célèbre du pays.

Ceux qui n'avaient pas vu Donald après sa capture le trouvèrent vieilli, accusant dix ans de plus que son âge. Ajoutait à cette impression sa démarche hésitante, boîtillante et cette canne dont il devait s'aider pour avancer péniblement.

Marion chercha ses yeux. En vain. Tant que dura sa marche vers le banc des accusés, il garda la tête penchée comme pour mieux assurer ses pas. Rendu et assis, il planta son regard dans le mur de planchettes vernies, étroites, luisantes et qui permirent par leur uniformité de donner pleine liberté à ses pensées vagabondes.

Les grands jurés furent assermentés. Ils originaient des quatre coins des cantons. Le juge Brooks leur rappela leur devoir et l'impartialité que requérait leur tâche, impartialité, soutint-il, sans laquelle aucune justice au monde ne saurait exister.

« Quand une assignation en justice est émise par la Reine, alors il faut appliquer la loi jusqu'au bout, coûte que coûte, autrement, ce serait la fin de toute sécurité publique, de la loi et de l'ordre, » déclara-t-il avec une insistance particulière.

La première accusation portée reprochait à Donald Morrison la mort de Lucius Warren tué à Mégantic le vingt-deux juin 1888. La voix blanche, l'accusé plaida non coupable.

Après délibération entre les avocats, l'audience fut ajournée jusqu'au lendemain matin.

Alors deux autres chefs d'accusation pesèrent sur Donald. Pour l'un, incendiat de la maison d'Auguste Duquette et pour l'autre, incendiat de la grande du même homme : méfaits commis le même jour soit le trente mai 1887.

« Non coupable ! » maintint encore Donald et cette fois avec un mince sourire amer.

Le procès comme tel ne commença donc que le troisième jour des audiences. Maître Greenshields obtint que tous les témoins des deux parties soient exclus de la cour et enfermés dans une salle attenante. Le juge leur recommanda de ne confier à personne les évidences au sujet desquelles il leur faudrait témoigner.

Aucun d'entre eux ne devait incriminer l'accusé dans les jours qui suivirent. Tous les témoignages firent se dégager la même conclusion : Morrison avait tiré sur Warren parce qu'il s'était senti et vu menacé de mort par l'autre.

Pope, propriétaire d'un hôtel devant lequel a eu lieu l'affrontement, a entendu Warren menacer Morrison.

Mayo, un douanier, premier à s'approcher du cadavre après le duel témoigna du fait que Warren avait bien son pistolet près de lui dans sa main.

Joseph Morin, juge de paix, déposa à l'effet qu'il avait émis un mandat d'arrêt contre Morrison parce qu'on le soupçonnait d'incendiat. Il l'avait confié au constable Edwards pour exécution puis à Warren. Il dit qu'il était généralement connu que Warren détenait un tel mandat et que l'Américain avait prêté serment d'allégeance à la Couronne britannique de la même manière qu'un constable ordinaire.

Joseph Thibaudeau, notaire de Mégantic, confirma la prestation de ce serment alors qu'il avait agi comme greffier du juge de paix.

Georges Rodrigue, fermier, dit qu'il se trouvait assis à une véranda près de l'avenue Maple ce jour-là. Après avoir enjoint trois fois Warren de le laisser passer, Morrison sauta de l'autre côté du fossé, sortit un revolver et tira. Et il confirma le fait que Morrison avait crié à l'autre de ne pas tirer s'il ne voulait pas se faire tirer aussi.

Antoine Roy, forgeron de Mégantic, confirma en substance les dires de Rodrigue. Il soutint que Warren avait pointé son arme en direction de Morrison, que l'accusé avait le premier levé la sienne et à trois reprises en direction de son opposant et qu'il l'avait rabaissée.

Nelson F. Leet, propriétaire de l'hôtel où logeait Warren dit qu'il a vu venir Morrison, que feu Warren lui demanda s'il s'agissait bien du hors-la-loi, qu'il répondit par l'affirmative, qu'alors Warren se porta à sa rencontre, sortit son revolver puis fut abattu par celui qu'il voulait arrêter. En contre-interrogatoire, maître Fitzpatrick chercha à le confondre en le confrontant avec une déposition qu'il avait faite en août précédent. Le témoin renia une partie de cette déposition, ce qui fit ressortir clairement qu'il croyait que Warren avait sorti son arme et visé le premier.

A la stupéfaction générale, le vendredi après-midi, quatre octobre, la Couronne annonça que l'exposé de sa preuve était terminé. Plusieurs témoins qu'elle-même avait fait assigner à comparaître ne seraient pas questionnés. Du moins par elle. Les plus surpris de tous furent les avocats de la défense qui s'attendaient à une lutte bien plus vive. Fitzpatrick voulait-il ainsi réparer le mal fait par l'acharnement des avocats de la Couronne contre Riel ? Plusieurs dirent qu'il chercha de la sorte à faire contrepoids à l'évidente hostilité du juge Brooks à l'égard de l'accusé.

A l'annonce de la Couronne, Donald se leva. Il sourit pour la première fois. Il échangea avec ses avocats, avec Spanjaardt et surtout avec Marion des regards de satisfaction. L'espoir qui l'avait fui pendant de longs mois paraissait vouloir se rallumer en son cœur.

Le jour suivant, la défense commença. Il fut tout d'abord question de l'habileté de Warren à porter une arme. Joseph Morin fut appelé à la barre. Il fit savoir qu'il avait dit clairement à Warren qu'il pouvait porter un revolver puisqu'il était représentant de la loi mais ne devrait l'utiliser qu'en état de légitime défense.

La poursuite demanda ce qui avait été fait par Edwards pour arrêter Morrison avant l'assermentation de Warren. Le témoin affirma que le constable Edwards, en tant que voisin et ami de la famille Morrison, avait les mains liées et n'avait donc pas pu agir.

L'on s'attarda ensuite à démontrer que l'accusé avait la réputation d'un homme paisible.

« Dans tout le voisinage, il jouissait d'une haute estime et du respect de ses concitoyens, » d'affirmer Malcolm Matheson.

« Je connais l'accusé depuis qu'il avait dix ans, » affirma John MacLeod de Whitton. « Il m'est toujours apparu comme un jeune homme modèle. »

Le témoin suivant fut A. Paton, fermier qui avait entendu dire à Warren qu'il « arrangerait » Morrison quand il le rencontrerait. On lui demanda la signification du mot arranger. Il dit qu'il avait pensé que cela voulait dire tirer à vue.

Donald Stewart, fermier de Marsden, témoigna d'une conversation qu'il avait entendue et au cours de laquelle Warren avait déclaré qu'il prendrait le hors-la-loi mort ou vif.

Lors d'un court ajournement, Donald se pencha au-dessus de la rampe et put dire à l'adresse de Spanjaardt :

— Les choses vont rondement. Je me sens bien de première classe.

Deux jeunes filles fort jolies entrèrent et restèrent debout derrière le banc des accusés, y faisant office d'anges gardiens.

Donald les regarda, répondit à leur sourire. Puis il posa ses yeux remplis de bien d'autres lueurs sur Marion.

D'autres dépositions vinrent faire ressortir la réputation de Jack Warren : buveur, vantard, violent.

Les travaux furent suspendus jusqu'au lundi suivant.

Ce sept octobre, les audiences reprirent à dix heures comme à l'accoutumée. L'avocat Lemieux fit tout d'abord ressortir cinq points relativement à l'autorité de Jack Warren lors de son décès. Premièrement il n'était pas sujet britannique. Il ne pouvait donc assumer la charge de shérif spécial dans la province de Québec. Deuxièmement sa nomination étant nulle, il ne pouvait procéder à l'arrestation de l'accusé. Troisièmement il ne pouvait pas être considéré comme assistant du constable Edwards. Quatrièmement le mandat qu'il détenait ne pouvait donc qu'être nul.

Cinquièmement, il est raisonnable de penser, en pareilles circonstances, que Morrison, sachant l'origine américaine de Warren et connaissant sa réputation, était justifié de craindre pour sa vie et de la défendre.

Lemieux soutint ensuite que selon les statuts de la province de Québec, Warren aurait dû être non seulement assermenté, mais dûment mandaté par deux juges de paix. De plus, le juge de paix Joseph Morin avait le devoir de transmettre au secrétaire de la province une note, ce qui n'avait pas été fait.

Enfin, les statuts du Canada requéraient qu'un mandat d'amener soit adressé à un représentant de la loi. Cela avait été fait envers le constable Edwards, mais celui-ci ne donna pas sa collaboration à son prétendu assistant. Quant au mandat, il n'alléguait pas que Morrison avait commis un crime mais uniquement qu'il était suspecté.

Fitzpatrick rétorqua en substance que toute personne, qu'elle soit étrangère ou pas, avait le droit de procéder à l'arrestation d'un criminel. « Est-il seulement possible d'imaginer qu'un étranger puisse garder les bras croisés devant un acte criminel simplement parce qu'il est un étranger ? »

Maître Lemieux répliqua que Warren n'avait été témoin oculaire d'aucun acte criminel.

Les avocats de la défense avaient eu à subir de nombreuses rebuffades au cours du procès. Le juge avait souvent fait montre d'une hostilité brutale envers l'accusé et il avait mis tous les obstacles possibles dans le cheminement de la défense.

C'était la seule ombre au tableau. Public, journalistes, témoins, gens de la Couronne eux-mêmes avaient un penchant pour l'accusé et le considéraient bien davantage comme une victime des circonstances que comme un criminel.

Le jury délibéra pendant vingt-trois heures. Une foule compacte attendait le retour des jurés dans la salle des audiences. Plusieurs femmes et jeunes filles s'y trouvaient et bien des personnes du beau sexe attendaient dehors, malgré la fraîcheur du jour, qu'on leur communique le prononcé du verdict.

Quand le juge et le jury eurent repris leur place, un silence religieux se fit de lui-même dans la pièce. Le président du jury, un homme chauve aux yeux profondément bleus, se leva et prononça le verdict :

— Nous déclarons l'accusé coupable de manslaughter et nous recommandons la clémence de la cour afin qu'une sentence minimale soit imposée

Une rumeur de satisfaction parcourut l'assistance. Ceux qui ne comprenaient pas le poids d'un tel verdict se le firent expliquer par les autres. Sans s'être vu tout à fait blanchi, disait-on, l'accusé pouvait s'attendre à quelques mois de prison, tout au plus deux ans. Le juge avait toute latitude et il pouvait imposer tout aussi bien la prison à vie qu'un seul mois de réclusion.

Deux hommes ne partageaient pas le sentiment général.

John Leonard qui avait préparé ce procès avec minutie, qui s'était fait seconder par les avocats les plus capables de cette profession, qui avait travaillé des nuits entières sur la cause, qui avait aidé à la cueillette des fonds, qui avait traité Donald comme un ami et un frère et non comme un client, eut une désagréable prémonition lorsque son regard croisa celui du juge Brooks.

Et le juge lui-même était ce deuxième homme à ne pas penser comme les autres en ce moment-là. Un verdict de culpabilité de meurtre ou un acquittement auraient ôté toute puissance à sa voix. Il s'attendait au verdict de manslaughter, l'avait presque provoqué. Et comme il avait prévu cette réaction, ce choix du jury, la sentence était présente depuis longtemps dans son esprit, en fait depuis le jour même où il avait su qu'il aurait à mener le procès de Donald Morrison.

Le reste de la journée et le lendemain, les spéculations allèrent bon train. Chacun pensait que la sentence ne dépasserait pas deux ans. En entrevue, le détective McMahon déclara qu'il s'attendait, eu égard aux témoignages entendus, que l'accusé écoperait d'au plus trois ans. Il était le plus sévère des observateurs. Dans maints cas, des accusés avaient eu un an pour des charges plus lourdes.

Le onze octobre, un vendredi venteux et gris, la cour se réunit pour le prononcé de la sentence.

Donald sourit à Marion et à ceux qu'il reconnut dans l'assistance. Un sourire de confiance et d'espérance. Bien que toujours soutenu par sa canne, il paraissait plus solide que lors du procès et son pas était moins lourd.

La voix du juge Brooks tomba comme une hache, trancha, taillada le cerveau de l'accusé, lui entoura le cou de ses doigts hideux pour l'étouffer plus sûrement que ne l'aurait fait une corde de gibet.

— La sentence que cette cour prononce contre vous, Donald Morrison, est que vous serez confiné au pénitencier de Saint-Vincent-de-Paul où vous serez astreint à des travaux forcés pour une période de DIX-HUIT ans.

Donald avait tué un homme pour défendre sa vie. Le juge Brooks venait d'en tuer un lui aussi, mais c'était pour défendre le système judiciaire, donc un peu lui-même. Il devait déclarer plus tard que cette sentence exemplaire lui avait été dictée par l'acharnement qu'avait mis l'accusé à défier la loi.

Morrison tout comme Riel s'était attaqué à un système établi ; il le paierait de sa vie. Car dans l'esprit de Donald, dix-huit ans frappaient bien plus durement que ne l'aurait fait une condamnation à mort.

Le président du jury s'exclama !

— Jamais on n'aurait cru cela !

John Leonard pensa que dès les jours à venir il entreprendrait les procédures pour porter la cause en appel.

Marion darda ses yeux sur le juge. Pour la première fois de sa vie, elle ressentit de la haine au fond de son cœur. Brooks croisa son regard. Lui qui en avait vu d'autres dans son existence, des cris et des larmes, des menaces et des évanouissements, lui qui avait supporté des invectives et des supplications, ne put soutenir la force écrasante que dégageaient alors ces prunelles d'un gris acier.

Elle le maudit de toute son âme tant qu'elle le vit jusqu'au moment où il disparut derrière la porte des magistrats.

Marion, Norman MacAuley et John Leonard obtinrent une permission spéciale pour visiter le prisonnier qui partirait pour Montréal dès le lendemain matin.

Cette fois-ci contrairement aux précédentes, grâce aux

bons offices de Leonard, le directeur de la prison permit une visite à cellule ouverte. Bien entendu que des gardiens bloqueraient le couloir d'accès et que MacAuley subirait une fouille en règle.

Assis, adossé au mur de pierre, un pied relevé et le talon accroché au rebord de son lit, Donald jouait de l'harmonica. Un air qu'il avait baptisé : « La Complainte de Kandy». Il s'arrêta quand il entendit l'écho des pas dans le couloir et que lui parvint la résonance des portes grillagées. Ce bruit pourtant coutumier et qu'il devrait subir longtemps, dix ans au minimum car il avait l'intention de chercher à obtenir une réduction de peine, écorchait son cœur.

Ceux qui venaient n'entendirent pas les dernières notes.

Ils avaient le pas de gens qui espèrent encore. John Leonard entretenait la flamme, soutenant qu'en appel, avec d'autres juges, la sentence serait bien différente. Mais il craignait au plus haut point l'entêtement de Donald à refuser d'aller en appel.

On ouvrit la cellule. Les salutations furent brèves. Laconiques. Des chaises furent apportées. Les gardiens se mirent en retrait. Marion s'assit entre Norman et Leonard. Donald ne bougea pas.

L'avocat parla, alla droit au but, dit ce qu'il entendait faire dès le lundi. Son enthousiasme fut désarçonné par l'attitude du prisonnier qui, après une moue de résignation, déclara :

— Comment payer ? Faire une autre collecte ? Pendant des mois, on m'a hébergé par tous les cantons ; on m'a nourri sans rien demander en retour. Mes amis ont souscrit deux mille dollars pour ma cause. Comment leur demander plus ?

Le visage de Marion s'assombrit. Pourtant elle n'aurait pas osé donner son point de vue car trois hommes se trouvaient là pour arriver à la solution la meilleure. Sa voix, sa simple voix de femme n'aurait pas servi à grand-chose.

Leonard insista :

— Le pire est fait. Les journaux t'appuient. Les Écossais. Bon nombre de Canadiens français. Un nouveau procès et tu gagneras dix ans, quinze ans de ta vie...

— La justice ne peut pas toujours aller contre la justice, dit MacAuley.

— C'est vrai ce qu'il dit. C'est le système qui t'a condamné, pas la vraie justice. Mais le système a eu satisfaction maintenant. Alors il t'appartient de retrousser tes manches et de te battre pour la vraie justice.

— Pas sur le dos de mes amis.

— Ce sont tes amis les premiers qui veulent que tu continues à te battre.

— Et moi, je ne veux pas. Pas question ! Je ne tiens pas à imposer...

Norman MacAuley l'interrompit :

— J'aurais un petit mot à te dire, moi...

Puis il s'adressa à Marion et à l'avocat :

— Je voudrais lui parler seul à seul quelques minutes.

Ils se levèrent et se rendirent dans le couloir. Norman s'approcha de son ami avec une chaise. Il lui parla à voix retenue, lui rappela leurs meilleurs souvenirs de l'Ouest, fit appel à son orgueil.

Donald écouta, fit de rares sourires mélancoliques. Quand il comprit que Norman achevait son plaidoyer, il fixa le mur, soupira :

— C'est pour Marion que je n'irai pas en appel. Sept ans qu'elle m'a attendu quand j'étais en Alberta. Deux ans de plus depuis que je suis revenu. Aller en appel ? Au mieux pour récolter quatre ou cinq ans ? Fais la somme pour elle... J'irai probablement en appel, mais pas maintenant.

— On dirait que tu cherches à te débarrasser de Marion.

Le prisonnier haussa les épaules.

— Ce que je veux, c'est la débarrasser de moi.

— Tu pourrais au moins lui demander son avis.

— Non. Je n'ai pas à le faire. Je ne dois pas le faire.

Il se fit un long silence. Puis Donald espaça d'une voix blanche des mots remplis de détermination :

— Ma décision est finale. Et jamais tu ne devras en donner la vraie raison à Marion. Sa peine serait deux fois plus grande et elle ne me ferait pas changer d'avis de toute façon. Je te demande de prendre soin d'elle. C'est tout, Norman. C'est fini pour moi. Et maintenant...je veux que tu me laisses avec eux. Il faut que je parle à chacun.

Il se leva dans un effort que lui imposait encore sa blessure. Il tendit la main à Norman en disant :

— Sois heureux, vieux cow-boy ! Moi, je n'ai pas tiré le bon numéro, mais toi... N'oublie pas pour Marion...

Norman ouvrit la bouche, entama un mot mais il s'interrompit à la vue des hochements de tête de son ami. Car à ce moment, il eut la certitude que Donald ne reviendrait jamais sur sa décision. A son tour, il se leva, serra la main tendue. Donald comprit qu'il avait accepté de signer le contrat moral. Il dit :

— Merci, vieux frère !

Norman s'empressa de partir. Au passage, il dit à Leonard :

— Je serai en bas dans la salle d'attente.

Marion fut grandement inquiétée par l'attitude de Norman. Alors que l'avocat retournait auprès du prisonnier, elle voulut le retenir, lui parler. Elle cria son nom, lui dit d'attendre. Il s'arrêta, tourna un peu la tête, répéta qu'il serait en bas.

Avant que Leonard ait pu commencer un réquisitoire, Donald prit les devants :

— John, à partir de maintenant, tu n'es plus mon avocat. Tu as été un ami. L'un des meilleurs avec Norman. Et je sais que tu le resteras toujours. Aucun homme de loi n'aurais pu faire davantage pour moi. Je prierai le Seigneur — j'aurai pas mal de temps pour ça — de te récompenser, de te bénir. Greenshields et Lemieux se sont partagé presque tout l'argent ramassé pour ma défense et malgré ça, tu serais prêt à continuer. Ce n'est pas de cette façon que tu vas devenir un homme riche...

— Rien que par ta célébrité, je ramasserai toute ma vie les retombées de cette cause. Ne va pas croire que mon mérite soit si grand. C'est justement maintenant que mon vrai travail pourrait commencer...si tu le voulais...

Marion revenait dans la cellule quand Donald dit :

— Mon dernier mot a été dit. Si j'ai besoin de tes services, je t'écrirai, mon vieux Johnny.

L'avocat fit une moue de résignation attristée. Il ne lui restait plus qu'à laisser à Marion tout le temps de visite encore disponible. Il serra la main du prisonnier et s'en alla.

Marion regrettait de n'avoir pas parlé dès son arrivée. Tout avait été dit, décidé sans elle. Son intervention aurait pu signifier quelque chose tandis que maintenant... Si Donald avait pu imposer sa volonté à ses deux meilleurs amis, que restait-il à faire ?

Une dernière arme : se jeter dans ses bras et le supplier au nom de leur amour. Elle ignorait que cette façon d'agir se retournerait contre elle. Car c'était justement au nom de cet amour qu'il voulait la libérer de lui.

Il la serra, caressa ses cheveux depuis la nuque en remontant avec ses doigts écartés. Cela dura plusieurs minutes, des instants d'un silence insoutenable, cruels.

Elle priait le Seigneur de lui faire entendre sa supplication et sa souffrance pour que Donald écoute tous ces gens des cantons et de tout le pays dont il était devenu le bien-aimé et qui désiraient tous le sauver de son sort abominable et lui aider à retrouver le chemin de la liberté.

Elle le sentit vaciller.

— Un peu fatigué, fit-il.

Elle le fit asseoir sur le bord du lit et, l'espace d'un éclair, elle se revit avec lui à la cabane à sucre. Elle prit place aussi, gardant la tête basse, les doigts vaguement croisés sur ses genoux. Dans les quelques mots qu'il lui murmura alors, il laissa couler toute la tendresse refoulée depuis si longtemps :

— Tu ne dois pas m'attendre, ma douce amie. C'est la fin. Tout est fini. Va... Va fonder le foyer auquel tu as rêvé. Fais-le pour moi.

— Je t'attendrai toujours. Jusqu'au bout de ma vie s'il le fallait. C'est toi que je veux...

— Non, tu ne le dois pas...

— Visite terminée, cria un gardien.

Mais aucun des hommes ne bougea. Ils devinaient ce qui se passait dans la cellule et ils en avaient le plus grand respect.

Il l'entoura de ses bras, l'écrasa sur lui. Elle mit sa tête sur son épaule, s'abandonna. Abandon total à sa volonté.

— Va, fit-il doucement. Je te confie mes vieux parents. Visite-les quand tu le pourras. Peut-être qu'ils pourront te donner de mes nouvelles. Je veux que tu saches et que tu te rappelles que je vais prier pour toi, de toute mon âme.

Le prisonnier ferma les yeux. Puis il se libéra de l'étreinte et se retourna le haut du corps vers le mur en répétant sans se lasser :

— Va... Va... Va...

Elle partit. En silence. Visage exsangue. Dos voûté comme celui d'une vieille femme. Elle marcha sans guide, habituée des lieux, sans se retourner une seule fois, sans pleurer. Anéantie. Vide.

Norman MacAuley et John Leonard avaient évité de se parler de Donald et pourtant chacun savait dans quel état d'âme reviendrait Marion. Quand elle apparut, comme figée dans sa terrible défaite, l'avocat fit à Norman un grand signe des deux bras pour qu'il entoure la jeune fille de sa protection et de son amitié réconfortante.

Norman comprit. Il lui entoura les épaules et la guida vers la sortie.

CHAPITRE 26

Le jour suivant, à seize heures, après un dernier adieu à son ami John Leonard, Donald quittait Sherbrooke. Il était accompagné du grand connétable Moe, du geôlier Reed et des sergents Burke et Somerville de la police provinciale.

On l'avait attaché par une main et un pied à un garçon de quatorze ans qui avait été condamné à quatre ans d'école de réforme pour un crime haineux.

Spanjaardt voyageait par le même train ; mais on lui refusa l'autorisation de s'approcher du prisonnier. Cependant, le geôlier promit qu'il arrangerait une entrevue avec tous les journalistes qui le voudraient avant l'entrée du prisonnier à Saint-Vincent-de-Paul.

Au cours du voyage, Donald demanda qu'on libérât sa main car il désirait jouer de son harmonica. Reed libéra aussi son pied et s'assit sur la banquette suivante afin de garder bien à vue ses prisonniers, le jeune homme bien plus que Donald. Le geôlier savait que le fils de Murdo Morrison était homme de parole et qu'il ne profiterait pas d'une faveur pour chercher à s'évader, ce qui n'aurait pas manqué de créer des problèmes à ses gardiens.

Ceux qui l'accompagnaient regrettaient son départ. Donald n'avait jamais cessé de se conduire en prisonnier modèle : poli, réservé, respectueux. Chacun se sentait partie prenante de sa notoriété. On aimait le son de sa musique. On l'admirait de se montrer aussi serviable et généreux envers tous alors qu'il avait tout perdu par la faute des autres.

Il avait passé des heures à leur raconter ses souvenirs de l'Ouest. Reed avait retracé un journal relatant la mort de Belle Starr et le lui avait donné. Bien qu'il ait lu avec grand intérêt cette nouvelle qui datait de février alors qu'il était encore fugitif, il n'avait pas ressenti de haine envers cette voleuse de bétail qui lui avait fait du mal en causant la mort de Kandy. Il s'était dit que Belle, à sa manière, avait essayé de sauver sa peau et qu'elle avait réussi à la perdre bêtement...

À la brunante, le train entra en gare. Donald fut étonné de voir une foule de plus de deux cents personnes sur le quai.

Il ne comprit pas qu'on était venu pour lui, pour le voir, le saluer. Il était devenu une idole, plus prisonnière encore que ne le sont toutes les idoles.

Reed s'excusa d'avoir à le menotter encore à l'autre prisonnier. Et il les précéda à la sortie du wagon.

Divers courants d'émotion parcoururent la foule quand le célèbre prisonnier parut dans l'embrasure de la porte. Certains riaient d'avoir l'honneur de le rencontrer d'aussi près. Des jeunes filles s'échangeaient des opinions secrètes au creux de l'oreille. Des mères pleuraient.

Deux photographes embusqués sous leur voile noir guettaient le moment propice où le visage du prisonnier serait le plus visible pour faire s'allumer le magnésium. Des journalistes entourèrent prisonniers et policiers. Reed leva les mains pour leur signifier de reculer. Il cria par-dessus la rumeur :

— Tous les journalistes sont invités au poste de police de la rue Chaboillez. Alors vous pourrez poser toutes les questions que vous voudrez. Mais pas avant. Pas ici.

Derrière la gare Bonaventure, un fourgon de police attendait. Avant d'y monter, Donald se retourna pour jeter un coup d'œil à la locomotive dont la puissance contenue attendait un prochain départ.

— C'est pas demain que je vais voyager à nouveau, s'exclama-t-il.

Les journalistes se louèrent des voitures aux abords de la gare et suivirent le fourgon. La foule se dispersa, déçue de n'avoir finalement vu qu'un pauvre homme qui ne savait ni sourire, ni saluer de la main, qui avait sans cesse parlé à ses gardiens sans se préoccuper d'elle. Une descente de train du premier ministre Mercier était bien plus spectaculaire.

À la station de police, un souper de qualité fut servi. Certains journalistes voulurent faire dire à Donald des choses qu'il ne croyait pas. Il se défendit avec vaillance. Il ne montra aucune amertume, aucune haine envers quiconque. Il déclara que la sentence l'avait surpris mais qu'il travaillerait pour obtenir une réduction de peine. Il dit qu'à sa sortie de prison, il retournerait chez lui.

Spanjaardt ne posa pas une seule question. Pour lui, le temps s'était comme arrêté au prononcé de la sentence. Rédiger un article concernant le 'ici et maintenant' de Donald aurait consisté pour lui en une sorte de cautionnement de la décision du juge. Et cela, jamais ! Il savait l'influence de sa plume. Il continuerait de la mettre au service d'une cause qu'il considérait comme éminemment juste et travaillerait à réparer cette injustice du siècle, honteuse pour tout le système judiciaire.

Il devait l'exprimer en substance dans le Star le surlendemain. Dans un article percutant, il dénoncera la sentence imposée et fera un vibrant appel à tous les cœurs pour que l'on accorde un appui total à ce pauvre homme que la vie avait dépossédé de tout, jusque de ses amours.

Donald Morrison, ce dimanche froid du treize octobre, fatigué, traînant la jambe, souffrant, encadré de ses gardiens, descendit du fourgon cellulaire dans la cour du pénitencier. Son regard longea les murs, se braqua sur un mirador. Il pria le Seigneur de ne pas mourir à l'intérieur de ces murs.

Bientôt les lourdes portes se refermèrent sur lui dans un bruit autrement plus définitif que celui des petites grilles de la prison de Sherbrooke.

Des gardiens suspicieux le prirent en charge. La relative chaleur humaine qu'il avait connue à Sherbrooke fit place à une discipline froide et exigeante. Impersonnelle et inexorable, la consigne fut appliquée : l'on rasa sa moustache et on le fit se revêtir de l'uniforme gris des prisonniers avec, sur la poitrine, un simple numéro : 2329. Tel serait désormais son nom.

Il demanda qu'on lui laissât emporter sa musique à bouche dans sa cellule. On lui répondit par des sourires d'incrédulité méprisante. Il sut alors qu'il n'avait rien à attendre de personne en ce lieu. La seule demande qu'il fera par la suite sera de refuser de recevoir de la visite.

Car cette nuit-là, qu'il passa à l'état de veille dans son trou noir, il donna réponse finale à cette question qui lui avait trotté dans l'esprit depuis le soir de son arrestation : devrait-il essayer de survivre ?

Le lendemain, il se mit à jeûner.

Des lettres des cantons lui parvenaient. Il n'en lisait aucune, restait prostré la plupart du temps. Roi déchu, il eut à subir la hargne de certains gardiens et de co-détenus.

Son corps s'amaigrit. Sa résistance diminua. Son teint devint hâve. Le froid souvent sévère dans sa cellule par temps d'hiver ajouta sa morsure à celle du bacille. Au printemps, il fut atteint d'une toux interminable.

Pendant ces longs mois, personne ne réussit à le voir. Son frère Norman et Norman MacAuley se rendirent à la prison le jour de son anniversaire, quinze mars, avec un chandail tricoté par Marion durant l'hiver. Ils furent éconduits. Le 2329 était malade et en quarantaine.

Marion avait épuisé toutes ses ressources. Elle avait rencontré John Leonard qui n'avait rien pu faire pour elle.

— Le temps qui passe ramène à la raison les plus coriaces, lui avait-il fait comprendre.

Malgré son immense chagrin, elle avait cessé de lui écrire dans l'espoir qu'il mûrisse plus vite et change son attitude envers tous. Mais lorsque les premiers rayons du soleil printanier avaient commencé à réchauffer les érables des cantons, quand les premières vapeurs s'étaient échappées des soupiraux de cabanes, elle n'avait pas pu résister et avait instamment prié Norman MacAuley de tenter l'impossible pour voir Donald, obtenir de ses nouvelles, savoir comment était sa santé.

Les deux Norman furent de retour à Marsden en fin d'après-midi ce seize mars, journée pleine de soleil, premier dimanche à n'en pas douter du temps des sucres. Quand elle leur ouvrit, Marion n'eut pas à les questionner : leurs regards désolés parlèrent bien trop.

Féconde, sa douleur fit naître en son cœur un nouvel espoir. Elle écrirait une autre lettre à Donald. Mais plutôt de la lui faire parvenir à Saint-Vincent-de-Paul, elle la manderait à Spanjaardt pour qu'il la publie dans son journal. Sans doute qu'ainsi, Donald serait obligé d'en prendre connaissance.

Ce vingt et un avril de triste mémoire pour le prisonnier, cet anniversaire du jour où on l'avait privé de sa liberté, Spanjaardt fit paraître la lettre en lieu et place de sa chronique journalière.

« Donald,

Les heures passent et je t'attends toujours. Le mont Mégantic et le Morne se parlent parfois et j'entends leurs propos au-dessus de ma tête. 'Où est-il donc notre coureur des bois, notre fier gaillard de l'Ouest ? Quand donc reviendra-t-il pour égayer nos flancs ?'

C'est le train qui, certains soirs, se lamente à ton absence en criant ton nom à chaque traverse. De toutes les cabanes, ton souvenir s'élève jusqu'au ciel. Et les maisons pleurent d'ennui quand leurs occupants s'entretiennent au coin du feu de tes exploits.

Le soleil, la lune, les étoiles, la nuit, les bois, les collines, les rivières et les lacs, toutes les choses de ce pays te regrettent et t'attendent. C'est pour elles que je t'écris. Elles t'ont aimé et t'aimeront toujours. Refuseras-tu de les entendre, elles ?

Oh ! mon fiancé, notre petit étang s'interroge. Et la baie Victoria est restée bien déserte cet hiver. Ni cabane, ni brimbales, ni promenade en traîneau : qu'un vent triste aux sanglots interminables !

Oh ! mon cher, oh ! mon tendre ami, reviendras-tu chez nous, reviendras-tu chez toi ?

Marion »

Pour tourner le prisonnier en dérision, un gardien lut la lettre du journal sur un ton approprié.

Quelques jours plus tard, Spanjaardt demanda une fois de plus à rencontrer Donald qui accepta.

Le journaliste attendait dans la pièce aménagée aux fins de visites, assis derrière une grille d'acier. Tout ce qu'il avait écrit sur Donald lui repassait en mémoire. Il imagina Morrison en liberté, au temps de la chasse à l'homme, pourchassé par des centaines de policiers, s'enfuyant sur un pompeur de Marsden à Scotstown, courant de bosquet en bosquet comme un daim alerte, se cachant sur les cordées de bois sous quelque appentis de cabane à sucre, jouant aux étoiles un air doux de sa musique à bouche pour tromper sa solitude...

Un prisonnier, jeune homme gras à pas lourd, dépenaillé, conduit par un gardien goitreux qui lui ressemblait vaguement, entra dans la pièce et se rendit à l'autre bout de la cloison grillagée où l'attendait une vieille dame au visage douloureux.

Spanjaardt revit en souvenir l'image de Donald blessé, couché sur la fonçure de la voiture du Sauvage puis il le vit pénétrer à la cour, boîtant mais toujours chargé de sa puissance animale, encarcané sous le joug de la justice mais fort de la force des cantons et plus grand à mesure que se déroulait le procès.

Par la porte conduisant aux cellules, un gardien entra. Il était suivi d'un autre prisonnier : un homme aux yeux éraillés, perdus dans leurs profondes orbites, engoncé dans un uniforme trop grand, le dos cassé, espaçant misérablement des pas lents.

Alors que les gardiens se rejoignaient, le prisonnier se dirigea vers le journaliste. Après son premier et bref coup d'œil sur le pauvre homme, Spanjaardt était retourné à ses réflexions, se demandant si Donald avait bien changé au cours de ces six mois où il ne l'avait plus revu.

Le prisonnier arriva près de la grille. Spanjaardt leva la tête. Il vit le numéro : 2329. Puis les regards se croisèrent. Horreur succéda à stupéfaction au cœur et dans le visage du journaliste. Il marmonna comme dans un refus d'envisager la réalité :

— Donald ?... Donald Morrison ?...

L'autre fit une grimace d'un seul côté du visage. Cela aurait pu s'appeler un sourire égrotant. Il s'assit.

Des phrases se formèrent dans l'esprit de Spanjaardt. Comment vas-tu. Je suis content de te voir. Belle journée de printemps, hein ? Formules creuses, plus creuses encore que les joues blêmes du prisonnier.

Donald lut dans le regard du visiteur. Il dit :

— J'ai été malade ces derniers temps. Curieux. J'ai comme perdu la faim. Bizarre pour un gros mangeur comme moi ! On ne travaille pas assez. Je me demande pourquoi ils appellent ça des travaux forcés. C'est pas forçant en tout cas...

— C'est pour ça que tu refusais les visites ?

— Oui... Oui et non... Ici, on est plus ou moins mort-vivant. Je ne vois pas ce qu'un condamné à dix-huit ans pourrait bien apporter aux vivants comme vous autres. Du chagrin, des problèmes. Un homme en prison est un mort-vivant : c'est bien ça. S'il a un peu de cœur, il n'impose pas à ceux qu'il a aimés des obligations morales cachées envers lui. C'est la raison...

Il s'interrompit pour une interminable quinte de toux. Son visage montrait les déchirements qui se produisaient dans sa poitrine. Après deux longues inspirations bruyantes, il put poursuivre :

— C'est pour ça que j'ai voulu que le mur de la prison me sépare de l'autre monde. Et complètement. Mais la lettre de Marion dans le journal... C'est pour ça que j'ai accepté de vous voir.

— Elle est en train de mourir de chagrin. Il faut que tu lui écrives. Redonne-lui un brin d'espérance...

— Surtout pas ! Il ne le faut surtout pas...

L'autre l'empêcha de poursuivre en disant d'un ton autoritaire :

— Avant, avant de parler de Marion, on va discuter d'appel. Tu vas demander à voir ton avocat le plus tôt possible. Avant que la prison ne te tue. Dès demain, aujourd'hui même, j'entre en contact avec John à Sherbrooke.

Donald soupira :

— Il n'y aura pas d'appel.

L'entêtement de Morrison auquel le journaliste s'était si souvent buté lui monta au nez. D'avoir plein la vue ce lent suicide le fit entrer dans une colère froide. Il dit en mâchant chaque mot :

— Morrison, t'es rien qu'un lâcheur ! Un sans courage et un sans cœur. Tu laisses tomber ceux qui t'ont aidé. Tu te maudis de moi, de John, de tes vieux parents, de tes amis écossais, de celle qui t'aime plus que tout, Marion McKinnon à qui tu as fait perdre dix ans de sa vie à t'attendre comme une dinde qu'on encage avant de l'égorger. Ces dix années ne seraient pas perdues et au contraire prendraient une valeur incalculable si tu avais seulement le cœur de te retrousser les manches et de te battre. Je commence à penser, moi, que tu hais tout le monde sous tes grands airs de gars aimant. Et par-dessus tout, tu te hais toi-même. Tu es en train de te suicider à petit feu. Et pour quelle maudite raison ? Parce qu'un imbécile de petit juge a eu peur pour son petit système judiciaire... Je ne reviendrai pas sur tout ça... C'est à toi, Donald Morrison, de bouger. Et les fesses, tu vas te les grouiller aujourd'hui même...pas demain...

— Veuillez baisser la voix, ordonna le gardien chargé de Donald. Sinon la visite va se terminer là.

Devant la détermination coléreuse de son interlocuteur, le prisonnier décida de jouer le jeu. Et il se mit à négocier :

— Je vais y repenser, à l'appel. Mais à une condition.

— Bon, bon, laquelle ? fit Spanjaardt avec un geste d'impatience.

— Faites comprendre à Marion McKinnon qu'elle doit oublier mon existence.

— Je ne ferai pas cela.

— C'est la condition.

Spanjaardt eut l'air de considérer la question. Il y avait une brèche dans la forteresse Morrison. Point de départ...

— Je ferai ce que je peux.

— Il me faut plus.

— Quoi de plus ?

— Je ne parlerai d'appel à John que le jour où Marion sera mariée.

Spanjaardt porta la main à son visage, l'enveloppa, hocha la tête à maintes reprises.

— Comment donc est-ce possible de penser ainsi ?

Il émit un long souffle résigné, dit :

— J'ai une condition moi aussi alors.

— J'écoute.

— Tu vas te refaire une santé. Te remettre à te nourrir, faim ou pas. Quand je reviendrai, je veux voir le gars solide que...

— Écrivez à John, coupa le prisonnier, Dites-lui ce que je veux. Qu'il vienne quand Marion sera mariée. Écrivez à Marion et faites-lui comprendre que je suis mort...mort pour elle.

La conversation prit un tournant banal.

Le journaliste écrivit à Leonard. Il l'enjoignit de garder secrètes les exigences de Donald. Dans une lettre à Marion qu'appuya John par une visite personnelle chez les McKinnon, Spanjaardt lui expliqua que la seule façon pour elle d'aider Donald à traverser sa rude et longue épreuve était de se bâtir une vie ainsi qu'ils en avaient rêvé pendant tant d'années. Il voulait la savoir heureuse. Il n'irait pas en appel. Sa santé était passable.

Pour clore sa discussion avec le journaliste, Donald avait dit :

— Le temps venu, je vous ferai signe, à John et à vous-même.

Les mois passèrent. Le prisonnier était retourné à son isolement derrière un voile de mystère des plus épais. Sa santé resta à l'état stable. Son corps et son esprit attendaient...

En septembre 1891, John Leonard se rendit à Saint-Vincent-de-Paul. Le prisonnier accepta de le recevoir. Prévenu de son vieillessement prématuré, l'avocat se dit qu'il suffirait de sortir Donald de prison pour qu'il se refasse une santé et c'est pourquoi il contrôla ses réactions au moment de la rencontre.

— J'ai une heureuse nouvelle à t'apprendre...

Le 2329 coupa avec une interrogation affirmative :

— Marion et Norman sont mariés ?

Leonard fit une moue de désolation nuancée d'espérance, répondit :

— Norman s'est acheté une terre à Spring Hill. Et son frère, l'infirme, va se marier lui aussi. Avec la sœur de

Marion. Et ces deux-là vont rester sur le bien parternel.

Le 2329 sourit légèrement. Il plongea un regard lointain, vide dans celui de l'avocat, demanda :

— Tu voudrais me faire une faveur, John ? Essaie d'obtenir qu'on me redonne mon harmonica. Ça m'aiderait à passer le temps.

John acquiesça. Puis on parla des procédures d'appel.

— Je te ferai signe le moment venu, assura Donald.

Après la visite, l'avocat rencontra le directeur de la prison. Il ne put obtenir qu'on remît son instrument de musique au 2329.

Ce soir-là, le prisonnier fredonna un air doux. Parfois sa voix était coupée de toussotements. Il arriva qu'un gardien passant devant sa cellule lui dise avec hargne :

— Ta gueule, cow-boy braillard !

Dans la nuit noire, le 2329 pleura jusqu'à l'aube alors que son pauvre corps sombra dans l'épuisement.

•

Deux autres années s'écoulèrent. À maintes reprises, Leonard et Spanjaardt visitèrent le 2329 dans l'espoir qu'il tienne parole. Le prisonnier trouvait toujours une excuse pour remettre à plus tard, invoquait son mauvais état de santé.

Lors d'une de ces visites que lui firent conjointement ses deux amis, il leur opposa un autre refus en avouant qu'il souffrait de tuberculose et ne pourrait supporter la fatigue d'un autre procès.

Quelques jours avant Noël 1893, suite à une visite de Spanjaardt, l'avocat et le journaliste se concertèrent. On ne parla pas d'appel mais de libération pure et simple. Car l'état de santé du prisonnier était si minable que l'on crut pouvoir obtenir son élargissement. On entreprit les démarches. Spanjaardt remit sa plume au service de la plus grande cause qu'il ait eu à défendre dans sa carrière.

Les voies de la justice étant impondérables et impersonnelles, il fallut bien du temps pour dépoussiérer l'affaire et la réexaminer. Qu'il ne restât au 2329 que bien peu de temps à vivre n'avait par l'heur de déranger gros les fonctionnaires devant statuer sur son cas.

L'acharnement de Leonard, une pétition monstre expédiée au procureur général et réclamant sa grâce eurent finalement raison des oppositions et tergiversations. Le seize juin, 1894, le ministre de la justice signa l'autorisation de libérer Donald Morrison. Après tout, il était évident que le 2329 mourrait bientôt et qu'il ne pourrait jamais plus constituer une menace pour la sacro-sainte justice.

Peter Spanjaardt se rendit à la prison pour communiquer la nouvelle au prisonnier.

Depuis un mois, le 2329 était confiné à l'hôpital du pénitencier. Cloué sur son lit, crachant du sang chaque fois qu'il toussait, yeux révulsés quand il cherchait à trouver un peu d'air, Donald trouva la force de remercier quand son visiteur lui eut appris qu'on le libérerait après quelques formalités. Le moribond repensa à la prière qu'il avait faite à son arrivée à la prison. Il résolut de s'accrocher à la vie jusqu'au jour de sa libération.

Le mardi, dix-neuf juin, à onze heures de l'avant-midi, il était libéré. Il fut transporté sur une civière. La chaleur d'un superbe soleil le pénétra pendant quelques secondes depuis la porte de la prison jusqu'au fourgon ambulancier qui le conduirait à l'hôpital Royal-Victoria.

Infirmières et médecins le prirent en charge. Il n'arriva pas à leur adresser des mots de remerciements. Les quelques parcelles d'énergie qui lui restaient ne lui servaient plus qu'à trouver un peu de souffle.

Spanjaardt se rendit à l'hôpital vers cinq heures de l'après-midi. Le corps reposait sous un drap blanc. Le 2329 avait rendu l'âme quatre-vingt-dix minutes plus tôt. On remit ses biens au journaliste pour qu'il les confiât à la famille. Un billet de dix dollars remis par les autorités au sortir du pénitencier comme le voulait la consigne. Une pièce d'un dollar dans une enveloppe datée du douze juin et envoyée par une dame âgée qui avait voulu par son humble aumône aider à soulager la misère du prisonnier agonisant. Et une musique à bouche rongée par la rouille.

Le corps fut placé dans un cercueil de bois de rose. Une brève cérémonie eut lieu à l'hôpital. Des membres de la St-Andrew Society se transmirent la nouvelle. Quelques-uns se rendirent à l'hôpital. En soirée, on transporta la dépouille à la gare Windsor où on la mit à bord d'un train en partance pour les cantons.

Pendant que la locomotive fendait l'air, que ses roues et celles des wagons, prisonnières de la voie ferrée, faisaient entendre jusque dans les collines leurs claquements monotones, pendant que l'esprit de Donald Morrison précédait son corps dans son cher pays de Compton, la justice, elle, dormait tranquille. Ce jour-là, dans toute sa magnanimité, elle avait gratifié un condamné de treize années sans rien lui demander en retour.

À quatre heures du matin, le train s'arrêtait à Marsden. John Leonard et Peter Spanjaardt en descendirent. Prévenu, l'avocat s'était joint au journaliste à Sherbrooke afin d'accompagner leur ami commun jusqu'à son dernier repos.

Norman et Murdoch Morrison reçurent le cercueil qu'ils déposèrent sur le quai le long d'une petite bâtisse faisant office de gare. Et ils bavardèrent jusqu'au jour.

Puis le corps fut transporté chez le beau-frère du défunt, Alex MacDonald. Il fut sorti de la boîte, mis sur les planches au fond d'une petite pièce. Aux parents, Spanjaardt dit que Donald avait donné sa vie pour une cause qu'il croyait et qui était juste et qu'il était mort dans les bonnes grâces du Seigneur.

Le jour suivant, vers dix heures, sous un soleil plus éclatant encore que la veille, le cortège funèbre s'ébranla. Dans son long trajet vers le cimetière de Gisla, il ne devait s'arrêter qu'une seule fois. À la cabane des Morrison, les deux vieillards, appuyés l'un contre l'autre, montèrent dans l'une des voitures. Et l'on repartit par l'étroit chemin côteux qui conduisait au lieu de la sépulture.

La fosse avait été creusée au bord de la route comme si l'on avait voulu inviter le défunt à reprendre sa course libre par les grands chemins des cantons. Une cinquantaine de personnes virent le cercueil tanguer en s'enfonçant entre les parois. Des MacRitchie, des MacArthur, des McIver, des Matheson, des Higgins, des Hall, le constable Edwards, d'autres.

Puis les gens commencèrent à se disperser. Ils regagnèrent en silence leurs voitures afin de retourner vaquer à leurs occupations. Les Morrison se regroupèrent sur la route autour de Sophia et Murdo. Un couple restait encore près de la fosse. Un enfant les séparait et les unissait à la fois. Les cheveux blonds, bouclés de la femme flottaient sur sa robe noire, dans son dos. L'homme gardait la tête basse.

La femme lâcha la main du garçonnet, chercha quelque chose sur elle.

— Maman, fit l'enfant, inquiet d'avoir perdu sa main.

Plus loin, John Leonard fouilla dans sa poche, sortit un objet, s'approcha du couple. Il le montra puis le jeta dans le trou. L'harmonica frappa le bois du cercueil dans un bruit amplifié par la fosse, sourd, pouvant rappeler vaguement celui d'une porte de prison qui s'ouvre. Ou se referme...

Marion MacAuley s'essuya les yeux avec son mouchoir. Elle dit à son compagnon :

— Partons.

L'homme dit à leur fils :

— Viens, Donald.

CHAPITRE 27

A la sortie du cimetière, Spanjaardt aborda Marion, lui remit une lettre, dit :

— Je voulais la déposer sur sa tombe mais il vaudrait mieux que vous le fassiez. Lisez d'abord ce qu'elle contient.

Norman s'éloigna avec l'enfant pour laisser Marion poser un dernier geste qui n'appartiendrait qu'à elle et au défunt. Elle ouvrit l'enveloppe qui contenait trois pages extraites d'un livre de poésie et lut :

Although my body is confined
My fancy still may roam,
And borne on wings of memory
'Twill seek my childhood home.
There, far from jailers' callous tones
And convicts' rougher ways,
'Twill revel undisturbed among
The scene of other days.

Some thirst for wealth and grandeur
And the pomp that's in their train,
But visions of such pageantry
Have ne'er oppressed my brain.
Give me the wilds of Canada
To roam about at will,
O solitudes of Compton's woods
I hunger for you still.

Farewell, each lovely scene around
The wild Megantic range !
Farewell, ye hills and streams and rocks
That never knew a change !
Through lonely nights and weary days
My thoughts revert to thee,
And dreaming o'er these scenes once more,
I fain would still be free.

Farewell, my old familial haunts-
My woodland home farewell !
Fond thoughts of these beguile the time
Within my prison cell.
I love them now, when far away,
As I ne'er loved before ;
Coult I attain thy joys again,
I'd never leave thee more.

Farewell, my friends, my faithful friends,
Who proved so firm and true !
My fondest thoughts by night or day
Are e'er reserved for you.
Though all the months of trials,
When affliction's wounds were sore,
Though storms and calm, sweet friendship's balm
Relieved the pain I bore.

Farewell, dear old familiar spots
Around my Compton farm,
The springs and brooks and maple groves
Have all a subtle charm.
The horses, kye, and gentle sheep
(I tended with such care)
That roam at will o'er vale and hill,
Alas, they are not there.

Misfortune scattered far and wide
The flocks I loved so well !
Misfortune drove their master hence
To fill a convict's cell.
Yet fancy still conjures each scene !
I hear the lambkins bleat,
And still in dreams those crystal streams
Will murmur low and sweet.

Misfortune, with its poisoned fangs,
Hath dealt a deadly blow
To all the plans I formed with care
In day-dreams long ago.
The happy home I meant to share
With Marion, my own !
With other things have taken wings-
E'er hope itself hath flown !

These pictured scenes of future joy
Were castles in the air,
The gentle maiden that I love
My lot may never share.
The welcome sound of childish glee
I long so much to hear !
Will never fall in grim St-Paul
Upon a convict's ear.

Ah ! no, 'tis age alone that dwells
Within these dungeon walls,
The bloom of youth woon fades away
And dark despair appalls.
The dismal moans of fallen men
Invade the prison air,
And bitter cries, with curses, rise
To heave, instead of prayer !

I love to hear the storm king howl !
Around my prison cell,
It e'er reminds me of the last
Sad parting in the dell.
Oh, tender, tender when the tones
Oh my sweet Highland maid,
That said «good-bye» with tearful eye,
In Marsden's lonely glade !

Quand elle eut terminé, Spanjaardt dit à Marion :

— C'est un poème écrit il y a deux ans par un homme de Lingwick, appelé Oscar Dhu.

— Je voudrais bien le conserver, murmura-t-elle.

— Il a été publié dans le Star. Je vous en donnerai une copie.

Elle retourna à la fosse, y jeta l'enveloppe.

CHAPITRE 28

Quelques mois auparavant, soit le dernier jour de mars, Honoré Mercier, ancien premier ministre, écrivait à Georges-Isidore Barthe, ancien député de Richelieu.

« Les hommes sont méchants. C'est vrai, mais pas plus que quand Caïn tua Abel. Sursum corda, mon ami. Ne jugez pas ce que l'on vous fait, mais comparez à ce que l'on fait à d'autres, et vous serez moins malheureux. »

Lors du décès de Morrison, Mercier, malade, se rappela à la lecture des journaux, de ce petit épisode agaçant de sa vie politique alors qu'en pleine gloire et au sommet de sa puissance, il avait demandé à son procureur général de prendre les mesures propres à régler promptement l'affaire du hors-la-loi.

Cette pensée brève le conduisit pour la centième fois à une longue réflexion sur l'inimaginable tournure des événements, sur le souvenir de toutes ces choses à s'être retournées contre lui en si peu de temps.

C'est moins de deux ans après la triomphale réélection de son parti en 1890 qu'avait commencé l'imprévisible débâcle par une pluie d'attaques s'abattant sur la tête de son gouvernement et sur la sienne. Les journaux s'étaient montrés d'une agressivité qu'il n'a jamais pu comprendre. Jamais non plus il n'arriverait à saisir comment son programme de grand gouvernement, nonobstant quelques irrégularités commises par des gens de son entourage, avait pu le desservir à ce point.

En 1891, la suspicion avait éclaté de toutes parts. Les journaux avaient fait bloc pour étaler des scandales. Mercier avait assis sa gloire sur ses tournées européennes. Un journal français donna grande crédibilité aux prétentions de ceux du Québec. Le vingt-sept septembre 1891, le Figaro écrivait :

« Il est dit que le vieux monde ne saura jamais faire aussi grand que le nouveau. Nous avons vu depuis une dizaine d'années, en Europe, quelques jolis scandales parlementaires, et quelques enquêtes tout aussi parlementaires et aussi scandaleuses, mais jamais, au grand jamais, on n'a vu ni rêvé lessive aussi phénoménale que celle qui se fait depuis bientôt deux mois au Canada. Et cela ne prend pas de fin, et tous les jours il y a du nouveau linge sale, et il ne restera bientôt plus personne pour juger les coupables, car si l'on n'admettait que les jugements de ceux qui n'ont pas été éclaboussés dans cette petite fête parlementaire, il me semble qu'il n'y aurait pas beaucoup de juges.

Monsieur Mercier a l'air d'avoir fait les choses en grand. On a pu trouver jusqu'ici qu'il a reçu 155,000 dollars de la Compagnie de chemin de fer de la Baie des Chaleurs, une maison de 12,000 dollars, 10,000 dollars en espèces, une voiture, deux chevaux, un mail-coach, un collier de diamants. Aux dernières nouvelles, on croyait ne pas avoir encore épuisé la liste des cadeaux. Il est juste de dire que monsieur Mercier étonne les Américains eux-mêmes, qui sont pourtant habitués à bien des choses... »

Une commission royale avait fait sortir au grand jour tant d'illégalités que le lieutenant-gouverneur, le seize décembre, avait révoqué le premier ministre et son gouvernement et appelé Charles de Boucherville à former un nouveau ministère.

Puis il y avait eu cette dure campagne de 1892 où on l'avait partout accueilli aux cris de : « À bas la clique ! À bas les voleurs ! En prison ! »

Et le huit mars avait eu lieu la défaite. Écrasante, Humiliante. Définitive.

«Coup de balai !» avait titré l'Étendard.

« Le peuple, dans un haut-le-coeur formidable, a rejeté avec dégoût les hommes qui, après avoir capté sa confiance, l'avaient trompé et avaient compromis son honneur, » avait écrit La Presse.

Et dans le Star : « Le nom historique de Québec ne sera plus synonyme de corruption. »

«Quel châtiment pour la bande de brigands qui saignait la province depuis quatre ans,» avait écrit le Courrier du Canada.

« Notre honneur national est relevé de la honte où Mercier l'avait plongé, » avait soutenu le Courrier de Saint-Hyacinthe.

Le vingt avril, Mercier avait reçu une sommation à comparaître faisant état d'une accusation de fraude pour un montant de soixante mille dollars.

Enquête préliminaire. Avocats de Mercier : François-Xavier Lemieux qui a défendu Louis Riel et Donald Morrison ; J.N. Greenshields également défenseur de Riel et Morrison ; Charles Fitzpatrick, avocat de la défense au procès de Riel et de la Couronne à celui de Morrison.

Procès prévu aux assises criminelles.

La Patrie avait écrit :

« Il est resté seul dans son infortune. Il avait en mains la partie la plus brillante qui ait jamais échu à un homme d'État canadien ; il avait tout un peuple derrière lui, et un rôle glorieux à remplir ; sa vanité et son égoïsme et son dénuement absolu de sens moral ont tout perdu. »

Ruiné par ses dépenses excessives et ses frais d'avocat, Mercier s'était acheminé vers la faillite. Elle avait eu lieu avant même la tenue du procès, s'élevant à 83,000 dollars.

Le procès avait commencé le vingt-six octobre sous la présidence du juge Wurtele, celui-là même qui avait assisté Brooks au procès de Donald Morrison.

Les jurés n'avaient pris que cinq minutes pour les délibérations. Leur verdict : non coupable. L'ancier premier ministre n'avait, lui, jamais été une menace pour la justice.

Le grêle de coups avait gravement détérioré la santé de Mercier. Le diabète avait étendu ses ravages. Et le malheur s'était acharné.

Le dix-neuf novembre, on avait procédé à la vente de ses meubles, fauteuils à médaillon, canapés de style, pendules, bronzes. Puis de ses souvenirs de voyages. Puis de ses livres. Lavé. Dépossédé. Tout comme Donald Morrison.

En 1893, il s'était battu par grands coups de boutoir qui s'étaient transformés en coups d'épée dans l'eau car l'homme n'était plus que l'ombre du flamboyant premier ministre d'antan.

Le vingt-huit décembre, il avait dit ses souffrances en pleine séance de l'assemblée législative.

« Croyez-vous que je n'ai pas souffert ? J'en appelle à tout homme juste pour déclarer si je n'ai pas été victime d'une odieuse persécution. Mais mon honneur a été sauvé ; mes pairs, mes juges m'ont acquitté ; on n'a jamais pu prouver que j'avais touché un sou des derniers publics. Aussi le peuple m'a porté en triomphe quand je suis sorti du prétoire. Où étiez-vous alors mes persécuteurs ? »

•

Cinquante jours ont maintenant passé depuis la mort de Donald Morrison, de ce hors-la-loi qui a voulu mourir et qui a embrassé la tuberculose comme une bienfaitrice.

Mercier quitta son bureau pour la dernière fois en cette journée chaude du six août. Quelques jours plus tard, retenu au lit, souffrant, il déclara :

— Je pars trop tôt ou trop tard. Trop tôt parce que je n'ai pas eu le temps d'exécuter tous les projets que j'avais formés pour la province. Trop tard parce que si j'étais parti il y a trois ans, je n'aurais pas connu les tortures morales et physiques que j'ai endurées depuis 1891. »

Après le vingt septembre, la nouvelle de sa mort imminente se répandit. Dans plusieurs foyers du Québec où l'on a prié pour Riel, pour Morrison, on prie maintenant pour Mercier.

Chapleau vint rendre visite à son vieil ennemi politique. Il lui demanda pardon. Mercier éclata en sanglots.

L'agonie dura un mois. Ce fut sa bataille la plus acharnée et la plus pathétique. Mercier refusait la mort.

Neuf ans après Riel, quatre mois après Morrison, Honoré Mercier expira le trente octobre 1894. Et plus pauvre encore que les deux précédents. Tout le Québec se réclama alors de la gloire de l'homme qui l'avait dirigé. Il fut vanté par tous les journaux et, trépas oblige, par ceux-là même qui l'avaient le plus vilipendé.

La Vérité écrivit :

— « De tous nos hommes publics, c'était lui qui faisait le moins de courbettes aux Anglais. »

Ses funérailles furent une apothéose. Précédait le cortège une banderole avec ces mots : « Cessons nos luttes fraticides. Unissons-nous. » Un cortège de 75,000 personnes suivait. Tout le gratin de la province et du pays. Et parmi eux, un homme qui regrettait de n'avoir jamais eu la chance de rencontrer personnellement l'illustre disparu : le juge Brooks.

Ce même jour, Marion MacAuley, seule, se rendit au cimetière de Gisla. A son arrivée dans la clairière, elle aperçut un chevreuil qui marchait, alerte, panache nerveux, à quelques pas de la tombe de Donald Morrison.

EPILOGUE

Un siècle a vécu depuis que furent tournées les grandes pages de cette histoire.

Ces derniers mois, chaque heure, chaque minute, Donald Morrison, le fier Écossais monté sur Pégase, a chevauché par les pays de mon esprit. Tant et si bien que sa légende, en cette terre de liberté, s'est transformée en réalité plus vivante que le passé, plus belle que la fiction, plus récente que les souvenirs. Jamais personnage de roman n'a exercé sur ma pensée plus grande fascination.

J'ai eu besoin, absolument, de savoir où se trouve le lieu de son dernier repos, ce petit cimetière de Gisla que je me propose depuis longtemps de visiter pour y prier un moment sur la tombe de celui qui a guidé les pas de ma réflexion pendant ces nombreux mois pluvieux.

Nous sommes le vingt et un avril, jour anniversaire de la capture de Donald et de sa première « mort ». Même dans les cantons, il neige rarement si tard dans l'année. C'est le cas aujourd'hui comme ce même jour en 1889.

Depuis un mois que je cherche à me rendre à Gisla, dix obstacles se sont mis sur mon chemin dont ne fut pas le moindre, l'absence d'un vieil Écossais, historien régional, que je désire rencontrer et qui ajoutera certainement à mes connaissances sur l'affaire Morrison et surtout me situera exactement le cimetière, lieu inconnu par la plupart là-bas.

Ce jour-là, je peux enfin me délivrer de mon obsession et prendre la route, avec une bonne heure de retard, pour Mégantic où m'attend, pour me présenter l'Écossais, un ami qui m'a généreusement guidé tout au long de mon cheminement pour retracer ce qui, de l'affaire, fut couché sur papier ou fixé sur pellicule.

Il est seize heures et des poussières lorsque nous traversons la voie ferrée de Milan (Marsden) et arrivons dans la cour de cette vieille bâtisse, ancien magasin général construit en 1886 où Donald passa bien des heures, et devenue maison remplie d'antiquités.

L'Écossais, que nous n'avons pas prévenu, n'est pas encore chez lui.

Alors nous décidons de nous rabattre sur un petit magasin d'accomodation situé au carrefour, un peu plus loin. En entrant, je demeure sidéré d'y apercevoir une jolie jeune femme ressemblant trait pour trait à la Marion McKinnon de mon roman (qui en est alors à ses dernières pages). Elle nous donne quelques indications que précise un Américain vivant dans la région et qui se trouve là aussi. Au même moment, surviennent deux jeunes gens : l'un aux cheveux foncés et moustachu et l'autre blond, aux yeux d'un bleu profond et qui porte aussi la moustache. Celui-ci intervient, sait où se trouve le cimetière qu'il a effardoché l'année précédente, accepte de nous y conduire. Nous remontons en auto et suivons celle des jeunes gens.

En évitant les nombreuses ornières de la route, une question me harcèle. Pourquoi me suis-je retrouvé ce jour précis du vingt et un avril, par ce temps, dans ce magasin et à cette heure-là où par hasard s'arrêtèrent les jeunes gens. Mais par-dessus tout pourquoi y ai-je vu comme l'incarnation de Marion McKinnon ?

À quatre milles du village, sur un chemin de traverse inhabité, perdu entre d'épais boisés, nous atteignons une toute petite clairière. À droite : le cimetière, propre, à pierre tombales luisantes et qui n'ont certes pas l'âge des tombes.

Juste devant, près de la route, quatre d'entre elles sont alignées. Chacune marque le front d'un Morrison : Donald, Murdo, Sophia, Norman.

À mesure que je m'approche, mon esprit s'anime d'une émotion neuve et indéfinissable. La légende devient encore plus troublante lorsque mon guide se tient droit debout sur la tombe de Morrison comme si, en lui, le célèbre disparu venait tout juste de se matérialiser sous mes yeux.

À la fin de la visite, lorsque je veux glisser un merci dans la poche de mon guide, il refuse carrément la récompense. Je me dis que c'est ainsi qu'aurait réagi Donald.

En quittant, il nous révèle qu'il a souvent vu un chevreuil broutant l'herbe du cimetière lorsqu'il venait y travailler.

Plus tard, de retour au village, nous apprenons que le vieil Écossais n'est presque jamais absent et que c'est par adon si nous l'avons manqué si souvent déjà.

Quant à la jeune fille du magasin où nous nous arrêtons à nouveau sans aucune raison, elle nous dit qu'elle est l'aînée de sa famille et que sa mère est morte récemment détails qui me rappellent avec plus d'intensité encore le personnage de Marion.

Si je n'étais d'une nature incorrigiblement sceptique, j'aurais trouvé bien étrange ce chapelet de coïncidences, et fort insolites tous ces sentiments et impressions. Mais voilà que les puissances d'outre-tombe, que je n'ai jamais vu soulever la moindre pierre ou la plus petite poussière recouvrant les morts, me font sourire autant que l'existence de ces prétendues forces inconnues du cerveau que prête à l'homme une science-fiction nébuleuse.

Si j'écris cet épilogue, c'est pour que le lecteur sache où se trouve Gisla. Ou qu'il puisse le trouver. C'est pour que le lecteur s'arrête au petit magasin d'accomodation s'il vient un jour à passer par Milan. Peut-être y verra-t-il aussi la Marion de mon roman. Et qui sait, peut-être s'y trouvera-t-il un jeune homme aux yeux d'un bleu profond et qui le guidera jusqu'à Gisla sans accepter de récompense ?

En tout cas, ce que je sais avec certitude, c'est que là-bas, sur la tombe de Donald Morrison, le visiteur vivra et goûtera tout comme moi, un sentiment neuf de profonde sérénité, de grande paix.

Et par-dessus tout, il comprendra pourquoi...

FIN

DEMAIN TU VERRAS, c'est le roman d'un couple adulte.

C'est un récit audacieux, bouleversant de réalisme, qui pose avec une justesse inégalée le problème de la survie du couple romantique tout entier replié sur lui-même.

Avec une remarquable franchise et sans indulgence, l'auteur nous y entraîne, au rythme des prises de conscience et des drames qui jalonnent le cheminement intime d'Alain Martel, dans une saga du quotidien, dans une authentique passion de vivre qui s'échelonne sur une période de 20 ans.

DEMAIN TU VERRAS est un récit piquant, sensuel, choquant, qui va au coeur des tiraillements intérieurs d'un homme et d'une femme dans la trentaine, les prévoit, les provoque, les analyse.

A travers l'adolescent (1958) bourré de principes, le jeune homme (1960) aux passions éphémères, le mari traqué (1967), l'amant déçu (1973), l'on découvre dans le personnage central un être attachant de sincérité, émouvant dans sa recherche fébrile d'une liberté à sa mesure.

DANS CE ROMAN-CHOC, L'HOMME A LE BEAU RÔLE... pour un temps seulement.

Sa femme lui rendra la monnaie de sa pièce. A son tour, il connaîtra le doute oppressant, la jalousie, la tromperie, la souffrance.

A bout de déchirements et d'expériences douloureuses, le couple se verra contraint de sombrer ou... de se redéfinir face à des réalités nouvelles.

416 pages — 15 heures de lecture — 14,95 $

LE SANG DES AUTRES
(OU COMPLOT)

A cause de la demande, le plus controversé des romans de l'auteur, COMPLOT paru en 1979, est publié à nouveau sous le titre LE SANG DES AUTRES. Il s'avère une satire GLOBALE et FÉROCE tournant autour de la querelle «fédéralisme-souveraineté». Les têtes d'affiche politiques y deviennent les têtes de Turc d'un auteur à la plume acide qui revêt d'une impitoyable camisole de force ces hommes bizarres qui nous gouvernent.

Xénophobie, trahisons, complots type nazi, holocauste sont le quotidien et le lot des acteurs du drame: les méchants Anglais et les pauvres Québécois. Tout s'y passe et se termine dans une apothéose de feu et de sang qui conduira Lévesque à embrasser un fédéralisme inconditionnel et Trudeau à chanter l'indépendance.

Les jeunes trouveront dans ce livre une histoire d'amour (à l'image même du mariage) entre Mélanie du clan OUI et Jean du clan NON qui se battent avec délices.

Ce roman s'adresse particulièrement à ceux qui sont assez forts pour ne pas se laisser «avoir» par l'hypocrisie des hommes politiques. Également à ceux qui aiment rire dans l'horreur. Enfin à ceux qui peuvent pleurer sur le tragique destin de ces infortunés politiciens condamnés à se nourrir bien malgré eux du sang des autres...

Comme toile de fond: le référendum de 1980... ou bien au autre à venir. Le prochain peut-être...

309 pages — 4 heures de lecture — 9,95 $

andré mathieu

Un Amour Éternel

roman

Éditions André Mathieu

UN AMOUR ÉTERNEL retrace l'inavoué et l'inavouable d'une époque charnière riche en émotions, prodigue de situations aussi simples que suaves.

Entourée de sa mère qui est servante de curé, et de l'abbé Ennis, un homme bienveillant, Esther vit heureuse dans son univers au coeur du village dont les balises sont l'église, la salle publique, le couvent et sa maison : le presbytère.

Arrive un nouveau vicaire qui va bouleverser sa vie et faire naître en chacun d'eux un sentiment sublime que leur présence sous un même toit rendra parfois dangereux pour leur salut.

C'est sur cette toile de fond brûlante qu'est racontée l'année sainte (1950) dans la vie de ce prêtre sans cesse confronté avec la mort omniprésente et la vie qui palpite en lui et dans l'âme de la jeune maîtresse d'école.

De la veillée au corps à la messe de minuit, en passant par les « petites vues », l'arrivée d'un Français de passage, une vente à l'encan et combien d'autres incidents du quotidien, UN AMOUR ÉTERNEL c'est un retour dans le temps chantourné par l'auteur au fil de ses souvenirs.

368 pages — 8 heures de lecture — 14,95 $

CHÉRIE raconte l'histoire de deux soeurs : la mystérieuse, l'insondable Lina surnommée Chérie, infirmière angoissée, et Annie, la malléable enseignante.

Bien que liées par une affection généreuse, elles en arriveront contre leur gré à se déchirer jusqu'au drame pour l'amour d'un homme qui impose aux autres son échelle de valeurs et qui, dans une inconscience paisible étouffe lentement la tranquille vie familiale qui aurait pu être la sienne.

C'est alors que Mélanie et Isabelle, d'exquises petites filles quémandeuses d'affection deviendront les jouets de circonstances particulièrement dramatiques.

Émaillé d'une tendresse aux accents pathétiques, CHÉRIE darde le coeur et fait souvent pleurer.

L'auteur de DEMAIN TU VERRAS, COMPLOT, UN AMOUR ÉTERNEL, propose ici un ouvrage qui laisse au lecteur une grande soif de compréhension humaine car, avec une rare profondeur, il analyse l'âme tourmentée de certaines femmes de notre temps...

386 pages — 8 heures de lecture — 15,95 $

C'est la farouche détermination d'une mère pour assurer seule la survie de sa famille qui constitue le coeur de ce roman, le sixième de l'auteur.

S'y retracent les pas chancelants de cette femme vers une «certaine» libération à une époque (1917) qui ne le permettait pas.

Clarisse vit à travers son mari et ses enfants. À l'instar des femmes de son temps, c'est à travers eux qu'elle trouve sa raison d'être. Mais, le malheur aidant, elle arrache peu à peu son identité à une vie impitoyable faite d'accidents, de coups du sort, de difficultés à dompter la nature, sentiments combattus, maladie...

Avec un courage digne de nos aïeux, elle surmonte les énormes embûches parsemant sa route et apprend à ne dépendre que d'elle-même pour assurer son bonheur.

A Noël, un routier séparé des siens se souvient, rêve, imagine...

Une petite fille frappera à la porte de son coeur.

L'ENFANT DO fleure l'amour et la poésie, la tendresse et le rêve, la tristesse et la solitude, la douceur et la beauté. C'est un roman de Noël qui explore un coeur d'homme seul.

Pour tous ceux qui ont vécu, vivent ou vivront un jour la solitude.

12,95$

Editions André Mathieu
301, PAQUETTE, C.P. 351
SAINT-EUSTACHE, QUÉ.
J7R 4Z1
TÉL.: (514) 473-5960